La derni

La guerre des Clans

Cycle II – Livre III

Aurore

L'auteur

Pour écrire *La guerre des Clans*, **Erin Hunter** puise son inspiration dans son amour des chats et du monde sauvage. Erin est une fidèle protectrice de la nature. Elle aime par-dessus tout expliquer le comportement animal grâce aux mythologies, à l'astrologie et aux pierres levées.

LA GUERRE DES CLANS – CYCLE I
6 titres

LA DERNIÈRE PROPHÉTIE – CYCLE II
1. Minuit
2. Clair de lune
3. Aurore
4. Nuit étoilée
5. Crépuscule
6. Coucher de soleil

LE POUVOIR DES ÉTOILES – CYCLE III
1. Vision
2. Rivière noire
3. Exil
4. Éclipse
5. Pénombre
6. Soleil levant

LES SIGNES DU DESTIN – CYCLE IV
1. La quatrième apprentie
2. Un écho lointain
3. Des murmures dans la nuit
4. L'empreinte de la lune
5. La guerrière oubliée
6. Le dernier espoir

L'AUBE DES CLANS – CYCLE V
1. Le sentier du soleil
2. Coup de Tonnerre
3. La Première Bataille
4. L'Étoile flamboyante
5. La Forêt divisée
6. Le sentier des étoiles

Erin Hunter

La dernière prophétie

La Guerre des Clans

Cycle II – Livre III

Aurore

Traduit de l'anglais par Aude Carlier

POCKET JEUNESSE
PKJ·

Titre original :
Dawn

Loi n° 49 956 du 16 juillet 1949 sur les publications destinées à la jeunesse : mars 2013.

ISBN 978-2-266-23811-3
Dépôt légal : mars 2013

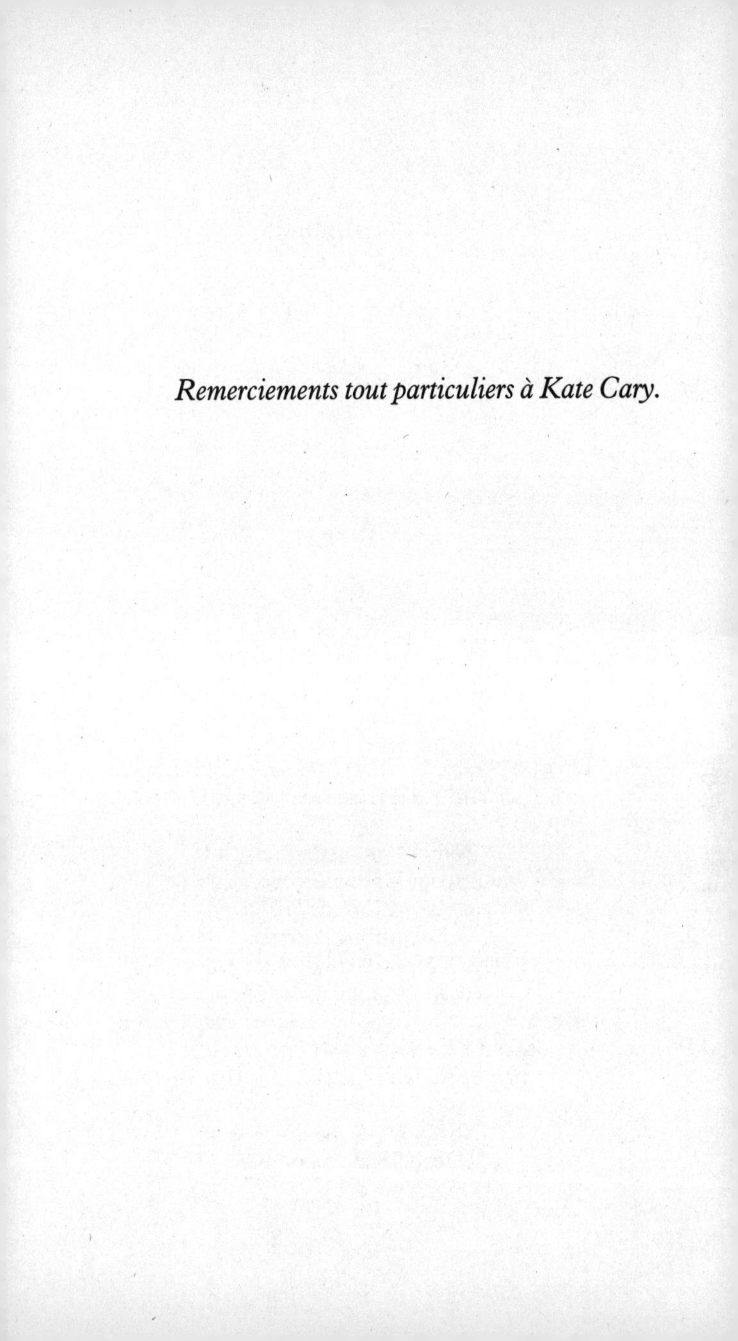

Remerciements tout particuliers à Kate Cary.

CLANS

CLAN DU TONNERRE

CHEF — **ÉTOILE DE FEU** – mâle au beau pelage roux.

LIEUTENANT — **PLUME GRISE** – chat gris plutôt massif à poil long.

GUÉRISSEUSE — **MUSEAU CENDRÉ** – chatte gris foncé.
APPRENTIE : NUAGE DE FEUILLE.

GUERRIERS — (mâles et femelles sans petits)

POIL DE SOURIS – petite chatte brun foncé.
APPRENTI : NUAGE D'ARAIGNÉE.

PELAGE DE POUSSIÈRE – mâle au pelage moucheté brun foncé.
APPRENTIE : NUAGE D'ÉCUREUIL.

TEMPÊTE DE SABLE – chatte roux pâle.

FLOCON DE NEIGE – chat blanc à poil long, fils de Princesse, neveu d'Étoile de Feu.

POIL DE FOUGÈRE – mâle brun doré.
APPRENTIE : NUAGE AILÉ.

CŒUR D'ÉPINES – matou tacheté au poil brun doré.
APPRENTI : NUAGE DE MUSARAIGNE.

CŒUR BLANC – chatte blanche au pelage constellé de taches rousses.

GRIFFE DE RONCE – chat au pelage sombre et tacheté, aux yeux ambrés.

PELAGE DE GRANIT – chat aux yeux bleu foncé et à la fourrure gris pâle constellée de taches plus foncées.

PERLE DE PLUIE – chat gris foncé aux yeux bleus.

PELAGE DE SUIE – chat gris clair aux yeux ambrés.

POIL DE CHÂTAIGNE – chatte blanc et écaille aux yeux ambrés.

APPRENTIS (âgés d'au moins six lunes, initiés pour devenir des guerriers)

NUAGE D'ÉCUREUIL – chatte roux foncé aux yeux verts.

NUAGE DE FEUILLE – chatte brun pâle tigrée, aux yeux ambrés et aux pattes blanches.

NUAGE D'ARAIGNÉE – chat noir haut sur pattes, au ventre brun et aux yeux ambrés.

NUAGE DE MUSARAIGNE – petit chat brun foncé, aux yeux ambrés.

NUAGE AILÉ – chatte blanche aux yeux verts.

REINES (femelles pleines ou en train d'allaiter)

BOUTON-D'OR – chatte roux pâle, la plus âgée des reines.

FLEUR DE BRUYÈRE – chatte aux yeux verts et à la fourrure gris perle constellée de taches plus foncées.

ANCIENS (guerriers et reines âgés)

PELAGE DE GIVRE – chatte à la belle robe blanche et aux yeux bleus.

PERCE-NEIGE – chatte crème mouchetée.

LONGUE PLUME – chat crème rayé de brun.

CLAN DE L'OMBRE

CHEF **ÉTOILE DE JAIS** – grand mâle blanc aux larges pattes noires.

LIEUTENANT **FEUILLE ROUSSE** – femelle roux sombre.

GUÉRISSEUR **PETIT ORAGE** – chat tigré très menu.

GUERRIERS **BOIS DE CHÊNE** – matou brun de petite taille.
APPRENTI : NUAGE DE FUMÉE.

PELAGE D'OR – chatte écaille aux yeux verts.

CŒUR DE CÈDRE – mâle gris foncé.

PELAGE FAUVE – chat roux.
APPRENTI : NUAGE PIQUANT.

REINE	**FLEUR DE PAVOT** – chatte tachetée brun clair, haute sur pattes.
ANCIENS	**RHUME DES FOINS** – mâle gris et blanc de petite taille.
	FLÈCHE GRISE – matou gris efflanqué.

CLAN DU VENT

CHEF	**ÉTOILE FILANTE** – mâle noir et blanc à la queue très longue.
LIEUTENANT	**GRIFFE DE PIERRE** – mâle brun foncé au pelage pommelé.
	APPRENTI : NUAGE NOIR – mâle gris foncé, presque noir, aux yeux bleus.
GUÉRISSEUR	**ÉCORCE DE CHÊNE** – chat brun à la queue très courte.
GUERRIERS	**MOUSTACHE** – mâle brun tacheté.
	PLUME NOIRE – matou gris foncé au poil moucheté. **APPRENTI : NUAGE DE BELETTE.**
	OREILLE BALAFRÉE – chat moucheté. **APPRENTI : NUAGE DE HIBOU.**
	PLUME DE MOINEAU – chatte brun clair, aux yeux bleus. **APPRENTI : NUAGE D'AUBÉPINE.**
REINES	**AILE ROUSSE** – petite chatte blanche.
	PATTE CENDRÉE – chatte au pelage gris.
ANCIENS	**BELLE-DE-JOUR** – femelle écaille.
	GERME DE BLÉ – matou crème et tigré.

CLAN DE LA RIVIÈRE

CHEF

ÉTOILE DU LÉOPARD – chatte au poil doré tacheté de noir.

LIEUTENANT

PATTE DE BRUME – chatte gris-bleu foncé, aux yeux bleus.

GUÉRISSEUR

PATTE DE PIERRE – chat brun clair à poil long.

APPRENTIE : PAPILLON – jolie chatte au pelage doré et aux yeux ambrés.

GUERRIERS

GRIFFE NOIRE – mâle au pelage charbonneux.
APPRENTI : NUAGE DE CAMPAGNOL.

GROS VENTRE – mâle moucheté très trapu.
APPRENTI : NUAGE DE PIERRE.

PELAGE D'ORAGE – chat gris sombre aux yeux ambrés.

PLUME DE FAUCON – chat massif au pelage brun tacheté, au ventre blanc et au regard bleu glacé.

PLUME D'HIRONDELLE – chatte brun sombre au pelage tigré.
APPRENTI : NUAGE DE GOUTELETTES.

REINES

PELAGE DE MOUSSE – chatte écaille-de-tortue.

FLEUR DE L'AUBE – chatte gris perle.

ANCIENS

VENTRE AFFAMÉ – chat brun foncé.

PELAGE D'OMBRE – chatte d'un gris très sombre.

TRIBU DE L'EAU VIVE

SOIGNEUR

CONTEUR DES POINTES ROCHEUSES – mâle brun au pelage tigré et aux yeux ambrés.

CHASSE-PROIES

(mâles et femelles chargés de nourrir la Tribu)

CIEL GRIS AVANT L'AURORE (CIEL) – chat gris clair au pelage tigré.

SOURCE AUX PETITS POISSONS (SOURCE) – chatte au pelage brun et tigré.

GARDE-CAVERNES (mâles et femelles chargés de protéger la Tribu)

SERRE DE L'AIGLE TOURNOYANT (SERRE) – chat brun sombre au pelage tigré (ancien chef des exilés).

FLÈCHE OÙ SE POSE LE HÉRON (FLÈCHE) – matou gris sombre.

ROC OÙ POUDRE LA NEIGE (ROC) – matou brun (ancien exilé).

MÉSANGE PORTÉE PAR LE VENT (MÉSANGE) – chatte au pelage gris tigré (ancienne exilée).

PIC OÙ NICHENT LES AIGLES (PIC) – matou au poil gris sombre.

SENTIER ABRUPT BORDANT LA CASCADE (SENTIER) – chat brun sombre au pelage tigré.

NUIT SANS ÉTOILES (NUIT) – chatte noire.

PORTEUSES (femelles pleines ou en train d'allaiter)

AILE D'OMBRE SUR L'EAU (AILE) – chatte au pelage gris et blanc.

NUÉE DE HÉRONS TERRIFIÉS (NUÉE) – chatte tigrée.

CHATS DIVERS

GERBOISE – mâle noir et blanc qui vit près d'une ferme, de l'autre côté de la forêt.

NUAGE DE JAIS – petit chat noir au poil lustré, avec une tache blanche sur la poitrine et le bout de la queue, ancien apprenti du Clan du Tonnerre qui vit avec Gerboise.

JESSIE – chatte domestique tigrée aux yeux bleus.

SACHA – chatte errante au pelage fauve.

AUTRES

MINUIT – blaireau vivant près de la mer, qui s'adonne à la contemplation des étoiles.

Hautes Pierres
Ferme de Gerboise
Camp du Vent
Quatre Chênes
Chutes
Arbre aux Chouette
Rivière
Rochers du Soleil
Camp de la Rivière

Charnier
Camp de l'Ombre
Chemin du Tonnerre
Camp du Tonnerre
Grand Sycomore
Rochers aux Serpents
Combe sablonneuse
Grands Pins
Cabane à
ouper le bois
Ville des Bipèdes
Clan du Tonnerre
Clan de la Rivière
Clan de l'Ombre
Clan du Vent
Clan des Étoiles

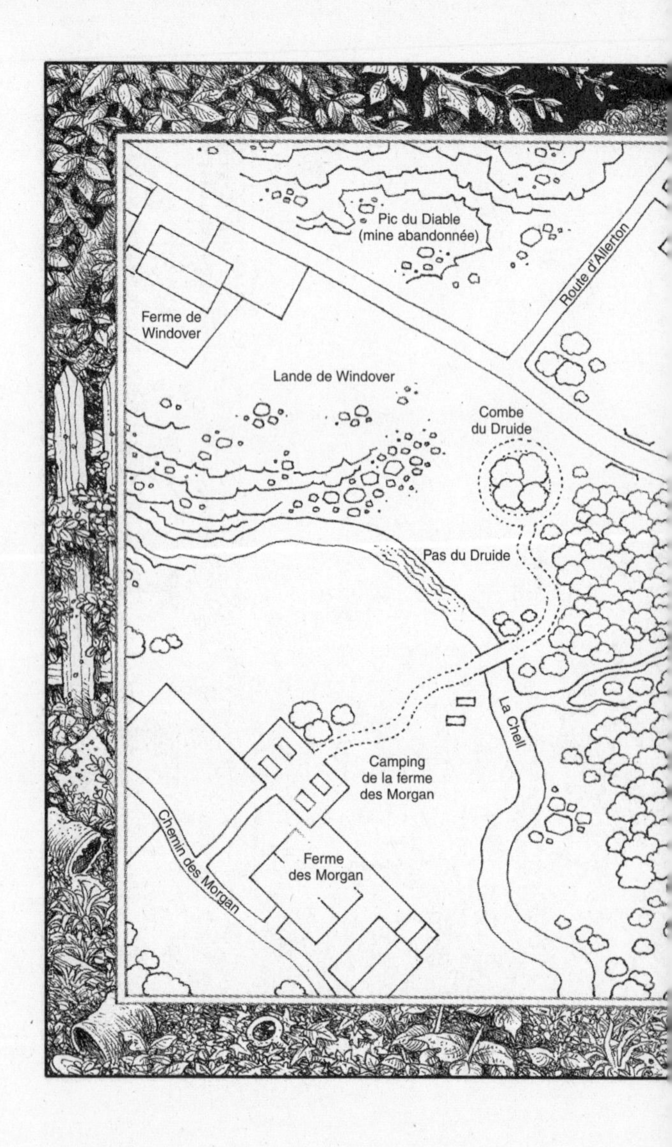
Pic du Diable
(mine abandonnée)
Route d'Allerton
Ferme de
Windover
Lande de Windover
Combe
du Druide
Pas du Druide
La Chell
Camping
de la ferme
des Morgan
Chemin des Morgan
Ferme
des Morgan

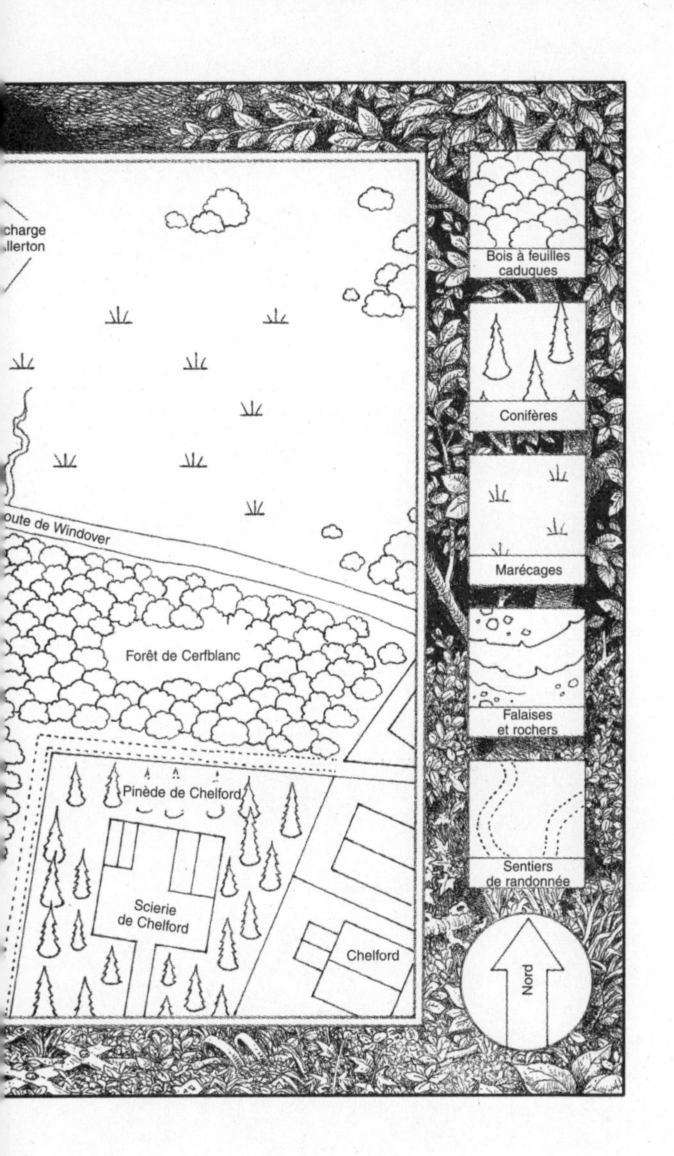

charge
llerton
oute de Windover
Forêt de Cerfblanc
Pinède de Chelford
Scierie
de Chelford
Chelford
Bois à feuilles
caduques
Conifères
Marécages
Falaises
et rochers
Sentiers
de randonnée
Nord

PROLOGUE

LA FROIDE LUMIÈRE DES ÉTOILES éclairait les arbres dénudés de la forêt. Des ombres se glissaient dans les fourrés ; de fines silhouettes, à la fourrure plaquée par la rosée glacée du soir, se coulaient dans les taillis tel un cours d'eau entre les roseaux. Les muscles jadis puissants de ces chats avaient fondu, leurs os saillaient à présent sous leur pelage.

Le mâle à la robe couleur de flamme qui guidait la procession silencieuse releva la tête pour humer l'air. Même si la tombée de la nuit avait réduit les monstres des Bipèdes au silence, leur puanteur imprégnait la moindre feuille morte, la moindre branche nue.

L'odeur familière de sa compagne, tout près de lui, le réconforta. Son parfum se mêlait aux fumets détestables des Bipèdes, en adoucissait l'âcreté. La guerrière s'obstinait à suivre son allure, alors même que sa démarche hésitante trahissait les longues semaines de famine et de nuits sans sommeil qu'ils venaient tous d'endurer.

« Étoile de Feu, haleta-t-elle lorsqu'ils reprirent leur progression. Penses-tu que nos filles nous retrouveront à leur retour ? »

Le meneur se crispa comme s'il venait de marcher sur une épine.

« Je l'espère, Tempête de Sable, répondit-il doucement.

— Mais comment sauront-elles où chercher ? » La chatte jeta un coup d'œil en arrière, vers un chasseur massif. « Plume Grise, tu crois qu'elles sauront nous trouver ?

— Oh, elles se débrouilleront, lui promit le lieutenant.

— Comment en être sûr ? feula Étoile de Feu. Peut-être aurais-je dû envoyer une autre patrouille à la recherche de Nuage de Feuille.

— Et risquer de perdre d'autres guerriers ? » miaula Plume Grise.

La mine sombre, le chef pressa le pas sur le sentier.

« C'est la décision la plus dure qu'il ait eu à prendre, murmura Tempête de Sable au guerrier gris, la queue battante.

— Il n'avait pas le choix, il devait d'abord penser au Clan », siffla Plume Grise.

La chatte ferma les yeux un instant avant de répondre :

« Nous avons perdu tant des nôtres, au cours de la dernière lune… »

Le vent dut porter ses paroles jusqu'à Étoile de Feu car celui-ci tourna la tête, le regard dur.

« Alors peut-être que ce soir, pendant l'Assemblée, les autres Clans accepteront que nous nous unissions pour affronter ensemble cette terrible menace, grogna-t-il.

— Nous unir ? Tu parles ! » Un matou brun semblait le mettre au défi. « Tu as donc oublié comment ils ont réagi la dernière fois ? La moitié des membres du Clan du Vent étaient affamés. Pourtant, tu aurais pu tout aussi bien leur suggérer de manger leurs propres petits. Ils sont trop fiers pour admettre qu'ils ont besoin d'aide.

— La situation s'est encore dégradée, Pelage de Poussière, rétorqua Tempête de Sable. Comment un Clan peut-il rester fort si tous ses petits meurent les uns après les autres ?... » Elle s'interrompit, soudain consciente de ce qu'elle venait de dire. « Pelage de Poussière, je suis désolée, murmura-t-elle.

— Petit Sapin est morte, gronda le guerrier. Pour autant, jamais je n'accepterai qu'un autre Clan nous donne des ordres !

— Personne ne va nous donner d'ordres, le corrigea Étoile de Feu. Je suis toujours persuadé que l'entraide est notre seule chance. La mauvaise saison sera bientôt là. Les Bipèdes ont fait fuir la plupart des proies avec leurs monstres, et ils ont empoisonné les rares qui restent. Seuls, nous ne sommes pas de taille à lutter. »

Tout à coup, le murmure du vent dans les branches s'intensifia jusqu'à devenir rugissement. Étoile de Feu ralentit l'allure, les oreilles dressées.

« Qu'est-ce que c'est ? souffla Tempête de Sable, les yeux écarquillés.

— Il se passe quelque chose aux Quatre Chênes ! » hurla Plume Grise.

Il partit en trombe, aussitôt imité par Étoile de Feu, puis par leurs autres camarades. Tous s'arrêtèrent net au sommet d'un talus qui surplombait une cuvette aux parois abruptes.

Des lumières vives, artificielles, balayaient les troncs des quatre chênes géants qui avaient gardé ce lieu sacré depuis le temps des Grands Clans. D'autres lumières jaillissaient encore des yeux des monstres énormes tapis au bord de la clairière. Le Grand Rocher – l'énorme pierre grise et lisse d'où, à chaque pleine lune, les chefs de Clan s'adressaient au reste de l'Assemblée – semblait étrangement petit et vulnérable, tel un chaton couché sur le Chemin du Tonnerre.

Les Bipèdes s'affairaient partout dans la clairière, criant des instructions. Un nouveau bruit terrible – un gémissement aigu, strident – déchira l'air de la nuit. Un Bipède leva alors une énorme patte brillante qui étincela dans les lumières des monstres. Il l'appuya contre le tronc du chêne le plus proche : de la sciure s'échappa de l'arbre, tel du sang giclant d'une blessure. L'étrange patte poussa un hurlement en pénétrant l'écorce séculaire jusqu'au cœur de l'arbre. Puis le Bipède lança une mise en garde, qui fut suivie d'un « crac » si retentissant qu'il étouffa le grondement des monstres. Le grand chêne commença à ployer, doucement, puis de plus en plus vite, avant de s'abattre sur le sol. Ses branches dénudées claquèrent sur la terre froide, puis s'immobilisèrent dans un silence de mort.

« Clan des Étoiles, arrêtez-les ! » miaula Tempête de Sable.

Nul signe ne laissait présager que leurs ancêtres avaient été témoins de la scène. Les étoiles scintillaient toujours d'un froid éclat dans le ciel indigo lorsque le Bipède se dirigea vers le chêne suivant, son énorme patte hurlant toujours, impatiente de tuer de nouveau.

Sous les yeux horrifiés des félins, le Bipède passa d'un arbre à l'autre pour les abattre jusqu'au dernier. Les Quatre Chênes, où les Clans s'étaient rassemblés depuis des générations, n'étaient plus. Leurs branches écartelées frémirent une dernière fois avant de se figer. Au bord de la clairière, les monstres des Bipèdes grondèrent, prêts à venir découper leurs proies. Malgré le danger, les chats restèrent pétrifiés au sommet du talus, incapables de bouger.

« La forêt est morte, murmura Tempête de Sable. Nous sommes perdus.

— Gardez courage. » Les yeux étincelants, Étoile de Feu se tourna vers les siens : « Nous formons toujours un Clan. Il y a encore de l'espoir. »

CHAPITRE 1

NUAGE NOIR FUT LE PREMIER à flairer l'odeur de la lande lorsque le soleil du petit matin darda ses rayons pâles sur l'herbe trempée de rosée. Il n'en dit rien, mais Nuage d'Écureuil vit ses oreilles se dresser et ses muscles se détendre, comme si la tristesse qui l'accablait depuis la mort de Jolie Plume le quittait un peu. L'apprenti du Clan du Vent pressa le pas pour gravir la pente nappée de brume. Lorsque Nuage d'Écureuil ouvrit la gueule pour respirer profondément, elle discerna à son tour l'odeur familière des ajoncs et de la bruyère dans l'air frais. Puis elle fila à la suite de l'apprenti, aussitôt imitée par Pelage d'Orage, Griffe de Ronce et Pelage d'Or. À présent, tous percevaient les senteurs de la lande : leur long périple touchait enfin à son terme.

Sans se concerter, les cinq félins s'alignèrent le long de la frontière du Clan du Vent. Nuage d'Écureuil jeta un coup d'œil à son camarade de Clan, Griffe de Ronce, puis à Pelage d'Or, la guerrière du Clan de l'Ombre. Près d'elle, Pelage d'Orage, le chasseur gris du Clan de la Rivière, plissait les yeux pour se protéger de la brise cinglante. Mais c'était

Nuage Noir qui scrutait le plus intensément le paysage qui l'avait vu naître.

« Nous n'aurions jamais réussi sans Jolie Plume, murmura-t-il.

— Elle est morte pour nous sauver tous », ajouta tristement Pelage d'Orage, le frère de Jolie Plume.

Le cœur de Nuage d'Écureuil se serra. Au cours de leur voyage, ils avaient été accueillis par la Tribu de l'Eau Vive, qui habitait dans les montagnes, derrière une cascade. Ces félins suivaient les enseignements de leurs propres ancêtres : la Tribu de la Chasse Éternelle. Pendant des lunes, un fauve avait terrorisé ces chats, les emportant les uns après les autres pour les dévorer. Jolie Plume s'était sacrifiée afin de les sauver des griffes de ce prédateur. Un soir, alors que la bête attaquait une nouvelle fois la caverne, Jolie Plume avait réussi à détacher de la voûte une roche pointue, qui avait transpercé l'animal. Mais l'exploit de la guerrière lui avait valu une chute mortelle. Elle reposait à présent sous des pierres, près de la cascade. Ses amis espéraient que le bruissement de l'eau l'avait guidée jusqu'au Clan des Étoiles.

« Tel était son destin, déclara Pelage d'Or d'une voix douce.

— Non, son destin était de rester avec nous jusqu'au bout, rétorqua Nuage Noir. Le Clan des Étoiles l'avait choisie pour cette mission. Elle devait entendre les paroles de Minuit et les rapporter à son Clan. Elle n'aurait jamais dû mourir à cause d'une prophétie d'un autre Clan. »

Pelage d'Orage s'approcha à petits pas et enfouit son museau dans le flanc de l'apprenti.

« La bravoure et le sacrifice font partie du code du guerrier, lui rappela-t-il. Aurais-tu préféré qu'elle fasse un autre choix ? »

Muet, Nuage Noir contempla les ajoncs balayés par le vent. Ses oreilles s'agitaient comme s'il essayait désespérément d'entendre la voix de Jolie Plume dans la brise.

« Allez, on y va ! » lança Nuage d'Écureuil.

La novice bondit en avant, soudain pressée de finir le voyage. Avant de partir, elle s'était disputée avec son père, Étoile de Feu. Elle était maintenant si nerveuse à l'idée de le revoir que ses coussinets la picotaient. Griffe de Ronce et elle avaient disparu sans explication. Seule Nuage de Feuille, la sœur de Nuage d'Écureuil, savait que le Clan des Étoiles les avait envoyés auprès de Minuit. Personne ne s'était alors imaginé que Minuit était un vieux blaireau plein de sagesse, ni qu'il allait leur faire des révélations bouleversantes.

Nuage Noir, qui connaissait le territoire mieux que ses amis, dépassa la rouquine pour prendre la tête de leur groupe. Il se dirigea vers une bande d'ajoncs puis disparut le long d'un sentier, aussitôt imité par Pelage d'Or. Nuage d'Écureuil les suivit dans l'étroit tunnel en baissant la tête pour protéger ses oreilles des épines. Lorsque Griffe de Ronce et Pelage d'Orage s'y engagèrent à leur tour, elle sentit le sol vibrer sous ses pattes.

Quand les ajoncs se refermèrent sur elle, l'obscurité raviva les cauchemars qui perturbaient sans cesse son sommeil : dans ses rêves, elle était prisonnière d'un espace réduit et sombre imprégné d'une odeur de peur panique. Nuage d'Écureuil savait que, d'une façon ou d'une autre, ces visions étaient liées à sa sœur. Comme elle était de retour, elle pourrait enfin s'assurer que Nuage de Feuille allait bien. En proie à une nouvelle vague d'inquiétude, elle fila à toute vitesse vers la lumière.

Une fois à découvert, elle ralentit l'allure. Derrière elle, Griffe de Ronce et Pelage d'Orage surgirent du tunnel, leur fourrure striée de marques d'épines.

« J'ignorais que tu avais peur du noir, la taquina Griffe de Ronce.

— Je n'ai pas peur du noir !

— Ah bon ? Pourtant, je ne t'ai jamais vue courir si vite, ronronna-t-il en agitant les moustaches.

— Je suis pressée de rentrer, c'est tout », rétorqua-t-elle en faisant mine d'ignorer le regard complice qu'échangeaient les deux guerriers.

Les trois félins s'élancèrent sur les traces de leurs amis, qui avaient disparu dans la bruyère.

« À votre avis, que dira Étoile de Feu en apprenant la prophétie de Minuit ? demanda Nuage d'Écureuil.

— Qui sait ? répondit Griffe de Ronce, les oreilles frémissantes.

— Nous ne sommes que des messagers, rappela Pelage d'Orage. Tout ce que nous pouvons faire, c'est transmettre à nos Clans ce que le Clan des Étoiles voulait que nous découvrions.

— Vous pensez qu'ils nous croiront ? insista l'apprentie.

— Si Minuit a raison, nous n'aurons pas de mal à les convaincre », fit remarquer Pelage d'Orage, la mine sombre.

Nuage d'Écureuil se rendit compte qu'elle n'avait pensé qu'à une chose : retrouver son Clan. Elle avait chassé de son esprit la menace qui pesait sur la forêt. Mais les paroles du guerrier du Clan de la Rivière lui nouèrent l'estomac, et la terrible mise en garde de Minuit retentit de nouveau dans sa tête : *Bipèdes construire nouveau Chemin du Tonnerre. Bientôt, eux venir avec des monstres. Les arbres, ils arracheront, la roche, ils briseront, la terre même, ils éventreront. Plus de place pour des chats. Si vous restez, vous aussi, tués par monstres, ou bien morts de faim car plus de gibier.*

L'effroi la cloua sur place. Et s'ils arrivaient trop tard ?

Elle tenta de se calmer en se remémorant la fin de la prophétie de Minuit : *Mais vous pas seuls. À votre retour, vous monter sur le Grand Rocher, lorsque Toison Argentée brille dans le ciel. Guerrier mourant montrera le chemin.* Nuage d'Écureuil prit une profonde inspiration. Il y avait encore un espoir. Mais ils devaient rentrer chez eux.

« Des guerriers du Clan du Vent arrivent ! Je les sens ! »

Le cri de Griffe de Ronce arracha Nuage d'Écureuil à ses pensées.

« Nous devons rattraper Nuage Noir et Pelage d'Or ! » lança-t-elle.

Après avoir affronté le danger au côté de ses camarades de voyage pendant si longtemps, elle avait oublié que Nuage Noir était un membre du Clan du Vent. Contrairement à eux, il ne risquait pas de se faire attaquer par les siens.

D'un bond, elle quitta la bruyère et atterrit dans une clairière, manquant de peu percuter un apprenti chétif du Clan du Vent. Elle s'arrêta net, l'observant avec stupeur.

Le jeune matou tigré semblait à peine assez âgé pour quitter la pouponnière. Tapi au centre de la clairière, il faisait le gros dos. Sa fourrure s'était hérissée comme s'il allait livrer bataille, alors qu'il n'avait aucune chance face à Nuage Noir et Pelage d'Or. Il se crispa en voyant surgir Nuage d'Écureuil, mais resta courageusement à sa place.

« Je savais bien que j'avais senti des intrus ! » cracha-t-il.

La rouquine plissa les yeux. Cette espèce de demi-portion ne se croyait tout de même pas de taille à affronter trois chats adultes ? Nuage Noir et Pelage d'Or le contemplaient avec calme.

« Petit Hibou ! miaula Nuage Noir. Tu ne me reconnais donc pas ? »

L'apprenti pencha la tête de côté puis ouvrit la gueule pour mieux humer l'air.

« C'est moi, Nuage Noir ! Qu'est-ce que tu fiches ici, Petit Hibou ? Tu ne devrais pas être à la pouponnière ? »

Le jeune félin agita les oreilles.

« Je m'appelle Nuage de Hibou, maintenant, rétorqua-t-il.

— Mais tu ne peux pas être apprenti ! Tu n'as pas encore six lunes.

— Et toi, tu ne peux pas être Nuage Noir, grogna le petit chat tigré. Ce lâche s'est enfui. »

Malgré ses paroles virulentes, il se détendit visiblement et vint flairer l'étrange visiteur.

« Tu sens bizarre, déclara-t-il.

— Nous revenons de loin. Je dois parler à Étoile Filante.

— Qui doit parler à Étoile Filante ? »

Le miaulement agressif fit sursauter Nuage d'Écureuil. En se tournant, elle vit un guerrier du Clan du Vent se faufiler dans la bruyère. Deux autres guerriers le suivaient. La rouquine fut choquée par leur apparence : ils étaient si maigres qu'elle voyait leurs côtes saillir sous leur fourrure. Ces matous ne savaient plus chasser ou quoi ?

« C'est moi ! Nuage Noir ! rétorqua l'apprenti en agitant le bout de la queue. Plume Noire, toi non plus, tu ne me reconnais pas ?

— Bien sûr que si », répondit le guerrier d'un ton neutre.

Tant d'indifférence serra le cœur de Nuage d'Écureuil, qui eut pitié de son ami. Ce n'était guère une façon d'accueillir un camarade. Et dire que Nuage Noir n'avait même pas révélé les mauvaises nouvelles…

« On te croyait mort, déclara Plume Noire.

— Comme tu le vois, ce n'est pas le cas. Tout va bien dans le Clan ? »

Le guerrier plissa soudain les yeux.

« Que fichent ces chats ici ? demanda-t-il.

— On a voyagé ensemble, répondit Nuage Noir. Je ne peux rien t'expliquer pour l'instant, je dois d'abord voir Étoile Filante. »

Les paroles de l'apprenti ne semblèrent guère intéresser son camarade de Clan, qui se contenta de toiser le groupe, avant de feuler :

« Chasse-les de notre territoire ! Ils n'ont rien à faire chez nous ! »

Malgré elle, Nuage d'Écureuil se dit que Plume Noire n'était guère en état de les chasser s'ils refusaient de partir. Griffe de Ronce s'avança vers le guerrier du Clan du Vent en inclinant la tête.

« Nous partons sur-le-champ, dit-il.

— De toute façon, on doit rejoindre nos propres Clans, ajouta Nuage d'Écureuil d'un ton acerbe, ce qui lui valut un regard courroucé de la part de Griffe de Ronce.

— Alors dépêchez-vous, feula Plume Noire, avant de se tourner vers Nuage Noir. Toi, viens avec moi, je t'emmène voir Étoile Filante. »

Il se dirigea vers le fond de la clairière.

« Mais le camp est de l'autre côté ! lança Nuage Noir en pointant la queue dans la direction opposée.

— À présent, nous vivons dans les terriers de lapins abandonnés, lui apprit Plume Noire.

— Le Clan a déménagé ?

— C'est provisoire. »

Nuage Noir hocha la tête en silence, mais son regard trouble reflétait toutes les questions qui tourbillonnaient en lui.

« Je peux dire au revoir à mes amis ?

— Tes "amis" ? » L'un des autres guerriers venait de parler, un mâle brun clair. « Ta loyauté va-t-elle donc maintenant à des chats d'autres Clans ?

— Bien sûr que non ! On a voyagé ensemble pendant plus d'une lune, c'est tout. »

Sous les yeux étonnés des guerriers du Clan du Vent, Nuage Noir alla enfouir son museau dans la fourrure tachetée de Pelage d'Or. Puis il se frotta à Griffe de Ronce et Pelage d'Orage. Lorsqu'il tendit le cou pour presser sa truffe contre celle de Nuage d'Écureuil, celle-ci fut surprise par la chaleur de ses adieux. Nuage Noir avait eu bien du mal à trouver sa place dans le groupe. Néanmoins, après tout ce qu'ils avaient traversé, même lui avait conscience de l'amitié qui les unissait désormais.

« Nous devrons nous revoir bientôt, murmura Griffe de Ronce. Au Grand Rocher, comme nous l'a dit Minuit. Le guerrier mourant nous montrera le chemin. Il sera sans doute difficile de convaincre nos Clans que Minuit dit la vérité. Les chefs refuseront de quitter la forêt. Mais si le guerrier mourant vient…

— Pourquoi ne pas emmener nos chefs avec nous ? suggéra Nuage d'Écureuil. S'ils voient eux aussi le guerrier mourant, ils devront admettre que Minuit dit vrai.

— Je doute qu'Étoile du Léopard accepte de venir, prévint Pelage d'Orage.

— Étoile de Jais ne voudra pas non plus, dit Pelage d'Or. Ce n'est pas la pleine lune, il n'y a donc aucune trêve pour garantir la sécurité des quatre Clans.

— Mais c'est très important ! insista Nuage d'Écureuil. Ils doivent se rassembler !

— On peut toujours essayer de les convaincre, conclut Griffe de Ronce. Nuage d'Écureuil a raison. C'est peut-être la meilleure chose à faire.

— D'accord, miaula Nuage Noir. On se retrouve demain aux Quatre Chênes, avec ou sans nos chefs.

— Aux Quatre Chênes ! » répéta Plume Noire dans un grognement qui fit sursauter Nuage d'Écureuil.

Selon toute apparence, le guerrier du Clan du Vent avait entendu leur échange. La novice avait beau savoir que leur projet n'avait rien de déloyal, bien au contraire, elle se sentit tout de même un peu coupable. Mais Plume Noire semblait avoir une autre idée en tête.

« Vous ne pouvez pas vous retrouver là-bas. Il n'y a plus rien ! » cracha-t-il.

Nuage d'Écureuil sentit son sang se figer dans ses veines.

« Comment ça ? demanda Pelage d'Or.

— Tous les Clans ont assisté à la destruction, il y a deux nuits, lorsque nous sommes arrivés pour l'Assemblée. Les Bipèdes et leurs monstres ont abattu les arbres jusqu'au dernier.

— Ils ont abattu les Quatre Chênes ? répéta Nuage d'Écureuil.

— C'est bien ce que je viens de dire, s'emporta Plume Noire. Si vous êtes assez stupides pour y aller, vous le verrez par vous-mêmes. »

De nouveau, le désir ardent de retrouver son Clan, son père, sa mère et sa sœur s'empara de Nuage d'Écureuil. Ses pattes la démangeaient tant elle avait hâte de rejoindre la forêt. Et elle n'était pas la seule, apparemment. Le regard de Griffe de Ronce s'était durci, et Pelage d'Orage, impatient, labourait la terre de ses griffes.

Nuage Noir jeta un coup d'œil à ses camarades de Clan avant de reporter son attention sur ses amis.

« Bonne chance, miaula-t-il. Je pense qu'on devrait se retrouver là-bas demain soir, même si les chênes n'y sont plus. »

L'apprenti attendit que Griffe de Ronce et Pelage d'Orage acquiescent avant de pivoter pour suivre Plume Noire dans la bruyère.

Une fois les membres du Clan du Vent disparus de leur vue, Griffe de Ronce flaira l'air.

« Allons-y », ordonna-t-il.

Il s'élança à travers la lande, suivi de près par les trois autres. Ils galopaient dans l'herbe en silence, les faibles rayons du soleil de la saison des feuilles mortes peinant à réchauffer leur échine. Nuage d'Écureuil sentit l'humeur générale s'assombrir comme si des nuages venaient de voiler le ciel. Depuis qu'ils avaient quitté les montagnes, ils n'avaient eu qu'une idée en tête : rentrer chez eux. La rouquine commençait à penser qu'il aurait été plus facile de continuer à voyager pour toujours en territoire inconnu, plutôt que d'achever leur mission : ils devraient bientôt annoncer à leurs Clans qu'il fallait quitter la forêt sous peine de subir une fin terrible. Avant cela, ils devaient encore attendre le signe du guerrier mourant.

La puanteur des monstres des Bipèdes leur piqua la truffe lorsqu'ils approchèrent de la frontière. Nulle proie en vue. Nul oiseau dans le ciel. Nulle odeur de lapin dans les ajoncs. Il n'avait jamais été facile de chasser sur le territoire du Clan du Vent, mais la brise avait toujours charrié des effluves de gibier, le sol avait toujours porté des empreintes alléchantes. Même les busards, qui planaient souvent au-dessus de l'étendue de lande, étaient partis.

Les quatre chats atteignirent le sommet d'un talus. Nuage d'Écureuil déglutit avec peine, luttant contre l'envie de vomir : la puanteur était plus forte que jamais. Elle respira profondément et se força à regarder en contrebas. Une énorme tranchée avait été creusée dans la lande. Ses tons gris et bruns contrastaient avec le vert uniforme du paysage qu'ils connaissaient. Au loin, des monstres rugissants éventraient la terre avec leurs lourdes pattes, ne laissant dans leur sillage qu'une traînée de boue stérile.

Tremblante, Nuage d'Écureuil murmura :

« Pas étonnant que le Clan du Vent soit parti pour les terriers de lapins ! Les Bipèdes ont dû détruire leur camp.

— Ils ont tout détruit, souffla Griffe de Ronce.

— Partons d'ici », feula Pelage d'Or d'une voix où perçait sa colère.

De rage, la guerrière plongea ses longues griffes dans l'herbe. Près d'elle, Griffe de Ronce ne pouvait arracher son regard du paysage ravagé.

« Je n'arrive pas à croire qu'ils aient pu faire tant de dégâts, se lamenta-t-il.

— Allez, l'encouragea Nuage d'Écureuil, émue par son désespoir. Rentrons vite pour découvrir ce qui est arrivé à nos Clans. »

Il acquiesça, puis se redressa lentement comme s'il portait un lourd fardeau. Sans mot dire, il dévala la pente, prenant garde à rester le plus loin possible des monstres. Côte à côte, les félins traversèrent l'étendue de terre éventrée. Nuage d'Écureuil remercia l'air frais de la nuit qui avait durci la boue. S'il avait plu, la tranchée serait devenue une rivière brune et gluante assez profonde pour engloutir des chatons et tremper les ventres des guerriers les plus hauts sur pattes.

À la frontière, où le sol s'inclinait jusqu'à l'orée de la forêt, Pelage d'Or marqua une halte.

« Je vais vous laisser ici », dit-elle d'une voix calme. Ses yeux trahissaient sa tristesse. « Nous nous reverrons demain aux Quatre Chênes, quoi que les Bipèdes aient pu faire, promit-elle.

— Je te souhaite bonne chance, tu en auras besoin pour convaincre Étoile de Jais, miaula Griffe de Ronce en frottant son museau contre la joue de sa sœur.

— La chance n'a rien à voir là-dedans, répondit-elle, la mine sombre. Je ferai tout ce qui est en mon pouvoir pour le persuader. Notre quête n'est pas terminée. Nous devons aller jusqu'au bout pour le bien de nos Clans. »

La détermination de la chatte écaille, qui s'était élancée vers le territoire du Clan de l'Ombre, donna un regain d'énergie à Nuage d'Écureuil.

« Et nous, nous ramènerons Étoile de Feu ! » lança-t-elle.

Aux abords du territoire du Clan de la Rivière, l'herbe devint plus douce sous leurs coussinets. L'eau grondait au loin dans les gorges. Bientôt, la rouquine flaira la frontière. Un peu plus loin, après les Chutes, le pont des Bipèdes permettrait à Pelage d'Orage de rejoindre son camp.

Griffe de Ronce marqua un arrêt, comme s'il pensait que le guerrier gris les quitterait à cet instant. Mais ce dernier se contenta de plonger son regard dans le sien.

« Je vous accompagne jusqu'au camp du Clan du Tonnerre, miaula-t-il.

— Pourquoi ? s'étonna Nuage d'Écureuil.

— Je veux annoncer moi-même à mon père la mort de Jolie Plume.

— Nous pouvons nous en charger, tu sais », proposa-t-elle pour lui éviter de raviver sa peine.

Pelage d'Orage secoua la tête.

« Il a déjà perdu notre mère, lui rappela-t-il. Je tiens à lui apprendre en personne la mort de ma sœur.

— Dans ce cas, viens avec nous », déclara Griffe de Ronce d'une voix douce.

À la queue leu leu, les trois félins suivirent le sentier qui s'éloignait des gorges pour s'enfoncer dans la forêt. En sentant l'odeur humide des feuilles mortes, Nuage d'Écureuil trépigna d'impatience. Ils étaient presque arrivés chez eux. Elle accéléra, au point que ses pattes effleuraient à peine le sol meuble de la forêt. Griffe de Ronce l'imita, sa fourrure venant caresser celle de son amie.

Mais ce n'était ni l'excitation ni la joie d'être rentrée qui encourageait Nuage d'Écureuil à courir. Un pressentiment la poussait vers son foyer, comme si quelque chose de plus terrible encore que la menace des Bipèdes et de leurs monstres s'était produit. Ses sinistres cauchemars lui revinrent en tête, aussi nets que le cri d'alerte d'un faucon. Elle redoutait le pire...

CHAPITRE 2

« PETITE FEUILLE ! »

Dans la forêt, l'appel désespéré de Nuage de Feuille demeura sans réponse. Pourtant, la sage guérisseuse lui était apparue à maintes reprises dans ses rêves pour la guider, et Nuage de Feuille avait plus que jamais besoin d'elle.

« Petite Feuille, où es-tu ? »

Nulle brise ne venait agiter les arbres. Nulle proie ne faisait bruire les sous-bois assombris. Le silence terrassa la jeune chatte, accablée de solitude.

Soudain, une plainte inconnue résonna dans ses oreilles, s'insinuant dans son rêve. Nuage de Feuille ouvrit les yeux dans un sursaut, mais ne reconnut pas tout de suite l'endroit où elle se trouvait. Un courant d'air froid ébouriffait sa fourrure. Son nid de mousse avait été remplacé par une inquiétante toile d'araignée froide et brillante. Prise de panique, elle se leva, mais ses oreilles frôlèrent un autre pan de toile : elle était enfermée dans un espace confiné. Pour se calmer, elle inspira profondément et se força à regarder autour d'elle. Et tout lui revint.

Elle était prise au piège dans une sorte de tanière minuscule dont les parois, le plafond et le sol étaient constitués de cette étrange toile dure comme de la pierre. Elle pouvait à peine s'y lever et s'étirer. Autour d'elle, d'autres tanières identiques étaient empilées les unes sur les autres, le long des murs d'un petit nid de Bipèdes en bois.

Nuage de Feuille se languissait de voir le ciel, de sentir la présence réconfortante du Clan des Étoiles, de savoir que ses ancêtres veillaient sur elle. Ici, seul le plafond pointu du nid s'offrait à son regard. Un mince rayon de lune filtrant par un trou dans le mur du fond éclairait l'endroit. La tanière de l'apprentie se trouvait au sommet d'une pile. Juste sous elle, il n'y avait personne, mais elle apercevait un tas de fourrure sombre un peu plus bas. Un autre chat ? Pas un guerrier de la forêt, dans ce cas, puisque son odeur lui était étrangère. La forme était si immobile qu'elle devait dormir. *Si elle est encore en vie*, songea Nuage de Feuille avec pessimisme.

L'oreille aux aguets, elle guetta la plainte qui l'avait sortie de ses rêves, mais le gémissement s'était tu. Nuage de Feuille n'entendit que les petits miaulements et les frottements des autres prisonniers. Elle avait beau humer l'air, elle ne reconnaissait aucun fumet. L'âcre puanteur des Bipèdes emplissait le nid, mêlée à une forte odeur de peur. La novice sortit ses griffes, qui se coincèrent entre les fils de la toile.

Ô guerriers de jadis, où êtes-vous ?

Elle se dit un instant qu'elle était peut-être déjà morte, mais rejeta cette idée avec un frisson qui fit crisser ses griffes sur le sol de la tanière.

« Enfin tu es réveillée », murmura une voix.

Nuage de Feuille sursauta. Elle se tordit le cou pour voir derrière elle. Une silhouette à la fourrure tigrée remuait dans la tanière voisine. L'apprentie reconnut aussitôt l'odeur caractéristique, imprégnée de la puanteur des Bipèdes : c'était sans nul doute une chatte domestique, dodue, aux muscles relâchés. Elle lui avait parlé avec gentillesse, mais Nuage de Feuille se sentait trop malheureuse pour répondre. Des images de sa capture tourbillonnaient dans son esprit : alors qu'elle enquêtait sur les disparitions en compagnie de Poil de Châtaigne, elle était tombée dans un piège tendu par les Bipèdes ; ces derniers l'avaient ensuite enfermée dans le noir, la séparant de son Clan. Accablée, elle enfouit son museau entre ses pattes et ferma les yeux.

Une autre voix lui parvint d'une tanière plus éloignée. Elle était trop ténue pour que Nuage de Feuille distingue ses paroles, mais elle lui semblait familière. La jeune chatte leva la truffe, mais ne flaira qu'une senteur aigre qui lui rappela les herbes utilisées par Museau Cendré pour nettoyer les plaies. Lorsque la voix retentit de nouveau, l'apprentie tendit l'oreille.

« Nous devons sortir d'ici », disait le chat.

Un autre félin lui répondit depuis l'autre côté du nid :

« Et comment ? C'est impossible !

— On ne peut tout de même pas rester là à attendre la mort ! insista la première voix. Nous ne sommes pas les premiers, je sens l'odeur d'autres chats, l'odeur de leur peur. J'ignore ce qui leur est arrivé, mais, en tout cas, ils étaient terrifiés. Nous devons nous échapper avant que, de nous aussi, il ne reste rien qu'une vague odeur de peur !

— Il n'y a aucun moyen de sortir, cervelle de souris, rétorqua un matou. Ferme-la et laisse-nous dormir. »

Ces paroles affolèrent Nuage de Feuille. Elle ne voulait pas mourir là ! Les oreilles rabattues en arrière, elle ferma de nouveau les yeux, tentant de fuir dans le sommeil.

« Réveille-toi ! »

Le miaulement vrilla l'oreille de Nuage de Feuille et l'arracha à ses rêves agités.

Elle releva la tête pour inspecter les lieux. Par la brèche dans le mur, le soleil déversait une lumière chatoyante qui ne parvenait pas à réchauffer sa fourrure. À présent, elle distinguait nettement sa voisine. En voyant la robe lisse, bien entretenue, de la chatte tigrée, Nuage de Feuille prit conscience de son propre pelage négligé.

« Tu vas bien ? s'enquit la chatte d'un air inquiet. Tu gémissais dans ton sommeil, comme si tu souffrais.

— Je faisais un cauchemar », répondit l'apprentie d'un ton rauque. Sa voix lui sembla étrange, comme si elle n'avait pas parlé pendant des jours. Soudain, des bribes de rêve lui revinrent : des images de rivière en crue, rouge de sang, et d'oiseaux immenses surgissant dans le ciel, leurs serres acérées tendues en avant. Elle eut alors une vision fugace de Jolie Plume, dissimulée dans les ténèbres, puis baignée de lumière céleste. Sans qu'elle sache pourquoi, ses pattes se mirent à trembler.

À l'extérieur, un monstre de Bipède s'éveilla dans un rugissement, ce qui ramena la jeune chatte à la réalité du nid de bois et de la tanière qui pressait ses flancs.

« Tu n'as pas l'air en forme, déclara la chatte domestique. Essaie de manger un peu. Le petit déjeuner t'attend dans le coin de ta cage. »

Ma cage ? songea Nuage de Feuille, étonnée par ce mot inconnu.

« C'est comme ça que s'appelle cette tanière ? »

La chatte tigrée hocha la tête puis désigna du menton un récipient à moitié rempli de boulettes puantes.

L'apprentie contempla la nourriture de Bipèdes avec dégoût.

« Hors de question que je mange ça !

— Alors tâche au moins de faire ta toilette, insista l'autre. Tu es restée prostrée comme une souris blessée depuis que les forestiers t'ont amenée ici. »

Nuage de Feuille haussa les épaules sans répondre.

« Ils ne t'ont pas fait mal lorsqu'ils t'ont attrapée ? s'inquiéta la chatte.

— Non.

— Alors lève-toi, et nettoie ta fourrure, ajouta-t-elle d'un ton plus sec. Cela ne t'avancera à rien de te lamenter sur ton sort de cette façon. »

Nuage de Feuille n'avait aucune envie de bouger. Le sol de toile dure lui meurtrissait les coussinets, et du sang suintait sous l'une de ses griffes. L'air vicié par le souffle des monstres qui s'infiltrait à l'intérieur du nid lui piquait les yeux. Et le Clan des Étoiles ne lui avait envoyé aucun signe pour apaiser sa terreur.

« Lève-toi ! » répéta l'inconnue, d'un ton plus ferme encore.

L'apprentie tourna la tête pour la foudroyer du regard, mais la femelle tigrée ne détourna pas les yeux.

« On trouvera bien un moyen de s'échapper. Si tu refuses de te lever, d'étirer tes muscles et de manger un peu, tu seras à la traîne. Et je refuse d'abandonner qui que ce soit si je peux l'éviter !

— Sais-tu comment on peut s'enfuir ?

— Pas encore. Mais si tu cesses de broyer du noir, tu pourras peut-être m'aider à y réfléchir. »

Nuage de Feuille savait qu'elle avait raison. Elle n'arriverait à rien en restant ainsi, pelotonnée dans un coin en attendant la mort. De plus, elle ne se sentait pas prête à rejoindre le Clan des Étoiles. Elle était apprentie guérisseuse, son Clan avait besoin d'elle, dans la forêt. Quoi qu'il en reste.

Luttant contre le désespoir qui avait sapé ses forces, elle se remit sur ses pattes. Lorsqu'elle déroula sa queue et tendit ses membres, ses muscles ankylosés la firent souffrir.

« Voilà qui est mieux, ronronna l'autre. Maintenant, tourne-toi. Tu auras plus de place pour t'étirer en regardant de l'autre côté. »

Docilement, la novice pivota. Elle allongea les pattes le plus loin possible, ses griffes agrippées à la toile. Lorsqu'elle s'étira, le poitrail collé au sol, ses épaules s'assouplirent et ses muscles raidis se dénouèrent. Un peu ragaillardie, elle entreprit de faire sa toilette à grands coups de langue.

L'inconnue vint se tapir près de la drôle de clôture pour l'observer de ses yeux bleus brillants.

« Je m'appelle Jessie, miaula-t-elle. Et toi ?

— Nuage de Feuille.

— Nuage de Feuille ? répéta Jessie. Quel nom étrange... » Elle haussa les épaules avant de poursuivre : « On n'a vraiment pas eu de chance, hein ? Se faire attraper comme ça ! Toi aussi, tu as perdu ton collier ? Je ne serais pas ici si je ne m'étais pas débarrassée du mien – mais je haïssais cette chose ! Et moi qui me croyais maligne d'avoir réussi à le faire glisser par-dessus ma tête... Si je l'avais gardé, les forestiers m'auraient ramenée chez moi au lieu de me conduire ici. » Elle rentra le menton afin de lécher une touffe de poils hérissés sur sa poitrine. « Mes maisonniers vont être morts d'inquiétude. Si je ne suis pas rentrée à minuit, ils me cherchent partout dans le jardin en agitant le paquet de croquettes et en m'appelant à pleins poumons. C'est gentil à eux de s'inquiéter, mais je peux me débrouiller toute seule. »

Nuage de Feuille ne put réprimer un ronronnement amusé.

« Un chat domestique, se débrouiller tout seul ? Sans la nourriture des Bipèdes, vous mourriez tous de faim !

— Des Bipèdes ?

— Des "maisonniers", si tu préfères.

— Et toi, où tu la trouves, ta nourriture ?

— Je la chasse.

— J'ai attrapé une souris, une fois... répondit Jessie, sur la défensive.

— Et moi, j'attrape tous mes repas. » Pendant un instant, elle oublia qu'elle était prisonnière d'une tanière trop petite et revit la forêt verte où bruissaient les petits cris des rongeurs. « Et je chasse aussi pour les anciens.

— Es-tu l'un de ces chats sauvages dont Ficelle parle tout le temps ?

— Oui, je vis dans un Clan.

— Un "Clan de chats" ? demanda Jessie, perplexe.

— Il y a quatre Clans dans la forêt. Nous avons chacun notre territoire et nos coutumes, mais nous vivons tous sous le Clan des Étoiles. » Les yeux de Jessie s'écarquillèrent. « Le Clan des Étoiles est composé de nos ancêtres, les guerriers de jadis. Ils vivent dans la Toison Argentée. » D'un mouvement de la queue, elle pointa vers le haut, pour désigner le ciel. « Tôt ou tard, tous les membres des Clans finissent par rejoindre le Clan des Étoiles.

— Ficelle n'a jamais parlé de ces Clans.

— Qui est ce Ficelle ?

— Un chat d'un jardin voisin. Il y a longtemps, un ami à lui, un autre chat domestique, est parti rejoindre les chats sauvages… euh, les chats des Clans, je veux dire.

— Mon père était un chat domestique. Il a quitté ses Bipèdes pour rejoindre le Clan du Tonnerre. »

Jessie se pressa contre la toile dure et brillante qui les séparait.

« Comment s'appelle-t-il ?

— Tu penses qu'il pourrait s'agir de l'ami de ton voisin ? demanda la novice.

— Peut-être bien ! Alors, quel est son nom ?

— Étoile de Feu. »

Jessie secoua la tête.

« L'ami de Ficelle s'appelait Rusty, soupira-t-elle. Pas Étoile de Feu.

— Il ne s'est pas toujours appelé ainsi. C'est le nom que lui a donné le Clan. Son nom de chef. Il a dû le gagner, comme il avait dû gagner son nom de guerrier. »

Jessie lui lança un regard pensif.

« Alors comme ça, les noms sont importants pour les Clans ?

— Absolument. En fait, chaque chaton reçoit un nom porteur de sens, qui le distingue de tous les autres membres du Clan. » Elle marqua une pause avant de reprendre. « On reçoit le nom qu'on mérite, en somme.

— Et qu'a fait ton père pour mériter le nom d'Étoile de Feu ?

— Sa fourrure a la couleur des flammes. Du coup, lorsqu'il est arrivé dans le Clan du Tonnerre, le chef de l'époque l'a renommé Nuage de Feu... »

Elle s'interrompit en voyant l'expression stupéfaite de Jessie.

« C'est forcément l'ami de Ficelle ! s'exclama la chatte tigrée. Il disait toujours que Rusty avait le pelage orange le plus flamboyant qu'il ait jamais vu. Et maintenant, c'est le chef de ton Clan ! Ouahou ! Quand je vais dire ça à Ficelle ! »

Le cœur serré, Nuage de Feuille se demanda si Jessie aurait un jour l'occasion de reparler à son ami, et si elle-même reverrait son père. *Ô Clan des Étoiles, aidez-nous !*

Jessie baissa les yeux comme si elle partageait les terrifiantes pensées de Nuage de Feuille.

« À voir tes oreilles, je dirais qu'elles ont besoin de quelques coups de langue supplémentaires », miaula la chatte domestique pour changer de sujet.

L'apprentie se lécha une patte et la passa sur son oreille tandis que l'autre continuait :

« Ton père doit se demander où tu es passée. Je parie qu'il s'inquiète autant pour toi que mes maisonniers pour moi.

— Sans doute », répondit Nuage de Feuille, même si, en son for intérieur, elle doutait que les Bipèdes entretiennent le même lien avec les chats qu'elle-même avec ses parents. Pourtant, Jessie semblait dévouée à ses Bipèdes : ils comptaient pour elle autant que les membres du Clan du Tonnerre comptaient pour l'apprentie. « Nous devons trouver un moyen de nous enfuir. »

Sa voix était devenue dure, déterminée. Étoile de Feu se faisait suffisamment de mauvais sang sans que son autre fille disparaisse à son tour.

Elle contempla le trou en haut du mur, par où filtraient les rayons du soleil, en se demandant s'il était assez large pour qu'un chat s'y faufile. Elle pensait en être capable, dût-elle y laisser quelques touffes de poils. Mais comment sortir de cette cage ? Elle étudia le fermoir.

« C'est inutile, miaula Jessie en suivant son regard. J'ai essayé de l'ouvrir avec ma patte : impossible de trouver une prise.

— Sais-tu pourquoi ils nous ont enlevés ? » demanda soudain Nuage de Feuille.

Jessie haussa les épaules.

« J'imagine qu'on doit les gêner, répondit-elle. Je ne m'aventure pas si loin, d'habitude. Ils m'ont attrapée alors que je poursuivais un écureuil. L'un de leurs monstres a surgi au milieu des arbres, et j'ai paniqué. Je n'ai pas vu qu'il y avait des forestiers partout. L'un d'eux m'a prise dans ses bras et m'a flanquée dans ce truc. Même si je n'avais pas de collier, il devait être bête comme ses pattes pour me prendre pour un chat sauvage ! » Sa fourrure se hérissa d'indignation, puis retomba en place lorsqu'elle vit l'expression de Nuage de Feuille. « Désolée, j'ai parlé trop vite. En fait, tu es bien plus gentille que ce à quoi je m'attendais », conclut-elle, gênée.

L'apprentie haussa les épaules. Chat sauvage ou domestique, cela revenait au même : ils étaient tous prisonniers.

« Moi non plus, je ne viens pas dans cette partie des bois, d'habitude. Je cherchais Flocon de Neige et Cœur Blanc, deux de mes camarades de Clan. »

Jessie l'écoutait attentivement, la tête penchée sur le côté.

« Ils ont disparu il y a peu de temps, expliqua Nuage de Feuille. Certains pensent qu'ils se sont juste enfuis, mais je sais qu'ils n'auraient jamais abandonné leur fille.

— Alors tu t'es dit que les Bipèdes les avaient attrapés, et tu es venue à leur secours, devina Jessie.

— À dire vrai, j'ignorais que les Bipèdes capturaient les chats. J'ai simplement suivi un indice, puis je suis tombée sur la trace d'une chatte du Clan de la Rivière qui avait elle aussi disparu. »

Elle s'interrompit, prise de frissons. Si Flocon de Neige, Cœur Blanc et Patte de Brume avaient été capturés par les Bipèdes, ils étaient sûrement là, quelque part ! Elle scruta les rangées de cages alignées dans le nid et finit par repérer la silhouette qu'elle cherchait : une fourrure blanche constellée de roux, qu'elle reconnut même dans la pénombre.

« Cœur Blanc ! »

Nuage de Feuille voulut appeler sa camarade, mais un bruit sec l'en empêcha. La porte du nid venait de s'ouvrir, laissant entrer une cascade de lumière. Tandis qu'un Bipède entrait dans la pièce, Nuage de Feuille étudia rapidement les formes sombres, guettant d'autres silhouettes familières.

Le Bipède se mit à ouvrir les cages les unes après les autres pour jeter quelque chose à l'intérieur. Lorsqu'il arriva devant Nuage de Feuille, elle recula d'un bond. Tremblante de peur, elle le regarda verser de nouvelles boulettes dans le pot près de la porte et de l'eau puante dans un autre récipient. Puis il ouvrit la cage de Jessie. La chatte domestique vint se frotter contre l'énorme patte et ronronna lorsqu'il la caressa.

Il ferma la porte et repartit. De nouveau, le nid était plongé dans la pénombre.

« Comment as-tu pu le laisser te toucher ? feula Nuage de Feuille.

— Les forestiers sont notre meilleure chance de quitter cet endroit, lui fit remarquer Jessie. Si je peux le persuader que je ne suis qu'une pauvre chatte domestique perdue, il me laissera peut-être partir. Toi aussi, tu devrais essayer. »

Cette simple idée la fit frémir, comme elle aurait fait frémir n'importe quel chat de la forêt. Elle scruta la pièce pour retrouver la cage où elle avait aperçu la douce fourrure de Cœur Blanc.

« Cœur Blanc ! lança-t-elle en agitant la queue nerveusement.

— Oui ? répondit la guerrière d'un ton las. Qui me parle ? »

Nuage de Feuille se colla à la porte de sa cage, sentant la toile dure et froide à travers son pelage.

« C'est moi, Nuage de Feuille !

— Nuage de Feuille ! » répéta une voix de mâle depuis l'autre côté du nid.

La novice réprima un ronronnement de soulagement en reconnaissant le miaulement de Flocon de Neige. Elle passa les cages en revue pour localiser son épaisse fourrure blanche.

« Vous êtes vivants, tous les deux ! s'exclama Nuage de Feuille.

— Ce sont les amis que tu cherchais ? » demanda Jessie.

L'apprentie hocha la tête.

Une autre voix familière retentit dans la pénombre. « Nuage de Feuille ? C'est moi, Patte de Brume.

— Patte de Brume ! reprit la novice. Il me semblait bien avoir flairé ton odeur avant de me faire prendre ! Que faisais-tu, si loin de la frontière du Clan de la Rivière ?

— Je ne serais pas tombée dans le piège de ces Bipèdes au cœur de renard si je n'avais pas chassé de mon territoire un de ces voleurs du Clan du Vent », grogna le lieutenant.

Un miaulement chevrotant leur parvint d'une cage en contrebas :

« Je ne savais pas que c'était un piège lorsque je me suis caché à l'intérieur.

— Qui es-tu ? s'enquit Nuage de Feuille.

— Plume d'Ajoncs, du Clan du Vent, répondit le matou.

— Y a-t-il d'autres membres des Clans ? » lança l'apprentie guérisseuse à la cantonade.

En guise de réponse, seuls des bruits de mastication lui parvinrent.

« Il y a pratiquement autant de chats errants que de chats des Clans, siffla Patte de Brume.

— C'est quoi, un chat errant ? voulut savoir Jessie, inquiète.

— Un chat qui a choisi de ne pas vivre parmi les Clans, expliqua Nuage de Feuille. Ni avec les Bipèdes, d'ailleurs.

— Ils ne vivent que pour eux-mêmes, ajouta Patte de Brume.

— Ben voyons, regarde donc où ça t'a menée, de te préoccuper de ton Clan », marmonna une voix pleine de reproche.

En plissant les yeux, Nuage de Feuille distingua un vieux matou décharné, aux oreilles fendues, tapi au fond d'une cage près du sol.

« Ignore-le, cracha Jessie. Ce n'est qu'un bon à rien.

— Tu le connais ?

— Il avait l'habitude de piller les poubelles de mes maisonniers, expliqua la chatte domestique. Il peut bien s'appeler "chat errant", ou je ne sais quoi, il ne vaut guère mieux qu'un rat, si tu veux mon avis.

— Tu vis sur le territoire des Bipèdes ? lança Flocon de Neige à l'intention de Jessie. Tu as entendu parler de Princesse ?

— Une chatte tigrée aux pattes blanches ?

— Oui, fit le guerrier, dont les yeux brillaient dans la semi-obscurité. C'est ma mère ! Comment va-t-elle ?

— Très bien. Un chien est venu vivre dans le jardin d'à côté – une petite bête qui n'arrête pas de japper –, mais elle lui a vite appris les limites de son territoire. Perchée sur la palissade, elle lui a craché dessus avec une telle férocité qu'il est parti se cacher !

— Écoutez, l'interrompit Patte de Brume, tout ça, c'est bien joli, mais si on tâchait plutôt de trouver un moyen de s'échapper ?

— Est-ce que quelqu'un sait ce que les Bipèdes comptent faire de nous ? demanda Cœur Blanc d'une voix empreinte de terreur.

— À ton avis ? marmotta le vieux matou errant. Ils ne nous ont pas enfermés là par amour des chats.

— Au moins, ils nous nourrissent, rétorqua Jessie. Même si ce n'est pas aussi bon que ma pâtée habituelle. »

Nuage de Feuille lui jeta un coup d'œil avant de répondre :

« Peu importe. Patte de Brume a raison : essayons de sortir d'ici.

— Et si vous la fermiez, tous autant que vous êtes ? feula le vieux mâle. Vous allez attirer les Bipèdes, avec vos miaulements. »

Comme fait exprès, de lourds bruits de pas résonnèrent devant la porte. Nuage de Feuille se figea. Lorsque le Bipède entra avec un autre prisonnier, elle se terra au fond de sa cage. Elle devinait à son odeur que leur nouveau compagnon d'infortune était une chatte terrorisée. Mais elle ne la reconnut pas. Malgré elle, elle fut soulagée que la dernière victime en date des Bipèdes ne soit pas un membre des Clans.

Sans doute une chatte errante, se dit-elle lorsque le Bipède posa la cage sur celle de Flocon de Neige. *Et à en juger par ses congénères ici présents, elle ne nous sera pas d'une grande utilité.*

Cependant, le Bipède à peine sorti, Patte de Brume s'exclama :

« Sacha ! »

CHAPITRE 3

NUAGE D'ÉCUREUIL COURAIT devant Griffe de Ronce et Pelage d'Orage vers le ravin qui abritait le camp du Clan du Tonnerre. La puanteur des monstres imprégnait l'air. Leurs grognements tout proches lui serrèrent le cœur.

« Ils sont déjà là ! » souffla-t-elle.

Elle remarqua aussitôt que la lumière était plus vive là où il manquait des arbres au bord du ravin. Auparavant, la forêt s'avançait jusqu'au sommet de la pente abrupte qui menait au camp.

Elle sentit contre son flanc le pelage de Griffe de Ronce, qui venait d'émerger des sous-bois.

« Restons vigilants », murmura-t-il sans la regarder.

Un large sillon avait été creusé dans la forêt. La terre, jadis dissimulée par les fougères et aplanie par les générations de chats qui l'avaient foulée, avait été retournée comme dans la lande et transformée en mottes boueuses. Droit devant, des monstres avalaient d'autres arbres en rugissant et leur barraient la route. Nuage d'Écureuil se tapit sous les fougères, les oreilles rabattues en arrière.

« Minuit nous avait prévenus », lui rappela Griffe de Ronce d'un ton étrangement calme. La novice se pressa contre lui pour sentir la chaleur réconfortante de son pelage. « Nous ne pouvons pas passer par ici, c'est trop dangereux, poursuivit-il. Il faudra faire le tour pour accéder au ravin.

— Ouvre la voie, suggéra Pelage d'Orage. Tu connais la forêt bien mieux que moi. » Il se tourna vers Nuage d'Écureuil. « Ça va ?

— Mais oui, répondit-elle en relevant le menton avec fierté. Je suis pressée de rentrer au camp, c'est tout.

— Alors on y va », lança Griffe de Ronce avant de s'élancer dans la direction opposée pour éviter la zone ravagée par les Bipèdes.

Tout en détalant vers la combe sablonneuse où elle s'était entraînée avec les autres apprentis, Nuage d'Écureuil se demanda comment le Clan avait pu survivre si près des Bipèdes et de leurs monstres. Le soleil brillait haut dans le ciel. Malgré le sol meuble dans lequel ses pattes s'enfonçaient, la jeune chatte força l'allure pour passer devant ses deux amis. La peur lui nouait le ventre lorsqu'elle s'engagea sur le sentier menant au tunnel d'ajoncs. Sans hésiter, elle baissa la tête et plongea à travers les branches hérissées d'épines.

« Étoile de Feu ! » appela-t-elle en déboulant dans le camp.

La clairière était déserte et silencieuse. Pas un chat en vue, et l'odeur féline qui flottait dans l'air semblait ancienne.

Les pattes tremblantes, Nuage d'Écureuil se dirigea vers la tanière de son père, sous le grand rocher d'où il s'adressait au Clan. Une idée folle lui traversa l'esprit, malgré la désolation qui régnait dans le camp : Étoile de Feu était peut-être encore là… Mais non, sa litière de mousse humide, moisie, n'avait visiblement pas servi depuis plusieurs jours. Elle ressortit aussitôt pour prendre la direction de la pouponnière. Les chatons et les anciens étaient toujours les derniers à quitter le camp, et nul lieu n'était plus sûr que le nid de ronces qui avait protégé bien des générations de félins.

À l'intérieur, elle fut prise de panique : une affreuse puanteur de renard masquait presque l'odeur diffuse des chatons sans défense et de leurs mères. Dans un bruissement de feuilles, Griffe de Ronce vint la rejoindre.

« Un re-re… un renard ! bégaya-t-elle.

— Tout va bien, la rassura-t-il. L'effluve est ancien. Le prédateur a dû entrer à tout hasard, espérant sans doute que le Clan avait abandonné quelques chatons. Il n'y a aucune trace de s… de combat, se corrigea-t-il.

— Mais où le Clan est-il parti ? » gémit Nuage d'Écureuil.

Elle savait que son ami avait failli dire : « aucune trace de *sang* ». Il semblait impossible que le Clan ait pu disparaître sans que la moindre goutte de sang ait été versée. *Ô Clan des Étoiles, que s'est-il passé ici ?*

Les yeux du guerrier luisaient de peur.

« Je ne sais pas, admit-il. Mais ne t'inquiète pas, nous les retrouverons. »

Pelage d'Orage s'approcha.

« On est arrivés trop tard ? murmura-t-il d'une voix rauque.

— On aurait dû rentrer plus vite ! » s'emporta Nuage d'Écureuil.

Le guerrier du Clan de la Rivière secoua sa large tête grise tout en balayant du regard la pouponnière abandonnée.

« On n'aurait jamais dû partir, tu veux dire, gronda-t-il. On aurait dû rester là pour aider nos Clans !

— On n'avait pas le choix ! feula Griffe de Ronce en plantant ses griffes dans la mousse. C'était la volonté du Clan des Étoiles !

— Où sont partis nos camarades ? » s'écria l'apprentie.

Elle se faufila entre les deux guerriers pour regagner la clairière. Ils la suivirent à pas lents. Pelage d'Orage jura dans ses moustaches lorsque les épines lui écorchèrent le flanc.

Le guerrier gris s'assit près de Nuage d'Écureuil, ignorant ses égratignures. Il laissa son regard errer sur le camp.

« On dirait qu'il n'y a pas eu de combat », souffla-t-il.

Nuage d'Écureuil comprit qu'il avait raison. Même à l'extérieur des tanières, nul signe ne permettait de penser que le camp avait été attaqué. Cela signifiait donc que le Clan était parti de son propre chef.

« Ils ont dû se réfugier dans un endroit plus sûr », miaula-t-elle, pleine d'espoir.

Griffe de Ronce hocha la tête.

« On devrait continuer à chercher leur odeur, suggéra Pelage d'Orage. On découvrira peut-être un indice.

— Je vais jeter un coup d'œil à l'antre de Museau Cendré », déclara l'apprentie.

Elle traversa à toute allure le tunnel de fougères menant à la petite clairière devant le repaire de la guérisseuse, mais, là encore, l'endroit était désert et silencieux.

Lorsqu'elle alla plonger le nez dans les fougères où Museau Cendré installait parfois des litières de fortune pour les malades, elle n'y découvrit aucune trace fraîche. Elle se dirigea vers le rocher fendu à l'autre bout de la clairière. C'était là que la guérisseuse dormait et conservait au sec ses réserves de remèdes.

Dans la pénombre de l'étroite caverne, la senteur épicée des herbes était plus forte que jamais, mais la trace de Museau Cendré était à présent à peine perceptible, aussi ténue que celle d'Étoile de Feu dans son antre.

Déçue, elle ressortit à l'air libre et contempla la clairière, désespérée. Soudain, une idée terrible lui retourna l'estomac : l'odeur de la guérisseuse était ancienne, mais celle de sa sœur l'était plus encore. Où que le Clan du Tonnerre ait trouvé refuge, Nuage de Feuille était partie avant les autres.

Un cri de guerre déchira alors le silence, juste au-dessus de sa tête, et l'arracha à ses pensées. Nuage d'Écureuil aperçut un éclair de fourrure sombre, puis ses pattes se dérobèrent sous elle lorsqu'un félin atterrit lourdement sur son dos. La fourrure hérissée par la colère, elle donna de grands coups de pattes à son assaillant. Le long périple l'avait rendue plus forte et plus agile, alors que son adversaire ahanait tant il peinait à se maintenir sur elle. D'instinct, Nuage d'Écureuil roula sur le flanc, désarçonnant son agresseur, qui la griffa avant de tomber au sol.

Crachant de colère, Nuage d'Écureuil pivota pour faire face à l'ennemi. Elle fit le gros dos, les poils de la nuque hérissée, les canines découvertes.

L'autre – une chatte gris foncé – se releva tant bien que mal et la foudroya du regard, la queue gonflée.

« Alors comme ça, on essaie de piller mes réserves ? feula-t-elle.

— Museau Cendré ! » s'écria l'apprentie.

Stupéfaite, la guérisseuse écarquilla les yeux.

« Nuage d'Écureuil ! Tu... tu es revenue ! » bafouilla-t-elle. Elle fit un bond en avant pour frotter son museau sur la joue de la jeune chatte. « Où étais-tu passée ? Est-ce que Griffe de Ronce est avec toi ?

— Où sont-ils tous partis ? » demanda Nuage d'Écureuil, trop inquiète pour répondre aux questions pressantes de la guérisseuse.

Des bruits de pas dans le tunnel de fougères l'interrompirent. Griffe de Ronce et Pelage d'Orage surgirent à leur tour dans la clairière.

« On a entendu des bruits de combat, haleta Griffe de Ronce, avant de cligner des yeux, surpris de voir Museau Cendré. Vous allez bien, toutes les deux ?

— Griffe de Ronce ! Je suis si contente de te revoir ! » Avisant Pelage d'Orage, la guérisseuse se troubla. « Qu'est-ce que tu fais là, toi ?

— Il nous accompagne, écourta Griffe de Ronce. Qui vous a attaquées ? » Il regarda partout, prêt à en découdre. « Vous les avez chassés ?

— En fait, c'était moi, confessa Museau Cendré. Du haut du rocher, je n'avais pas reconnu Nuage d'Écureuil. Je pensais qu'elle essayait de voler mes plantes. J'étais revenue pour récupérer quelques…

— Comment ça, "revenue" ? Où sont tous les autres ?

— Nous avons été obligés de partir, répondit-elle, son regard reflétant sa détresse. Les monstres s'approchaient de plus en plus. Étoile de Feu a ordonné l'évacuation du camp.

— Quand cela ? voulut savoir le guerrier, les yeux aussi ronds que ceux d'une chouette.

— Il y a deux nuits.

— Et où êtes-vous allés ? s'enquit Nuage d'Écureuil.

— Aux Rochers du Soleil. » La guérisseuse balaya la clairière du regard d'un air distrait. « Je suis juste venue chercher des plantes. Maintenant que Nuage de Feuille n'est plus là pour m'aider à ramasser des herbes fraîches, je suis toujours à cours…

— Qu'est-il arrivé à ma sœur ? » demanda l'apprentie, prise de panique.

Museau Cendré se tourna vers elle. À voir son regard empreint de pitié, Nuage d'Écureuil eut envie de disparaître pour ne pas entendre sa réponse.

« Les Bipèdes ont posé des pièges, expliqua-t-elle. Nuage de Feuille s'est fait prendre la veille de notre départ. Poil de Châtaigne était présente, mais n'a rien pu faire pour la secourir. »

Nuage d'Écureuil chancela tout à coup. Dans un flash, elle comprit d'où lui venaient ces rêves effrayants où elle se retrouvait piégée dans le noir.

« Où les Bipèdes l'ont-ils emmenée ? » voulut savoir Griffe de Ronce.

Sous le choc, l'apprentie entendit à peine son camarade. Elle tremblait de tous ses membres, aussi transie que si l'eau glacée de la rivière l'avait engloutie.

« Nous l'ignorons.

— Est-ce qu'Étoile de Feu a dépêché des patrouilles de recherche ?

— Dès que Poil de Châtaigne est revenue, il a envoyé un groupe de guerriers à son secours. Mais l'endroit grouillait de monstres arracheurs d'arbres, et ils n'ont trouvé aucune trace de Nuage de Feuille. » Museau Cendré vint presser sa joue contre le museau de Nuage d'Écureuil. « Puis ils ont dû abandonner les recherches ; c'était devenu trop dangereux », murmura-t-elle.

Nuage d'Écureuil s'écarta, mais la guérisseuse continua de la fixer avec insistance.

« Ton père devait avant tout penser au Clan, miaula-t-elle. Il ne pouvait risquer la vie d'autres guerriers pour retrouver ta sœur. » Elle détourna les yeux. Sa voix reflétait son amertume lorsqu'elle reprit : « Je voulais partir moi-même à sa recherche, mais je savais que je ne servirais à rien. »

Elle jeta un coup d'œil furibond à sa patte arrière, abîmée par une vieille blessure. La guérisseuse savait mieux que personne quels dégâts terribles les monstres pouvaient infliger à un chat.

Pour la première fois depuis leurs retrouvailles, Nuage d'Écureuil remarqua l'état déplorable de la guérisseuse : ses os saillaient sous sa fourrure terne.

Griffe de Ronce lui aussi dut s'en rendre compte, puisqu'il demanda :

« Comment se porte le Clan ?

— Pas bien du tout, admit-elle. Petit Sapin est morte… Fleur de Bruyère n'avait pas assez de lait pour nourrir ses trois chatons. Le gibier s'est fait si rare que nous mourons tous de faim. Plume Cendrée est morte, elle aussi. » Sa voix tremblait de chagrin. « Elle a insisté pour manger un lapin que les Bipèdes avaient empoisonné pour se débarrasser du Clan du Vent. » Une lueur inquiète éclaira soudain son regard. « Rassurez-moi, vous n'avez pas chassé de lapin ?

— On n'a pas vu la queue d'une proie, répondit Pelage d'Orage. Pas même sur le territoire du Clan du Vent.

— Les Bipèdes ont tout gâché ! s'emporta la guérisseuse, la queue battante. Cœur Blanc et Flocon de Neige ont disparu, eux aussi… Nous pensons qu'ils sont tombés comme Nuage de Feuille dans des pièges de Bipèdes. »

Griffe de Ronce baissa les yeux vers le sol froid et boueux.

« Je ne pensais pas que la situation serait aussi catastrophique ! marmonna-t-il. Minuit nous avait prévenus, pourtant… »

Nuage d'Écureuil aurait aimé pouvoir le réconforter. Hélas, c'était impossible. Museau Cendré, perplexe, dévisageait Griffe de Ronce.

« *Minuit* vous avait prévenus ? répéta-t-elle. Qu'est-ce que cela signifie ?

— Minuit est un blaireau, expliqua Nuage d'Écureuil. Si nous sommes partis, c'est pour le retrouver.

— Vous êtes allés voir un *blaireau* ? »

La guérisseuse inspecta les alentours, à l'affût d'une gueule noir et blanc prête à fondre sur eux.

« Oui, là où le soleil sombre dans l'eau, poursuivit Nuage d'Écureuil.

— Je ne comprends rien, grommela Museau Cendré.

— C'est le Clan des Étoiles qui nous a envoyés là-bas, expliqua Pelage d'Orage. Un membre de chaque Clan.

— Le Clan des Étoiles ? hoqueta la guérisseuse. Je… Nous pensions qu'il nous avait abandonnés. » Elle dévisagea Griffe de Ronce. « Le Clan des Étoiles t'a parlé ?

— Oui, dans un rêve », admit le guerrier à voix basse.

La fourrure ébouriffée, Pelage d'Orage grattait le sol.

« Jolie Plume avait fait le même rêve.

— Tout comme Nuage Noir et Pelage d'Or », précisa Nuage d'Écureuil.

Museau Cendré les regarda l'un après l'autre, les yeux écarquillés.

« Il faut qu'Étoile de Feu vous entende, et vite. Nous sommes restés sans nouvelles du Clan des Étoiles depuis la prophétie du feu et du tigre.

— Du feu et du tigre ? répéta Nuage d'Écureuil, stupéfaite.

— Tu en entendras parler en temps voulu, répondit la chatte en évitant son regard. Venez avec moi. »

CHAPITRE 4

« LES ROCHERS DU SOLEIL sont l'endroit le plus sûr, leur dit Museau Cendré tout en les guidant à travers les fougères.

— Mais ils n'offrent aucun abri ! » s'écria Nuage d'Écureuil. Les Rochers du Soleil n'étaient qu'une large pente rocheuse près de la frontière du territoire du Clan de la Rivière. Rien n'y poussait, ni arbre ni buisson, à peine quelques touffes d'herbe rabougries ici et là. Comme Pelage d'Orage la suivait de près, l'apprentie baissa d'un ton avant de poursuivre : « Et le Clan de la Rivière, alors ? Par le passé, il en a plusieurs fois revendiqué la possession… Étoile de Feu ne redoute pas une attaque ?

— Le Clan de la Rivière n'a proféré aucune menace, dernièrement. Les Rochers du Soleil sont aussi éloignés que possible des Bipèdes et de leurs monstres mangeurs d'arbres, tout en restant proches du peu de gibier qu'il reste dans la forêt. »

Malgré son boitillement, elle les entraînait à toute allure dans les sous-bois, haletant sous l'effort. Nuage d'Écureuil jeta un coup d'œil à Griffe de Ronce. Lui aussi observait Museau Cendré d'un air inquiet.

« Nous sommes en bien meilleure forme qu'elle, chuchota l'apprentie au guerrier.

— Notre périple nous a endurcis », répondit-il.

La novice se sentit aussitôt coupable. Sans le savoir, en partant, ils avaient échappé au danger permanent et à la famine. Le soleil déclinait à présent dans le ciel bleu dégagé. Une brise glaciale faisait ployer les branches au-dessus de leur tête, emportant les dernières feuilles mortes. La jeune chatte marqua une pause, l'oreille aux aguets. Quelques oiseaux gazouillaient faiblement. Dans le lointain résonnait le vacarme perpétuel des monstres, semblable à un essaim d'abeilles furieuses. Leur puanteur poisseuse, qui imprégnait l'air, collait à la fourrure des félins. Nuage d'Écureuil comprit alors qu'elle était revenue dans une forêt étrangère. Ce n'était plus chez elle, mais un autre endroit, où les chats étaient condamnés. *Plus de place pour des chats. Si vous restez, vous aussi, tués par monstres, ou bien morts de faim car plus de gibier.* La prophétie de Minuit se réalisait déjà.

La masse gris pâle des Rochers du Soleil apparut derrière les arbres. Nuage d'Écureuil distingua des silhouettes félines qui ondulaient sur la pierre.

Un cri la fit sursauter. Aussitôt, un éclair de fourrure blanc et roux fila dans les broussailles. L'instant suivant, Poil de Châtaigne et Poil de Fougère surgirent des buissons, droit devant eux.

« Il me semblait bien avoir repéré une odeur familière ! » lança Poil de Châtaigne, essoufflée.

Nuage d'Écureuil contempla les deux guerriers. Ils avaient aussi piètre allure que la guérisseuse. Les yeux écarquillés, Griffe de Ronce regardait leur corps décharné.

« On ne pensait pas que vous reviendriez un jour, miaula Poil de Fougère.

— Et pourquoi donc ? Évidemment qu'on comptait revenir ! protesta Nuage d'Écureuil.

— Où étiez-vous partis ? voulut savoir Poil de Châtaigne.

— Très loin, murmura Pelage d'Orage. Plus loin qu'aucun chat de la forêt n'a jamais été. »

Poil de Fougère jeta un regard méfiant vers le guerrier du Clan de la Rivière.

« Et toi, tu te diriges vers ton camp ? demanda-t-il.

— Je dois d'abord parler à Plume Grise.

— Laisse-le passer, lui conseilla Museau Cendré en voyant les yeux plissés du guerrier. Ces chats ont bien des choses à nous raconter. »

Les moustaches de Poil de Fougère frémirent, mais il inclina la tête et fit volte-face pour les guider à travers les arbres jusqu'aux rochers.

« Venez, les encouragea Poil de Châtaigne en s'élançant à la suite du guerrier. Les autres seront contents de vous voir. »

Nuage d'Écureuil lui emboîta le pas, luttant contre l'angoisse qui lui nouait l'estomac. Elle commençait à croire que leur voyage avait été vain, que le message de Minuit arrivait trop tard pour être utile aux Clans. Elle pria pour que le signe du guerrier mourant suffise à tous les sauver. Devant elle, Poil de Châtaigne marchait la queue traînante, les yeux rivés au sol.

« Museau Cendré m'a raconté, pour Nuage de Feuille, murmura l'apprentie.

— Je n'ai rien pu faire pour la sauver, répondit la chatte avec tristesse. Je ne sais pas où ils l'ont emmenée. Je voulais partir à sa recherche, mais nous avons évacué le camp le lendemain et depuis nous sommes tous débordés. » Elle se tut un instant et fixa Nuage d'Écureuil, ses yeux soudain animés par un fol espoir. « Vous l'avez vue, pendant votre voyage ? Vous savez où elle se trouve ?

— Non, malheureusement », répondit la rouquine, le cœur serré.

L'odeur puissante et familière du Clan du Tonnerre flottait dans l'atmosphère. Nuage d'Écureuil n'avait qu'une envie, foncer pour aller retrouver ses anciens camarades, mais son instinct lui conseillait de se montrer prudente. Elle se tint un instant immobile. Son cœur battait la chamade.

La pente rocheuse, grise et lisse, se dressait maintenant devant elle. Bordée d'un côté par la forêt, elle tombait de l'autre en à-pic vers la rivière. Par-delà les Rochers du Soleil, Nuage d'Écureuil distinguait la cime des arbres qui longeaient le cours d'eau jusqu'aux Quatre Chênes – ou plutôt, jusqu'à la clairière qui abritait jadis les chênes sacrés. La pierre froide, balayée par les vents de la mauvaise saison, offrait au Clan un abri bien peu accueillant. Nuage d'Écureuil remarqua le sang séché qui maculait la fourrure blanche autour des griffes de Poil de Châtaigne. Elle se souvint alors que, pendant leur séjour au sein de la Tribu de l'Eau Vive, le sol rocailleux avait mis à vif ses tendres coussinets.

Faute de clairière où se réunir, les guerriers restaient dispersés en petits groupes. Nuage d'Écureuil repéra le sombre pelage de son mentor, Pelage de Poussière, assis à l'abri d'un surplomb en compagnie de Poil de Souris. Le guerrier brun lui sembla plus petit que dans son souvenir, ses épaules pointant sous sa fourrure négligée. Pelage de Givre et Perce-Neige, deux anciennes, étaient tapies dans la ravine la plus profonde. Malgré l'obscurité, l'apprentie remarqua leur robe terne et emmêlée, parsemée de brins de mousse et de taches de boue séchée. Plus bas, où la faille s'élargissait, elle reconnut la fourrure gris clair de la compagne de Pelage de Poussière, Fleur de Bruyère, qui veillait sur ses deux chatons survivants.

« On est davantage à l'abri vers le bas, expliqua Museau Cendré en suivant le regard de Nuage d'Écureuil. Mais les reines s'y sentent trop exposées, après avoir vécu si longtemps dans la pouponnière bordée de ronces. Les apprentis ont fait leur nid dans la cavité, là-bas », continua-t-elle en levant le museau vers une déclivité entre les rochers. La novice y repéra le pelage brun de Nuage de Musaraigne, un jeune chat issu de la première portée de Fleur de Bruyère : il avait si froid que sa fourrure s'était hérissée.

Avant de s'engager dans les rochers, Nuage d'Écureuil consulta Griffe de Ronce du regard. Ce dernier lui répondit par un petit signe de tête rassurant. Pourtant, ses yeux voilés reflétaient son inquiétude. Les épaules tendues, il commença l'ascension. L'apprentie le suivit, nerveuse. Lorsqu'ils passèrent devant Fleur de Bruyère, le regard vert de la reine s'assombrit comme sous le coup de la colère.

Nuage d'Écureuil se crispa. Est-ce que le Clan les rendait responsables des événements ?

D'autres les avaient repérés. Cœur d'Épines surgit près du sommet, les oreilles rabattues. Perle de Pluie sortit d'une crevasse en leur crachant dessus. Les yeux du guerrier gris luisaient, mais sans chaleur.

Pelage d'Orage scrutait les rochers à la recherche de Plume Grise. Nuage d'Écureuil suivit son regard, mais le lieutenant du Clan du Tonnerre n'était nulle part en vue, pas plus qu'Étoile de Feu. Elle lutta contre un désir irrépressible de tourner les talons pour rejoindre la forêt, voire les montagnes. Accablée, elle croisa le regard de Griffe de Ronce.

« Nous ne sommes pas les bienvenus, murmura-t-elle.

— Ils comprendront une fois qu'on leur aura tout expliqué », promit-il.

Nuage d'Écureuil espérait qu'il avait raison. Des bruits de pas rapides la firent sursauter. Elle se retourna pour voir un guerrier gris pâle, Pelage de Granit, s'arrêter pile devant elle. Elle fouilla son regard, craignant d'y découvrir de la colère, mais ne vit que de la surprise.

« Vous êtes revenus ! »

La queue bien haute, il tendit le cou pour lui effleurer le museau du bout de la truffe.

La novice en fut grandement soulagée. Lui au moins semblait content de les revoir. Nuage de Musaraigne s'extirpa de son abri et dévala la pente rocheuse, suivi de près par Nuage Ailé.

« Nuage de Musaraigne ! s'écria Nuage d'Écureuil, qui s'efforçait de garder une voix calme, comme si elle n'était pas allée plus loin que les Hautes Pierres et n'était partie que depuis deux aurores. Comment se passe l'entraînement ?

— On a travaillé dur », répondit l'apprenti, hors d'haleine, lorsqu'il la rejoignit.

Nuage Ailé s'arrêta près de lui.

« On aurait assisté à notre première Assemblée si les Bipèdes n'avaient pas détruit les Quatre… »

Pelage de Granit décocha un regard noir à la jeune chatte.

« Attends un peu, ils n'ont pas besoin d'apprendre ça tout de suite, siffla-t-il.

— C'est bon, le coupa Griffe de Ronce. Nous sommes déjà au courant. Plume Noire nous a tout raconté.

— Plume Noire ? répéta Pelage de Granit en plissant les yeux. Vous êtes passés par le territoire du Clan du Vent ?

— On y était obligés, expliqua Nuage d'Écureuil.

— Et vous rentrez d'où, exactement ? » l'interrogea Nuage de Musaraigne – mais la rouquine ne répondit pas.

Elle venait de voir Pelage de Poussière et Poil de Souris se lever pour venir vers eux. Peu à peu, tous les guerriers sortirent de leur trou, tels des fantômes glissant dans les ombres. Nuage d'Écureuil réprima un frisson en les voyant descendre la pente. Elle recula pour se rapprocher de Griffe de Ronce, et sentit que Pelage d'Orage faisait de même, sur le qui-vive. Cette scène lui rappela le jour où ils avaient rencontré la Tribu de l'Eau Vive. Elle prit peur en comprenant que la forêt n'était pas la seule à avoir changé. Son propre Clan était lui aussi différent.

« Alors ? Où étiez-vous ? » grogna une voix claire.

Pelage de Givre avait quitté la ravine des anciens, juste au-dessus de leur tête. La robe blanche comme neige de la vieille chatte avait perdu son lustre, mais son regard bleu glacier était toujours aussi impressionnant. Nuage d'Écureuil se raidit.

« Nous avons fait un long voyage, répondit Griffe de Ronce.

— On ne dirait pas ! rétorqua Fleur de Bruyère, qui avait laissé ses petits pour s'avancer au premier rang. Vous avez l'air bien mieux nourris que nous ! »

Nuage d'Écureuil essaya de ne pas culpabiliser en repensant à toutes les proies qu'elle avait attrapées pendant leur périple.

« Fleur de Bruyère, j'ai entendu la nouvelle, pour Petit Sapin. Je suis désolée... »

Mais la reine n'était pas d'humeur à l'écouter.

« Qu'est-ce qui nous dit que vous n'avez pas déserté le Clan parce que vous ne vouliez pas affronter à nos côtés la famine de la saison des feuilles mortes ? » cracha-t-elle.

Poil de Souris et Cœur d'Épines feulèrent de concert mais, cette fois, la colère de Nuage d'Écureuil fut plus forte que sa peur.

« Comment peux-tu dire une chose pareille ? siffla-t-elle, la fourrure hérissée.

— Apparemment, la loyauté envers le Clan n'est pas votre priorité ! renchérit Poil de Souris en lorgnant Pelage d'Orage.

— Bien sûr que si, c'est notre priorité. C'est d'ailleurs pour cela que nous sommes partis.

— Alors qu'est-ce qu'un guerrier du Clan de la Rivière fiche avec vous ? voulut savoir Pelage de Poussière.

— Il doit voir Plume Grise, expliqua Griffe de Ronce. Il partira dès qu'il lui aura parlé.

— Et moi je dis qu'il va partir tout de suite », gronda Poil de Souris en avançant.

Museau Cendré s'interposa entre la guerrière et le chasseur.

« Dis-leur la prophétie du Clan des Étoiles, le pressa-t-elle.

— Une prophétie ? Le Clan des Étoiles a parlé ? »

Les membres du Clan du Tonnerre dévoraient du regard Nuage d'Écureuil et Griffe de Ronce comme des renards affamés.

« Nous devons d'abord voir Étoile de Feu, hasarda l'apprentie.

— Où est-il ? demanda Griffe de Ronce.

— Parti chasser », répondit une voix de femelle.

C'était Tempête de Sable. Nuage d'Écureuil attendit, le souffle coupé, mi-joyeuse, mi-inquiète. La guerrière au pelage roux pâle se dirigea vers elle avant de s'arrêter à une longueur de queue de renard pour la dévisager.

« Nous sommes revenus, déclara Nuage d'Écureuil en guettant dans l'expression de sa mère le moindre signe de joie.

— Vous êtes revenus, répéta la chatte, pensive.

— Nous étions obligés de partir. Le Clan des Étoiles ne nous a pas laissé le choix », poursuivit Griffe de Ronce.

Le guerrier se pressa contre l'apprentie, et la chaleur de son pelage la réconforta. Pourtant, elle aurait voulu avouer à sa mère qu'elle n'avait pas été choisie par le Clan des Étoiles, que c'était elle qui avait insisté pour partir avec Griffe de Ronce, alors qu'il rechignait à l'éloigner du Clan. Mais elle avait si peur qu'elle ne put articuler un son.

Soudain, les moustaches frémissantes, Tempête de Sable fit un bond en avant.

« L'une de mes filles m'est revenue ! » lança-t-elle en frottant sa joue contre le museau de Nuage d'Écureuil avec un amour farouche.

L'apprentie poussa un profond soupir de soulagement.

« Je suis désolée d'être partie sans prévenir, mais...

— Tu es revenue, la coupa sa mère. C'est tout ce qui compte. » Son souffle chaud caressa le museau de Nuage d'Écureuil. « Je craignais de ne jamais te revoir. »

Un doux ronronnement retentit dans la gorge de la guerrière. Il renvoya la novice au temps où elle était chaton, pelotonnée dans la pouponnière, sa sœur auprès d'elle. *Oh, Nuage de Feuille, où es-tu ?*

Un miaulement sonore les interrompit.

« On dirait bien que j'ai récupéré mon apprentie », déclara Pelage de Poussière.

Le guerrier semblait aussi squelettique et soucieux que ses congénères. Mais il vint à sa rencontre, une expression chaleureuse sur le visage.

« Où que tu sois allée, en tout cas, tu as bien mangé, remarqua-t-il, épaté par les muscles vigoureux et le pelage brillant de la jeune chatte.

— Nous avons eu de la chance, répondit Griffe de Ronce en remuant le bout de la queue. Le gibier n'a jamais manqué pendant notre voyage.

— Le gibier, c'est ce qui nous manque plus que tout, rétorqua Pelage de Poussière. Si vous avez découvert un bon terrain de chasse, le Clan doit être mis au courant.

— C'est loin, très loin d'ici.

— Alors ce n'est pas pour nous, miaula le guerrier brun en remuant les oreilles. Nous avons reconstruit un foyer ici. Nous ne laisserons pas les Bipèdes et leurs monstres nous chasser une fois de plus. »

Un murmure approbateur s'éleva de l'assemblée.

Nuage d'Écureuil les contempla avec stupeur. Puisque le Clan du Tonnerre avait été chassé de son camp, elle pensait qu'ils n'auraient guère de difficulté à les convaincre de quitter la forêt.

Soudain, elle aperçut au sommet du rocher une silhouette qui se découpait sur le ciel rosé du crépuscule. Même si le contre-jour empêchait de déterminer la couleur de son pelage, ses épaules puissantes et sa longue queue, que le matou leva bien haut en signe de bienvenue, ne laissaient aucun doute sur son identité.

« Étoile de Feu ! s'écria l'apprentie.

— Nuage d'Écureuil ! »

Le chef descendit du rocher en quelques bonds. Ses moustaches s'agitèrent un instant puis il donna un coup de langue sur l'oreille de sa fille. Elle ferma les yeux pour ronronner, oubliant un moment la vague de terreur qui engloutissait peu à peu la forêt.

Elle était rentrée chez elle, et le reste n'avait plus d'importance.

Étoile de Feu recula d'un pas.

« Où étais-tu passée ? demanda-t-il.

— Nous avons tant de choses à te dire, se hâta-t-elle de répondre.

— "Nous" ? Griffe de Ronce est avec toi ?

— Oui, je suis là. »

Le guerrier se faufila entre les chats pour se placer au côté de Nuage d'Écureuil. Il inclina respectueusement la tête devant son chef. Le reste du Clan attendait, les yeux luisants dans la semi-obscurité. Le vent tomba, comme si la forêt elle-même retenait son souffle.

« Nous sommes contents de te revoir », déclara Étoile de Feu, une lueur grave dans le regard.

Un éclair de fourrure argentée glissa sur la roche. C'était Plume Grise. Il s'arrêta net devant Nuage d'Écureuil.

« On dirait que le feu et le tigre sont revenus ! miaula-t-il.

— Le feu et le tigre ? répéta Nuage d'Écureuil sans comprendre.

— On leur expliquera plus tard, murmura Étoile de Feu à son lieutenant tout en balayant du regard ses guerriers.

— Oh, bien sûr », fit Plume Grise, tête basse. Puis ses yeux s'illuminèrent lorsqu'il demanda : « Avez-vous vu mes enfants ? »

Son regard plein d'espoir passa de Nuage d'Écureuil à Griffe de Ronce.

L'apprentie hocha la tête.

« Nous sommes partis tous ensemble, expliqua-t-elle. Pelage d'Orage…

— Je suis là, lança le guerrier du Clan de la Rivière en se frayant un passage parmi les autres félins.

— Mon fils ! s'écria Plume Grise en s'élançant vers lui pour l'accueillir en ronronnant. Tu es sain et sauf ! » Il jeta un coup d'œil vers Nuage d'Écureuil et Griffe de Ronce. « Vous êtes tous sains et saufs ! Je n'arrive pas à y croire. »

Le cœur de l'apprentie se serra.

« Où est Jolie Plume ? » s'enquit le guerrier gris en la cherchant du regard, comme s'il s'attendait à voir sa fille au pied des rochers.

Nuage d'Écureuil baissa les yeux. *Pauvre, pauvre Pelage d'Orage*. Il apportait les pires nouvelles possibles, au Clan de la Rivière comme au Clan du Tonnerre.

« Où est-elle ? répéta Plume Grise, perplexe.

— Elle n'est pas avec nous, répondit son fils, avant de plonger ses yeux dans les siens. Elle a péri durant notre voyage. »

Plume Grise le dévisagea, incrédule.

Étoile de Feu releva le menton et lança à la cantonade :

« Nous devons laisser Plume Grise et Pelage d'Orage la pleurer en paix. »

Nuage d'Écureuil remercia intérieurement son père pour son intervention. Au moins, ils pourraient tout expliquer à Plume Grise à l'abri des regards curieux. Tandis qu'Étoile de Feu entraînait ses guerriers plus haut sur les rochers, l'apprentie se pressa contre Griffe de Ronce.

Plume Grise contemplait la roche sous ses pattes comme s'il tenait une vipère et qu'il n'osait la relâcher de peur qu'elle ne le morde.

« Nous n'avons rien pu faire pour la sauver », lui dit Pelage d'Orage en pressant doucement sa truffe contre l'épaule de son père.

Le matou tourna brusquement la tête vers Griffe de Ronce.

« Vous n'auriez jamais dû l'emmener ! s'emporta-t-il, les yeux luisant de colère.

— Ce n'est pas sa faute ! rétorqua Nuage d'Écureuil en agitant la queue. C'est le Clan des Étoiles qui a choisi Jolie Plume pour cette mission, pas Griffe de Ronce ! »

Plume Grise ferma les yeux. Ses épaules s'affaissèrent.

« Je suis désolé, murmura-t-il. C'est tellement injuste… Elle ressemblait tant à Rivière d'Argent… »

Il laissa sa phrase en suspens. Pelage d'Orage enfouit son museau dans son flanc avant de reprendre la parole :

« Jolie Plume est morte dans un acte de bravoure d'une grande noblesse, digne des plus grands guerriers. Elle était l'élue du Clan des Étoiles, mais aussi de la Tribu de la Chasse Éternelle, qui l'a choisie pour accomplir sa propre prophétie. En sauvant la Tribu, elle nous a sauvés nous aussi.

— La Tribu ? » répéta le guerrier gris.

Nuage d'Écureuil entendait les autres membres du Clan tourner en rond au sommet des rochers. Leurs murmures s'intensifièrent, se firent impatients, au point qu'Étoile de Feu dut les faire taire d'un miaulement énergique.

« Je sais que vous êtes tous pressés d'apprendre où Griffe de Ronce et Nuage d'Écureuil sont allés, lança-t-il. Laissez-les me raconter leur histoire, et je promets de la partager ensuite avec vous.

— Je veux savoir pourquoi mon apprentie est partie, gronda Pelage de Poussière.

— Et qu'est-ce que cette prophétie dont ils parlent ? renchérit Poil de Souris. Nous avons le droit de connaître la vérité ! »

Griffe de Ronce chuchota à l'oreille de Nuage d'Écureuil :

« Je crois qu'il est temps de rejoindre les autres. » Il se tourna vers Pelage d'Orage. « Tu nous accompagnes ?

— Je te remercie, Griffe de Ronce. Mais je préfère rentrer chez moi. » Il fit face à son père avant de poursuivre : « Ils te raconteront toute l'histoire, mais je tenais à te dire personnellement que tu peux être fier de Jolie Plume. Elle a donné sa vie pour nous. »

Plume Grise cligna des yeux sans répondre.

« Je sais que ce sera difficile, ajouta Pelage d'Orage à l'intention de ses deux amis. Mais nous devons continuer jusqu'au bout. Rappelez-vous les paroles de Minuit : nous faisons tout cela pour nos Clans. »

Griffe de Ronce s'inclina solennellement. Nuage d'Écureuil se pencha pour caresser la joue du guerrier du bout de sa truffe.

« On se voit demain aux Quatre Chênes », murmura-t-elle.

Ses pattes tremblaient tant il lui était douloureux de dire au revoir à l'un de ses amis les plus proches. Pour elle, ils appartenaient désormais au même

Clan : ils luttaient ensemble pour achever leur mission et sauver tous les chats de la forêt.

Tandis que Pelage d'Orage s'éloignait de la pente rocheuse, Nuage d'Écureuil aperçut Poil de Souris et Cœur d'Épines qui la toisaient depuis les hauteurs d'un air de reproche. Elle savait qu'à leurs yeux son affection pour le guerrier du Clan de la Rivière n'était rien moins qu'une trahison. Qu'importe, elle était trop triste et trop lasse pour expliquer les liens que le périple avait tissés entre les six chats qui avaient voyagé si loin… et les cinq qui en étaient revenus.

« Bien, miaula Étoile de Feu. Les guerriers aguerris se joindront à nous pour écouter ce que Nuage d'Écureuil et Griffe de Ronce ont à nous dire. Ainsi que toi, Museau Cendré. » Il désigna d'un mouvement du menton le surplomb où Pelage de Poussière et Poil de Souris s'étaient abrités plus tôt. « Nous nous retrouverons là-bas. »

Poil de Souris renifla avec mépris avant de se diriger vers le lieu de rendez-vous. Plume Grise et Pelage de Poussière la suivirent. Tandis qu'Étoile de Feu, Museau Cendré et Tempête de Sable leur emboîtaient le pas, Nuage d'Écureuil resta immobile un instant, la fourrure ébouriffée par le vent. Elle se moquait du froid ; en un sens, plus elle aurait froid, plus elle se rapprocherait de ses camarades affaiblis. Avec leur pelage miteux, la moindre brise devait leur sembler glaciale.

Le grondement soudain de Cœur d'Épines la tira de ses pensées. Inquiète, elle se retourna et aperçut Pelage d'Orage qui se tenait au pied des rochers, un poisson dodu dans la gueule.

« Qu'est-ce qui se passe ? feula le guerrier du Clan du Tonnerre. Ton propre Clan ne veut plus de toi ? »

Le guerrier gris déposa sa prise sur le sol.

« Ceci est un présent du Clan de la Rivière.

— On n'a pas besoin de votre aide ! » cracha Pelage de Givre.

À pas légers, Étoile de Feu arriva derrière Nuage d'Écureuil.

« Son intention était bonne, Pelage de Givre, déclara le chef d'un ton qui sonnait comme une mise en garde. Merci, Pelage d'Orage. »

Le guerrier gris ne répondit pas. Il se contenta de lever les yeux vers le chef du Clan du Tonnerre d'un air attristé. Son regard s'attarda un instant sur Nuage d'Écureuil. Puis il s'inclina avant de disparaître entre les roseaux qui menaient à la rivière, abandonnant le poisson derrière lui.

Nuage d'Écureuil sentit son estomac crier famine. Elle n'avait rien mangé depuis qu'ils avaient quitté le territoire des Bipèdes, de l'autre côté de la lande.

« Bientôt, tu pourras essayer d'attraper quelques souris, miaula Étoile de Feu en entendant les gargouillements de son ventre. Nous devons d'abord nourrir Fleur de Bruyère et les anciens. Il faudra apprendre à vivre la faim au ventre, maintenant que tu as réintégré le Clan. »

Nuage d'Écureuil hocha la tête. Après s'être habituée à chasser dès qu'elle avait faim, et à ne partager qu'avec ses amis, elle devrait se réadapter.

« Partage le poisson entre Fleur de Bruyère et les anciens », lança Étoile de Feu à Cœur d'Épines, avant de se diriger de nouveau vers le surplomb.

Lorsque Nuage d'Écureuil se glissa sous la saillie rocheuse, elle remarqua qu'elle était plus profonde qu'il n'y paraissait. Des parois lisses protégeaient les côtés de la cavité, mais un vent glacial balayait l'ouverture, brassant les odeurs entremêlées d'une foule de chats. Elle repensa avec tristesse à l'ordre et au confort de leur ancien camp.

« Tous les guerriers partagent ce repaire, lui murmura Pelage de Poussière à l'oreille, comme s'il devinait ses pensées. Ici, il n'y a pas beaucoup d'endroits propices au repos. »

Nuage d'Écureuil rouvrit les yeux et regarda autour d'elle, soudain bouillonnante de colère. Les Bipèdes avaient réduit son Clan à de telles extrémités ! Le moins qu'elle puisse faire, c'était guider ses camarades vers un endroit sûr, où ils trouveraient des tanières dignes de ce nom, et assez de gibier pour nourrir tout le monde.

« Au moins, on peut s'abriter un peu », marmonna Tempête de Sable, même si sa fourrure gonflée suggérait qu'elle était transie.

Étoile de Feu s'assit tout au fond, encadré par Tempête de Sable et Plume Grise. Le lieutenant était accablé par le chagrin. Près de lui, Museau Cendré l'observait avec inquiétude.

« Bien, lança Étoile de Feu en enroulant sa queue autour de ses pattes. Racontez-moi tout depuis le début. »

Nuage d'Écureuil sentait les regards interrogateurs de ses camarades de Clan lui brûler la fourrure. Griffe de Ronce caressa du bout de la queue le flanc de l'apprentie avant de répondre.

« Dans un rêve, le Clan des Étoiles m'a dit d'aller là où le soleil sombre dans l'eau, expliqua-t-il. Au… au début, je ne savais pas si je devais y croire, mais les guerriers de jadis avaient envoyé ce même songe à un membre de tous les autres Clans : Nuage Noir du Clan du Vent, Jolie Plume du Clan de la Rivière et Pelage d'Or du Clan de l'Ombre. »

Étoile de Feu inclina la tête de côté, attentif.

« Nous devions tous partir pour entendre les paroles de Minuit.

— Et qu'est-ce que *minuit* vous a dit ? » le coupa Pelage de Poussière, ébahi.

Lorsque le regard vert du chef se posa sur Nuage d'Écureuil, elle se retint de reculer à croupetons.

« Toi aussi, tu as fait ce rêve ? lui demanda-t-il.

— Non, admit-elle. Mais je devais… je voulais partir… »

Elle chercha les mots justes pour expliquer son départ. Comme elle ne voulait pas avouer à Étoile de Feu qu'elle avait en fait cherché à échapper à leurs disputes perpétuelles, elle finit par se taire, tête basse.

« Je suis heureux qu'elle nous ait accompagnés ! s'écria Griffe de Ronce. Elle s'est montrée aussi brave que n'importe quel guerrier ! »

Après un silence atrocement long, Étoile de Feu hocha la tête.

« Poursuis, Griffe de Ronce.

— Nous nous sommes mis en route en suivant les indications de Nuage de Jais. Des chats errants lui avaient parlé de cette étendue d'eau infinie.

— C'était tellement loin ! On s'est cru perdus plus d'une fois. Heureusement, un solitaire nous a aidés à traverser le territoire des Bipèdes, poursuivit Nuage d'Écureuil, tout en se rappelant le sens de l'orientation discutable d'Isidore.

— Et nous sommes finalement arrivés là où le soleil sombre dans l'eau. Je n'avais jamais rien vu de pareil, miaula Griffe de Ronce. De hautes falaises de sable, avec des grottes au-dessous, et de l'eau bleu sombre jusqu'à l'horizon, qui sans cesse vient s'abattre sur la rive avant de se retirer. Au début, le rugissement de l'eau nous faisait peur tant il était assourdissant.

— Et puis Griffe de Ronce est tombé dans une crevasse. Je l'ai sauvé. Nous étions dans une caverne, et c'est là que nous avons trouvé Minuit. »

Nuage d'Écureuil sentait les mots se bousculer pour sortir. Elle était incapable de donner de la cohérence à son récit.

« Vous avez "trouvé *minuit*" ? répéta Pelage de Poussière.

— Minuit est un blaireau, expliqua Griffe de Ronce en se dandinant d'une patte sur l'autre. C'est lui qui nous a délivré le message du Clan des Étoiles.

— Et quel est ce message ? demanda Étoile de Feu, les oreilles frémissantes.

— Les Bipèdes vont détruire la forêt entière et nous allons tous mourir de faim, miaula Nuage d'Écureuil, le cœur battant.

— Il nous a dit de vous conduire vers un nouveau territoire, ajouta Griffe de Ronce.

— Un nouveau territoire ! s'exclama Tempête de Sable en le dévisageant.

— Alors comme ça, on devrait partir juste parce

qu'un blaireau sorti de nulle part pense que c'est une bonne idée ? » persifla Pelage de Poussière.

La rouquine ferma les yeux. Le Clan du Tonnerre allait-il donc ignorer la mise en garde de Minuit ? Leur quête et la mort de Jolie Plume seraient-elles vaines ?

« Vous a-t-il indiqué comment nous trouverions cet endroit ? » s'enquit Plume Grise avant de se redresser, la queue battant l'air.

Les paroles de Minuit résonnèrent de nouveau dans l'esprit de Nuage d'Écureuil et elle se surprit à les répéter à voix haute :

« “Mais vous pas seuls. À votre retour, vous monter sur le Grand Rocher, lorsque Toison Argentée brille dans le ciel. Guerrier mourant montrera le chemin.”

— Vous êtes déjà montés sur le Grand Rocher pour guetter ce signe ? demanda Étoile de Feu.

— Pas encore. Demain soir, nous devons y retrouver Pelage d'Or, Pelage d'Orage et Nuage Noir. Et amener nos chefs, si chacun de nous parvient à convaincre le sien…

— Vas-tu y aller ? demanda Poil de Souris à son meneur, les oreilles rabattues.

— Rien ne pourra m'en empêcher », répondit Étoile de Feu.

Pelage de Poussière le contempla, les yeux ronds.

« Tu n'envisages tout de même pas de quitter la forêt avec tout le Clan ! s'indigna-t-il.

— Pour le moment, je n'en sais rien. Mais je ne suis pas certain que le Clan puisse survivre à cette mauvaise saison. » Il soutint le regard de Pelage de Poussière et, l'espace d'un instant, ses yeux s'enflammèrent. « Je ne veux pas laisser souffrir mon Clan si je peux faire quoi que ce soit pour l'éviter. Nous ne pouvons ignorer ce message, quelle que soit la façon dont il nous est parvenu. Voilà peut-être notre unique chance de survie. S'il doit y avoir un signe, je veux le voir de mes propres yeux. »

La tête haute, il se tourna vers Griffe de Ronce.

« Demain, je vous accompagnerai aux Quatre Chênes. »

CHAPITRE 5

« SACHA ! LANÇA DE NOUVEAU Patte de Brume. C'est toi ? »

Pas de réponse.

Nuage de Feuille pressa son museau contre la toile raide, curieuse de voir à quoi elle ressemblait. Elle avait entendu parler bien souvent de Sacha, cette chatte errante qui avait choisi Étoile du Tigre comme compagnon et avait donné naissance à Papillon et Plume de Faucon pendant son séjour au sein du Clan de la Rivière. Malheureusement, dans la pénombre du nid de bois, l'apprentie ne discerna que le pelage fauve de la chatte, tapie au fond de la cage que le Bipède venait d'apporter.

« Sacha, tout va bien ? insista Patte de Brume.

— Laisse-lui le temps de se remettre, lui conseilla Jessie. Les nouveaux sont toujours silencieux.

— De me remettre de quoi ? rétorqua l'intéressée en crachant avec fureur. Comment osent-ils m'enfermer ici ? Si je pouvais sortir, je réduirais ce Bipède en lambeaux !

— Que faisais-tu dans la forêt ? demanda Patte de Brume.

— Je voulais voir mes enfants. J'ai entendu dire

que les Bipèdes détruisaient les bois, j'avais peur pour eux.

— J'ai vu Papillon il y a peu, miaula Nuage de Feuille. Elle allait bien. Elle va devenir guérisseuse.

— Qui me parle ? voulut savoir Sacha.

— Je m'appelle Nuage de Feuille. Je suis l'apprentie guérisseuse du Clan du Tonnerre. Papillon et moi, nous sommes amies.

— Et Plume de Faucon, tu le connais aussi ? Il va bien ? »

Nuage de Feuille n'osa pas répondre. Le simple fait de penser au fils de Sacha la faisait frissonner. Son regard bleu glacé évoquait le ciel de la mauvaise saison, et ses épaules étaient aussi larges et puissantes que celles d'un guerrier deux fois plus âgé et expérimenté que lui. La dernière fois qu'elle l'avait vu, il avait menacé de traîner Poil de Châtaigne jusqu'au camp du Clan de la Rivière parce qu'elle avait franchi la frontière par inadvertance. Heureusement, Papillon l'avait persuadé de relâcher la guerrière.

Ce fut Patte de Brume qui répondit à la chatte errante :

« J'ai vu Plume de Faucon récemment ; il allait bien.

— Me voilà rassurée. »

Le soulagement perceptible dans sa voix surprit Nuage de Feuille.

« On dirait qu'elle s'inquiète pour ses enfants autant qu'une reine ! murmura l'apprentie à Jessie à travers la clôture qui les séparait.

— Évidemment. N'importe quelle chatte s'inquiète pour ses petits...

— Mais elle les a abandonnés, c'est le Clan de la Rivière qui les a élevés ! s'exclama Nuage de Feuille, oubliant d'être discrète.

— Pourquoi ne les a-t-elle pas laissés à son propre Clan ?

— Elle ne fait pas partie des Clans. C'est une chatte errante.

— C'est ça, insultez-moi simplement parce que j'ai choisi de ne pas vivre comme vous, feula Sacha, qui avait tout entendu. Je m'en fiche bien, tant que mes enfants sont en bonne santé.

— Je suis désolée, s'excusa Jessie. Ce nid est si petit qu'il est difficile de ne pas se mêler des affaires des autres. » Elle jeta un coup d'œil au chat errant au pelage noir et miteux dans la cage contiguë. Il restait tapi dans un coin, comme si la conversation ne l'intéressait pas. « Enfin, c'est mon avis », ajouta-t-elle d'un ton chargé de reproches.

Nuage de Feuille savait que Jessie avait essayé en vain de sympathiser avec le matou noir. Elle n'avait rien pu tirer de lui à part son nom : Charbon.

« Tu es une chatte domestique, je parie ? miaula Sacha à Jessie. Tu m'as l'air trop polie pour une chatte errante, et trop bien nourrie pour venir de l'un des Clans.

— Jessie est une amie ! lança Nuage de Feuille pour défendre sa voisine, dont le pelage s'était hérissé.

— Je n'ai pas dit le contraire, rétorqua Sacha. J'essaie juste de savoir qui est qui, ici.

— Il y a surtout des chats errants, expliqua Patte de Brume. Et quelques guerriers des Clans. » Plume d'Ajoncs, Cœur Blanc et Flocon de Neige saluèrent l'un après l'autre Sacha, puis Patte de Brume poursuivit : « Jessie est la seule chatte domestique, pour autant que nous le sachions.

— Est-ce que quelqu'un a trouvé un moyen de s'enfuir de ce terrier de renards ? s'enquit Sacha.

— Pas encore, avoua le lieutenant du Clan de la Rivière.

— Le Clan des Étoiles lui-même ne nous a envoyé aucun signe, ajouta Nuage de Feuille.

— Le Clan des Étoiles ! pesta Sacha en montrant les crocs. Vous autres, les chats des Clans, vous croyez encore à ces fables, alors que la forêt est menacée de destruction ?

— Évidemment ! feula l'apprentie.

— Dans ce cas, adresse-lui une prière de ma part, petite, soupira Sacha, à la grande surprise de Nuage de Feuille. On va avoir besoin de toute l'aide possible. »

Le soleil descendait peu à peu, et l'air tiède de l'après-midi commençait à fraîchir.

« Revoilà le Bipède ! » lança Jessie aux autres prisonniers.

Malgré le grondement lointain des monstres, Nuage de Feuille entendit distinctement un bruit de pas à l'extérieur. D'instinct, elle se tapit au fond de sa cage. La porte du nid s'ouvrit, et le Bipède entra avec une nouvelle fournée de boulettes.

« Tu n'arriveras jamais à le persuader de nous laisser sortir juste en ronronnant, souffla l'apprentie à Jessie, tandis que le Bipède commençait à ouvrir les cages pour les nourrir.

— Tu as sans doute raison, miaula Jessie en haussant les épaules. Mais si j'arrive à gagner sa confiance, ce sera toujours ça de pris. »

Soudain, un feulement retentit dans la cage d'à côté. Le Bipède, qui saignait à présent d'une patte, fit un bond en arrière pour s'éloigner de Charbon. De son pas lourd, il se mit à faire les cent pas sans cesser de vociférer. Nuage de Feuille se tordit le cou pour apercevoir le matou noir derrière Jessie. Elle ne distingua que sa silhouette sombre, tapie contre le sol de sa cage. Le cœur battant, elle jeta un coup d'œil vers le Bipède. Il avait cessé de brailler et fixait Charbon d'un regard assassin. Tout à coup, poussant un cri féroce, il donna un coup de patte à l'intérieur de la cage, et le chat errant gémit aussitôt de douleur. Après quoi, le Bipède claqua la porte en marmonnant.

Nuage de Feuille frémit. Qu'avait donc fait le Bipède ?

Lorsqu'il ouvrit ensuite la cage de Jessie pour y verser les boulettes, la chatte se recroquevilla tout au fond. Elle ne ronronnait plus.

Après son départ, Nuage de Feuille s'écria :

« Tout va bien, Charbon ? »

Un grognement étouffé lui parvint :

« Sale Bipède puant ! »

L'apprentie huma l'air et reconnut l'odeur chaude du sang.

« Ça m'a l'air sérieux, lui souffla Jessie. Il y a du sang sur le sol de sa cage.

— Où es-tu blessé ? demanda Nuage de Feuille au mâle noir.

— À une patte, répondit le matou. Ce Bipède aux griffes de blaireau m'a projeté contre un truc pointu. »

Nuage de Feuille réfléchit à toute vitesse. De quoi se servait Museau Cendré pour arrêter les saignements ?

« Est-ce que quelqu'un pourrait attraper une toile d'araignée ? Allez, il faut l'aider ! lança-t-elle.

— J'en vois une, tout près de moi, répondit Plume d'Ajoncs. Je crois que je peux l'atteindre. Attends une seconde. »

En regardant sous elle, Nuage de Feuille vit le guerrier du Clan du Vent tendre la patte à travers la drôle de clôture. Une énorme toile d'araignée s'étendait du sol du nid jusqu'au sommet de sa cage. En s'étirant de toutes ses forces, il parvint à l'enrouler autour de ses griffes. Il leva alors la toile aussi haut que possible, vers Nuage de Feuille.

Le ventre collé au sol, l'apprentie glissa une patte entre les mailles du treillis, ignorant les bouts pointus qui l'écorchaient malgré sa fourrure. Les mâchoires serrées, elle étira un peu plus ses muscles et parvint enfin à récupérer la pelote de toile. Elle la fit ensuite passer à Jessie, qui la saisit dans la gueule.

« Vite, donne-lui ça ! » la pressa-t-elle.

Jessie acquiesça. Quelques filaments précieux étaient restés accrochés aux mailles de la cage.

« Fais attention ! » la mit en garde Nuage de Feuille.

La voix affolée d'un chat errant leur parvint d'un peu plus bas.

« Du sang goutte du plafond de ma cage ! Ce matou est gravement blessé. »

Le cœur de Nuage de Feuille se mit à battre la chamade.

« Charbon ? Ça va ?

— J'ai beau lécher, ça continue à saigner, répondit-il d'une voix chevrotante.

— Prends la toile d'araignée ! ordonna la novice. Applique-la sur la blessure. »

Elle entendit le souffle court de Jessie lorsqu'elle fit passer la pelote dans la cage suivante, puis le bruit des griffes de Charbon crissant sur le sol ensanglanté.

« Ne panique pas, Charbon ! miaula-t-elle. Appuie bien fort.

— La toile est déjà trempée de sang ! hoqueta le matou.

— Ce n'est pas grave, le rassura-t-elle. Elle va quand même arrêter l'hémorragie. Garde-la bien en place, surtout ! »

Elle attendit. Un silence pesant s'installa dans le nid. Nuage de Feuille finit par avoir le tournis. Elle s'efforça de respirer lentement, profondément.

« Comment va-t-il ? demanda Cœur Blanc au bout d'un moment.

— Le sang ne me goutte plus dessus ! lança le voisin du dessous du blessé.

— Charbon ? miaula Nuage de Feuille. Comment te sens-tu ? »

Un faible soupir lui parvint de la cage du matou.

« Mieux, murmura-t-il. Et ça ne pique même pas. »

La novice poussa un profond soupir de soulagement.

« Garde la toile encore un peu, lui conseilla-t-elle. Ensuite, tu pourras nettoyer la plaie. Mais pas trop fort, pour éviter que le saignement ne reprenne.

— Bravo, Nuage de Feuille », chuchota Jessie.

L'apprentie cligna des yeux. Pour la première fois depuis sa capture, elle n'avait plus l'impression d'être impuissante. De tout cœur, elle remercia le Clan des Étoiles. Elle n'avait jamais soigné de chat errant auparavant, mais elle savait que ses ancêtres approuveraient son geste. La loyauté envers un seul et unique Clan n'était plus de rigueur.

Comme son estomac criait famine, elle se dit qu'elle ferait aussi bien de suivre le conseil de Jessie et de prendre des forces. Essayant de ne pas respirer l'horrible odeur, elle grignota quelques boulettes. *J'imagine que je devrais m'estimer heureuse de me remplir le ventre sans effort*, songea-t-elle tout en mâchant à contrecœur ces petits bouts secs.

« C'est dégoûtant, marmonna-t-elle.

— J'ai connu meilleur, admit Jessie. Mes maisonniers ont essayé de me donner un truc de ce genre, une fois, mais je leur ai fait comprendre ce que j'en pensais, et ils ne m'en ont plus jamais servi. »

Nuage de Feuille faillit s'étrangler de surprise.

« Tu peux leur faire faire ce que tu veux ?

— Ils ne sont pas si difficiles à dresser », miaula Jessie avant de s'asseoir et de se lécher les pattes.

Sacha lança depuis sa cage :

« Tu peux dresser ce sale cabot qui a blessé Charbon pour qu'il se montre plus gentil ?

— J'en doute. Ces forestiers ne ressemblent pas du tout à mes maisonniers. »

Nuage de Feuille aperçut le visage de Cœur Blanc collé à sa cage. Dans la pénombre, les taches rousses sur son pelage blanc paraissaient presque noires, et la partie défigurée de son visage était invisible.

« À ton avis, que vont-ils faire de nous ? murmura la guerrière.

— Des chats domestiques, peut-être ? » suggéra Nuage de Feuille.

Cette idée lui répugnait, mais au moins ils auraient une chance de s'échapper et de rejoindre leurs Clans.

Sacha renifla avec mépris.

« Ça m'étonnerait, gronda-t-elle. On ne ressemble guère aux chats tout doux et bien soignés qu'apprécient les Bipèdes. »

Nuage de Feuille coula un regard vers Jessie, espérant que la remarque de la chatte errante ne l'offusquerait pas. À sa grande surprise, elle la vit hocher la tête.

« Sacha a raison. Ils se moquent bien des chats, qu'ils soient sauvages, errants ou domestiques. Croyez-moi, je sais quel genre de… comment vous les appelez ?… de Bipèdes font de bons maisonniers. Ceux-là veulent simplement se débarrasser de nous. »

Nuage de Feuille voulut déglutir, mais sa bouche s'était soudain asséchée. Les boulettes qu'elle avait réussi à avaler restaient coincées dans son gosier. Pour les faire passer, elle lapa un peu d'eau fétide. Elle lutta contre l'envie irrépressible de se rouler en boule au fond de sa cage pour se perdre de nouveau dans ses rêves. Son instinct lui disait que les guerriers de jadis assistaient eux aussi à la destruction de la forêt, impuissants face à la cruauté des Bipèdes. Elle devait à présent compter sur sa jugeote pour trouver un moyen de s'échapper.

Elle repensa à la manière dont Plume d'Ajoncs avait tendu la patte hors de sa cage vers la toile d'araignée.

« Jessie, miaula-t-elle. Tu m'as dit que tu avais essayé d'atteindre le loquet de ta cage.

— Oui, mais mes griffes n'y trouvent aucune prise, confirma la chatte.

— Et vous autres ? lança-t-elle à la cantonade. Est-ce que quelqu'un peut débloquer son loquet ?

— Le mien est trop serré, répondit Plume d'Ajoncs.

— Le treillage de ma cage est déchiré, déclara Flocon de Neige. J'arrive presque à sortir mes deux pattes, mais le loquet est trop loin.

— Vous perdez tous votre temps, feula Sacha. Regardez la vérité en face, il est impossible de s'enfuir. »

Dehors, dans la nuit tombante, les Bipèdes s'interpellaient d'un ton bourru. Le grondement incessant de leurs monstres faisait trembler les murs du nid. Nuage de Feuille refusait de croire qu'ils étaient coincés là pour de bon. Si elle ne tentait rien, alors ils n'auraient vraiment plus aucun espoir. Elle glissa une patte hors de la cage et entreprit d'ouvrir le loquet à grands coups de griffes.

CHAPITRE 6

LES RAYONS DE LA LUNE décroissante qui filtraient entre les branches nimbaient la forêt d'un étrange éclat. Sur les fougères, le givre dessinait de curieux motifs argentés.

« Il va faire froid, aux Quatre Chênes », lança Nuage d'Écureuil à Griffe de Ronce tandis qu'ils progressaient dans les fourrés.

L'apprentie pensait à sa sœur, espérant que, où qu'elle soit, elle trouverait de la chaleur.

« Au moins, le ciel est dégagé, répondit le guerrier à voix basse. La Toison Argentée brillera au-dessus de nos têtes. »

Ils suivaient Étoile de Feu et Museau Cendré. Ils avançaient moins vite que lors de leur long périple, mais Museau Cendré luttait tout de même pour garder le rythme. À cause du froid et de la faim, sa claudication était plus prononcée que jamais.

« Si le Clan des Étoiles nous envoie un signe, combien de temps nous faudra-t-il pour partir, à ton avis ? » demanda Nuage d'Écureuil à Griffe de Ronce.

Sa crainte était de ne pas avoir le temps de retrouver sa sœur.

« Je l'ignore. Tu as vu ce qui s'est passé hier soir. Étoile de Feu ne peut pas forcer le Clan à quitter la forêt. Comme tout le monde, il est tenu de suivre le code du guerrier. Même s'il est notre chef, il doit respecter la volonté du Clan. »

La novice sentit son estomac se nouer lorsqu'elle repensa à la réaction de ses camarades. À la belle étoile, serrés les uns contre les autres pour se protéger de la bise qui fouettait les rochers, les membres du Clan du Tonnerre avaient écouté Étoile de Feu leur délivrer le message du Clan des Étoiles. Une vague de cris choqués avait parcouru l'assemblée.

« Nous ne pouvons pas quitter la forêt ! avait gémi Pelage de Givre. Nous mourrons tous.

— Nous mourrons si nous restons ! avait rétorqué Poil de Châtaigne.

— Mais c'est chez nous, ici. » Le miaulement rauque de Perce-Neige s'était brisé lorsqu'elle avait haussé la voix.

Seul Nuage de Musaraigne avait semblé enthousiaste :

« Quand est-ce qu'on part, alors ? »

La plainte pitoyable de Petit Laurier, qui résonnait encore dans les oreilles de Nuage d'Écureuil, lui faisait froid dans le dos : « On n'est pas obligés de partir, pas vrai ? » avait gémi le chaton.

« Et si Pelage de Poussière avait raison ? souffla-t-elle à Griffe de Ronce au moment où ils sautaient par-dessus une renardière abandonnée, bouche noire béante parmi les ombres. Son raisonnement est logique : pourquoi suivraient-ils les conseils d'un blaireau qu'ils n'ont jamais vu.

— Mais c'est le Clan des Étoiles qui nous a envoyés voir Minuit, lui rappela le guerrier. Il nous a forcément dit la vérité. »

La novice devina qu'il essayait de se convaincre lui-même autant qu'elle.

« Espérons que nous verrons le signe aux Quatre Chênes », dit-elle.

Elle trembla en se rappelant que Minuit avait évoqué un « guerrier mourant ». Pourtant, s'il leur montrait bel et bien le chemin, il serait peut-être encore possible de sauver les Clans.

Leur parcours jusqu'aux Quatre Chênes leur prit plus de temps que d'habitude. Ils avançaient lentement et devaient en plus contourner les zones de la forêt ravagées par les Bipèdes, rampant d'un bourbier jonché de troncs d'arbres à l'autre.

« Comment peut-on encore se sentir chez soi ici ? » murmura Nuage d'Écureuil.

Griffe de Ronce secoua la tête. Sans répondre, il suivit Étoile de Feu jusqu'au sommet du talus dominant les Quatre Chênes.

Nuage d'Écureuil eut d'abord l'impression de venir assister à une Assemblée normale. En fermant les yeux, elle entendit presque les murmures des premiers arrivés, en bas dans la clairière, qui accomplissaient la cérémonie du partage, comme ils le faisaient toujours lorsque les quatre Clans se retrouvaient en paix à la pleine lune. Mais la lune était loin d'être pleine, et ce n'était pas une Assemblée. L'apprentie rouvrit soudain les yeux pour regarder par-dessus le sommet du talus. La vision qui s'offrit à elle lui coupa le souffle. Depuis qu'elle avait appris que les Bipèdes avaient abattu les quatre arbres sacrés, Nuage d'Écureuil n'avait pas osé y penser. Neuf vies ne lui auraient pas suffi pour imaginer une scène aussi horrible.

Les quatre chênes géants qui veillaient naguère sur le Grand Rocher n'étaient plus. Même leurs souches avaient été extirpées du sol. Leurs troncs gisaient à terre, débités en tronçons. L'odeur amère de la sève suintant des arbres mutilés saturait l'air.

Le cœur de la forêt – qui était aussi le creuset de la vie pour les quatre Clans – avait été arraché. Rien ne serait plus jamais comme avant.

Nuage d'Écureuil se demanda comment les guerriers de jadis pouvaient supporter de contempler chaque nuit la clairière ravagée.

« Plume Noire nous avait avertis, mais je ne pensais pas… »

Elle laissa sa phrase en suspens, sous le regard compatissant de son père.

« Allons-y », miaula-t-il en les entraînant dans la descente.

Lorsque l'apprentie franchit les tas de rondins, de la sève resta collée à sa fourrure et un nuage de sciure s'éleva sur son passage, lui piquant le nez et la gorge. Arrivée au milieu de la clairière, elle écarquilla les yeux.

« Le Grand Rocher a disparu ! »

Griffe de Ronce se figea pour suivre son regard.

« C'est impossible ! » hoqueta-t-il.

Puis il rejoignit en quelques bonds le trou béant qui marquait l'emplacement du rocher.

« Je pensais qu'il avait des racines, comme les arbres, chuchota la novice en jetant un coup d'œil ébahi dans la cavité. Des racines si profondes que rien ne pourrait jamais le déloger.

— Par ici ! » lança Étoile de Feu depuis l'autre côté de la clairière.

Dans la boue jusqu'au ventre, Museau Cendré et lui se tenaient près d'une énorme roche grise. La pierre semblait de travers, et sa forme leur était inconnue. L'apprentie finit par comprendre qu'il s'agissait bel et bien du Grand Rocher, qu'une force colossale avait retourné.

« Encore un coup des Bipèdes ! feula Griffe de Ronce en battant l'air de sa queue. Ils ont dû utiliser un de leurs monstres pour le déplacer. »

Grâce à la lumière froide de la lune, Nuage d'Écureuil discernait les profondes entailles qui scarifiaient la surface minérale, où les griffes du monstre l'avaient enserrée. Ce sacrilège était encore pire que s'ils avaient coupé tous les arbres de la forêt jusqu'au dernier. Tout le monde savait que les arbres étaient des organismes vivants qui vieillissaient et mouraient, mais le Grand Rocher s'était dressé là pendant des lunes et des lunes, avant même la naissance des Clans, et il aurait dû y rester à tout jamais.

Une voix sèche retentit dans la clairière.

« Il n'y aura plus d'Assemblée, à présent. »

Nuage d'Écureuil reconnut le miaulement d'Étoile de Jais. Les ombres glissant sur les rondins alentour lui apprirent ce que l'odeur de sève avait dissimulé : les autres guerriers étaient déjà là. Elle se souvint soudain des mises en garde répétées de Poil de Souris contre une éventuelle embuscade. Elle scruta la pénombre et, à son grand soulagement, repéra Pelage d'Or, Nuage Noir et Pelage d'Orage parmi les félins.

« Pelage d'Or ! »

Griffe de Ronce s'élança vers sa sœur pour la saluer.

Le grondement désapprobateurd'Étoile de Feu hérissa le poil de Nuage d'Écureuil. Comment pouvait-il douter de leur loyauté alors que, il le savait, ils ne coopéraient que pour sauver les Clans ?

Chacun avait amené le chef et le guérisseur de son Clan. Mais Nuage d'Écureuil fut surprise de reconnaître deux autres matous : Papillon, qui accompagnait Patte de Pierre, le vieux guérisseur du Clan de la Rivière, et Plume de Faucon, le frère de l'apprentie guérisseuse. Nuage d'Écureuil les reconnut au premier regard car sa sœur les lui avait décrits bien souvent. Le guerrier au pelage sombre ne contemplait pas le Grand Rocher, mais les autres chats présents dans la clairière. Son regard bleu glacé, illuminé par le clair de lune, ne révélait aucune émotion.

« Ça ne se peut pas ! » cracha Patte de Pierre en fixant le rocher renversé.

Le moindre de ses poils s'était dressé et sa queue tremblait d'indignation. Papillon entreprit de le calmer en lui donnant de petits coups de langue sur l'épaule, mais il frissonna de plus belle. Museau Cendré franchit tant bien que mal le tas de rondins, osant à peine poser sa patte meurtrie sur le sol, et se pressa contre lui.

Nuage d'Écureuil suivit son père lorsqu'il rejoignit les autres au pied du Grand Rocher. Elle jeta un coup d'œil à Pelage d'Orage, Nuage Noir et Pelage d'Or, impatiente de savoir comment leur Clan les avait accueillis. Mais ils restèrent près de leur chef, silencieux.

« Comment grimperons-nous à son sommet, maintenant ? » demanda Étoile Filante d'une voix brisée, les yeux levés vers la paroi abrupte qui les dominait.

Même à demi dissimulé dans l'ombre, le chef noir et blanc du Clan du Vent semblait si faible que Nuage d'Écureuil s'étonna qu'il soit arrivé jusque-là.

« Ces marques serviront de prises », répondit Étoile du Léopard en tendant ses pattes avant jusqu'aux balafres creusées dans la pierre.

Elle prit appui sur ses pattes arrière, qui s'enfoncèrent un peu plus dans la boue, et se hissa au sommet à l'aide de ses griffes. Étoile de Jais l'imita. Il semblait fort et déterminé, mais ses os saillaient sous son pelage noir et terne alors qu'il escaladait la roche. Étoile Filante les observa, l'air plus chétif que jamais.

« Je te suivrai », suggéra Étoile de Feu.

Le vieux chef acquiesça, avant de se dresser vers les marques les plus basses, accroché à la roche du bout des griffes. Étoile de Feu vint à son aide, soutenant le chef du Clan du Vent avec ses épaules pour l'empêcher de retomber.

« Et nous ? On ne devrait pas monter aussi, pour voir le guerrier mourant ? » murmura Nuage d'Écureuil lorsque les quatre chefs eurent disparu au sommet du roc. Les guérisseurs, eux, allèrent se placer de l'autre côté.

« À mon avis, peu importe qui le voit, répondit Griffe de Ronce, dont le regard troublé trahissait l'inquiétude.

— Au moins, on peut enfin parler tranquilles, souffla Pelage d'Or. Étoile de Jais a dit qu'il était prêt à quitter la forêt.

— Vraiment ? miaula l'apprentie. Génial ! » Elle aurait bien aimé que les choses soient aussi claires pour son Clan. « Étoile de Feu n'a pas encore pris sa décision. »

Pelage d'Or remua les oreilles.

« À dire vrai, je pense qu'Étoile de Jais avait déjà décidé de partir, avant même que je lui parle.

— Mais quelle a été sa réaction ? Est-ce qu'il t'a crue ? » demanda la novice.

La guerrière écaille ne répondit pas. Griffe de Ronce se rapprocha de sa sœur.

« Ils t'ont mené la vie dure, dans ton Clan ?

— Tu parles, ils ont fait comme s'ils ne me connaissaient pas, admit-elle avec tristesse. Les petits de Fleur de Pavot ont eu peur de moi.

— Pour nous non plus, ça n'a pas été facile, lui apprit Nuage d'Écureuil. À croire qu'on ne fait plus partie du Clan.

— Qu'est-ce que tu racontes ! Évidemment qu'on fait toujours partie du Clan ! la rassura Griffe de Ronce. Avec le temps, tout redeviendra normal.

— Rien ne sera plus jamais normal ! pesta Pelage d'Orage. J'ai vu les ravages que les Bipèdes ont infligés aux territoires des Clans du Vent et du Tonnerre, et j'imagine qu'ils ont fait pareil chez nos voisins du Clan de l'Ombre. » Il coula un regard vers Pelage d'Or, qui hocha la tête, la mine sombre. « Même s'ils n'ont pas encore atteint le Clan de la Rivière, tout a changé, poursuivit le guerrier gris, la queue battante. Patte de Brume a disparu et Plume de Faucon est le nouveau lieutenant.

— Patte de Brume a disparu ? répéta Nuage d'Écureuil, les yeux ronds.

— Les Bipèdes l'ont capturée ? demanda Griffe de Ronce.

— Pourquoi feraient-ils une chose pareille ? interrogea Pelage d'Orage.

— Ils ont pris Nuage de Feuille ! s'écria Nuage d'Écureuil. Nous le savons car Poil de Châtaigne y était, mais elle a réussi à s'enfuir.

— Plume d'Ajoncs a lui aussi disparu, miaula Nuage Noir, son regard glissant d'un félin à l'autre.

— Personne ne manque à l'appel chez nous, mais j'imagine que ce n'est qu'une question de temps, ajouta Pelage d'Or. Les Bipèdes ont envahi une telle proportion de notre territoire que nous mourons de faim. Il ne reste presque plus de gibier, alors que la mauvaise saison ne fait que commencer. »

Griffe de Ronce s'assit prudemment sur le sol boueux.

« Que ce soit le message de Minuit ou la famine qui chasse les Clans d'ici, peu importe. Je ne vois pas comment nous pourrions demeurer dans la forêt.

— Mais les Bipèdes n'ont pas touché le territoire du Clan de la Rivière, lui rappela Pelage d'Orage. Et Plume de Faucon pense qu'ils ne le feront jamais. Il m'a pratiquement traité de traître parce que je m'inquiétais du sort des autres Clans, et m'a dit que je n'aurais jamais dû partir. » Un voile de tristesse assombrit son regard. « Il a ajouté que Jolie Plume serait encore en vie si je l'avais empêchée de se mêler des problèmes des autres Clans.

— Jolie Plume n'est pas morte à cause de notre mission, mais de notre séjour trop long au sein de la Tribu », feula Nuage Noir.

Pelage d'Orage se crispa, la tête basse.

« On n'avait pas le choix, on devait les aider ! » protesta Nuage d'Écureuil, perplexe.

Au début de leur voyage, l'apprenti du Clan du Vent lui avait semblé arrogant et colérique. Au fil du temps, il était devenu plus facile à vivre et, au terme de leur quête, elle l'avait considéré comme l'un de ses amis les plus proches. À présent, il était plus irascible que jamais. Leur périple, le message crucial qu'ils devaient porter à leurs Clans, tout cela ne signifiait donc rien pour lui ?

« Nuage Noir, miaula Griffe de Ronce, qu'a dit le Clan du Vent en apprenant les nouvelles ?

— Tous ont accepté les paroles de Minuit, marmonna-t-il. C'est notre dernière chance de survie. » Sa voix était éteinte et froide. « Je n'aurais jamais imaginé que le Clan puisse souffrir davantage qu'à mon départ, et pourtant... Il n'y a plus rien à manger dans la lande. Un oiseau, si on a un peu de chance. Parfois une souris. Une seule, pour nourrir tout le Clan. Les chatons du Clan du Vent n'ont jamais été aussi affamés.

— Alors Étoile Filante veut partir ? »

Nuage Noir releva la tête pour regarder Griffe de Ronce.

« Oh, que oui. Il veut que le Clan s'en aille dès que possible. Sa plus grande peur... » Sa voix se brisa. Il déglutit avant de reprendre : « Sa plus grande peur, c'est qu'on ne soit pas assez forts pour arriver au bout du voyage.

— Oh, Nuage Noir ! s'exclama la rouquine, qui lui pardonna aussitôt ses dures paroles envers Pelage d'Orage. Je suis navrée pour vous.

— On n'a pas besoin de ta pitié, gronda l'apprenti. Je me battrai jusqu'au bout de mes forces pour assurer la survie de mon Clan. »

Il la toisait durement. Nuage d'Écureuil sentit la colère bouillonner en elle.

« Mais de quoi tu parles ? À t'entendre, tu es le seul à pouvoir sauver ton Clan ! Tu as oublié qu'on est tous unis ? Qu'on était six, au départ ?

— Nuage d'Écureuil ! la coupa Griffe de Ronce avec un mouvement sec de la queue. Nous ne devons pas nous disputer maintenant. »

La novice se tut, boudeuse. Nuage Noir détourna les yeux, mais ses griffes labourèrent la terre glacée.

Pelage d'Or leva la tête vers le sommet du rocher. Aucun signe de leurs chefs.

« Tout serait tellement plus simple si on savait où aller, miaula-t-elle. Vous pensez que le signe va venir ?

— On arrive peut-être trop tard, répondit Pelage d'Orage à voix basse. On est restés longtemps dans les montagnes. » Il se tourna vers Nuage Noir. « Crois-moi, j'aurais préféré qu'on ne s'y attarde pas.

— Nous étions tous d'accord, à ce moment-là », lui rappela Griffe de Ronce.

Nuage Noir contemplait ses pattes en silence.

Un cri leur parvint du haut du rocher ; la plainte d'Étoile de Feu retentit dans la clairière.

« Nous devrions attendre un peu ! s'emportait le chef du Clan du Tonnerre.

— Pourquoi ? À quoi bon ? » gronda Étoile de Jais. Sa silhouette squelettique apparut au bord de la pierre, découpée sur la voûte étoilée. « Nous perdons notre temps. Aucun signe ne viendra ce soir. Franchement, avons-nous besoin que quelqu'un nous dise que la forêt agonise ? Regarde autour de toi ! »

Nuage d'Écureuil et les autres reculèrent lorsque le chef du Clan de l'Ombre sauta au sol. Étoile du Léopard l'imita.

« Mais la lune n'est pas encore à son zénith ! protesta Étoile de Feu, qui les contemplait du haut du Grand Rocher.

— Peu importe que le Clan des Étoiles envoie ce signe ou non, cela ne concerne pas le Clan de la Rivière », miaula Étoile du Léopard.

Malgré son exaspération devant tant d'égoïsme, Nuage d'Écureuil comprenait pourquoi la meneuse s'inquiétait moins que les autres chefs. Son poil brillant prouvait qu'elle et les siens ne souffraient guère de la faim et qu'aucun monstre grondant, prêt à dévaster leur camp, ne troublait leur sommeil.

« La famine la fera bientôt changer d'avis, cracha Nuage Noir.

— Mais tu dois quand même te demander ce que le Clan des Étoiles veut que nous fassions ? insista Étoile de Feu.

— Il fait trop froid pour attendre davantage, répondit Étoile de Jais. Ma fourrure n'est guère épaisse, ces derniers temps… et ce n'est pas un signe du Clan des Étoiles. C'est la faute de ces Bipèdes au cœur de renard qui volent le gibier de mon Clan.

— Le Clan des Étoiles ne nous abandonnera pas ! »

Étoile de Feu sauta à son tour du rocher et grimpa gauchement sur les rondins pour le rejoindre.

Étoile de Jais lui fit face, la fourrure hérissée.

« Je n'ai jamais rien dit de tel ! Mon Clan préfère se fier au jugement de son chef plutôt qu'aux rumeurs embrouillées colportées par un groupe de guerriers inexpérimentés à propos d'un *blaireau* !

— Le Clan des Étoiles va nous montrer le chemin ! » Étoile Filante bascula du bord du rocher, moitié descendant, moitié glissant le long de la paroi. Nuage Noir bondit, les pattes avant tendues pour amortir sa chute. Le vieux chef atterrit gauchement dans la boue et se remit aussitôt sur ses pattes, repoussant l'apprenti. « Il saura où trouver de nouveaux territoires, loin, très loin de tous ces dangers.

— Nous sommes parfaitement capables de le faire nous-mêmes, répondit Étoile de Jais d'une voix aussi glaçante que déterminée.

— Tu as déjà ton idée sur la question, pas vrai ? lança Museau Cendré, qui venait de réapparaître au côté de Patte de Pierre et de Papillon.

— Nous allons vivre sur le territoire des Bipèdes, où le Clan du Sang régnait naguère, annonça-t-il. J'ai toujours l'un de leurs anciens guerriers parmi mes anciens. Il nous dira où trouver de la nourriture et où nous abriter. Maintenant que Fléau est mort, nous serons les plus forts, là-bas.

— Tu ne peux pas faire une chose pareille ! s'indigna Étoile de Feu. Il n'y aurait plus que trois Clans dans la forêt !

— Bientôt, il n'y aura même plus de forêt. Que des cadavres de chats. Pour gagner cette bataille, rien ne servirait de nous associer à d'autres Clans. La question n'est pas d'affronter un ennemi, mais de trouver suffisamment de gibier pour nourrir les bouches qu'il nous reste. Je suis désolé, mais nous partirons de notre côté. »

Lorsqu'il voulut s'éloigner, Étoile de Feu lui barra le chemin. Le matou blanc aux pattes noires montra les crocs.

« On ne peut pas les laisser se battre ! souffla Nuage d'Écureuil à Griffe de Ronce.

— Je sais. » D'un bond, il rejoignit son chef sur les bûches. « Étoile de Feu, tu dois persuader le Clan de l'Ombre de venir avec nous ! C'est la volonté du Clan des Étoiles. Si aucun signe ne vient, alors il faut retourner voir Minuit pour lui demander où nous devons aller.

— Tu veux que nous partions tous dans l'inconnu, simplement parce que le Clan des Étoiles t'y a envoyé ? feula Étoile du Léopard. Depuis quand tu prends des décisions pour tous les Clans ? » Son regard passa de Nuage d'Écureuil à Pelage d'Or, puis Pelage d'Orage. « En fait, pourquoi devrions-nous vous faire confiance ? Vous faites tous partie du Clan du Tonnerre ! »

Pelage d'Or sortit les griffes.

« Remets-tu en cause ma loyauté envers mon Clan ?

— Ma sœur est morte pendant notre quête pour vous rapporter ce message ! » cracha Pelage d'Orage.

Nuage d'Écureuil se demanda si le Clan des Étoiles les voyait à cet instant. Dans ce cas, pensait-il que ces Clans belliqueux méritaient encore d'être sauvés ?

« Arrêtez ! » grogna une faible voix. Étoile Filante s'avança d'un pas chancelant. « Si nous nous querellons, le signe ne viendra jamais !

— Combien de fois faudra-t-il que je le répète ? Nous n'avons pas besoin de signe, gronda Étoile de Jais. Le Clan de l'Ombre va quitter la forêt, et nous savons déjà où aller. »

Sans tenter de lui faire entendre raison, Étoile de Feu se tourna vers Étoile du Léopard.

« Et toi, que comptes-tu faire ?

— Le Clan de la Rivière n'a aucune raison de prêter foi à quelques guerriers rêveurs, répondit-elle. La rivière est toujours aussi poissonneuse. Ce serait idiot de partir. Les difficultés des autres Clans ne nous concernent pas.

— Si c'était vrai, pourquoi le Clan des Étoiles aurait-il envoyé Jolie Plume en mission ? rétorqua Museau Cendré d'une voix douce.

— Seule Jolie Plume aurait pu répondre à cette question, si elle n'était pas morte. »

Plume de Faucon grimpa à son tour sur le tas de rondins pour se placer près de son chef.

« Si vous ne pouvez survivre dans la forêt, alors je suis d'accord, vous devez partir, miaula-t-il en balayant l'assemblée du regard, y compris Étoile Filante. Après tout, quelle sorte de chef laisserait son Clan mourir de faim ? »

Nuage d'Écureuil fut choquée par tant d'arrogance. Il s'adressait ainsi à des chefs alors qu'il était à peine plus âgé qu'elle !

Griffe de Ronce décocha au guerrier un regard noir.

« Toi, tu veux qu'on s'en aille pour récupérer notre territoire !

— Si vous n'êtes plus là, vous n'en aurez plus besoin.

— Tu penserais différemment si tu étais né dans un Clan, cracha Griffe de Ronce en faisant le gros dos.

— Sois un peu plus respectueux, Griffe de Ronce ! le tança Étoile de Feu. Plume de Faucon n'est pas responsable de sa naissance. »

Griffe de Ronce ouvrit la gueule, prêt à protester. Il se ravisa, les yeux baissés. En remarquant que Plume de Faucon agitait les moustaches d'un air satisfait, Nuage d'Écureuil eut envie de lui sauter dessus. Comment osait-il se réjouir du malheur des autres ?

« Cela ne nous mène nulle part ces disputes, miaula Étoile Filante, inquiet.

— Les quatre Clans doivent rester ensemble, insista Étoile de Feu. De mémoire de chat, nous avons toujours vécu sous la Toison Argentée. Nous partageons les mêmes ancêtres. Comment le Clan des Étoiles pourrait-il veiller sur nous si nous sommes séparés ? »

Sans l'écouter, Étoile de Jais venait de sauter des rondins et s'éloignait déjà, invitant d'un mouvement de la queue Petit Orage, le guérisseur du Clan de l'Ombre, à le rejoindre.

« Je dois m'en aller, déclara Pelage d'Or, mal à l'aise.

— Et le signe ? » lui rappela Nuage d'Écureuil.

L'apprentie frissonna, et le froid n'était pas seul en cause. Où était donc ce signe censé les sauver ?

Une lueur incertaine apparut dans le regard de la guerrière du Clan de l'Ombre lorsqu'elle répondit :

« Je suis désolée, je ne peux pas attendre. »

Elle s'élança alors vers les siens. La clairière semblait soudain plus vide que jamais sans les trois membres du Clan de l'Ombre.

« Bonne chance, Étoile de Feu », miaula Étoile du Léopard. Elle se tourna vers Papillon, tapie près de Patte de Pierre. « Est-il en état de repartir ?

— Évidemment ! grommela le vieux guérisseur en se dressant péniblement sur ses pattes. J'ai bien réussi à venir jusqu'ici, non ?

— Dans ce cas, suivez-moi », ordonna le chef du Clan de la Rivière avant de se mettre en route.

Pelage d'Orage effleura la fourrure de Nuage d'Écureuil.

« J'essaierai de venir vous parler, à toi et à Griffe de Ronce, murmura-t-il.

— Que va-t-on faire, sans le signe ? gémit l'apprentie, paniquée.

— Je ne sais pas », répondit-il, au comble du désespoir. Il porta son regard vers le Grand Rocher, désormais couché. « Peut-être le Clan des Étoiles n'a-t-il plus aucun pouvoir sur cet endroit. »

Nuage d'Écureuil le dévisagea avec horreur. Se pouvait-il qu'il ait raison ?

Étoile de Feu suivit des yeux les membres du Clan de la Rivière.

« Je ne peux rien faire pour les persuader, soupira-t-il.

— Alors nous devrons partir sans eux », répondit Étoile Filante d'une voix sifflante. Il s'assit pour reprendre son souffle. « Étoile de Feu, je dois trouver un nouveau territoire pour mon Clan avant la prochaine pleine lune. Nous mourons de faim. » Le cœur de Nuage d'Écureuil se serra lorsqu'il poursuivit : « Mais nous sommes trop faibles pour voyager seuls. Viens avec nous, Étoile de Feu. Aide-nous comme tu l'as déjà fait en nous ramenant de notre exil.

— Nous ne pouvons partir sans les deux autres Clans, répondit le rouquin, accablé. Il y a toujours eu quatre Clans dans la forêt. Où que nous nous retrouvions, quatre Clans il devra y avoir. Sinon, comment être certains que le cinquième Clan nous accompagnera ? »

Le cinquième Clan ? répéta silencieusement Nuage d'Écureuil, perplexe. Elle jeta un coup d'œil vers Griffe de Ronce, qui semblait aussi perdu qu'elle.

« Le Clan des Étoiles sera toujours à nos côtés », répondit Étoile Filante.

La novice comprit alors : le cinquième Clan, c'était le Clan des Étoiles.

Une lueur rageuse s'alluma dans les yeux las du chef du Clan du Vent.

« Tu es trop fier, Étoile de Feu, le mit-il en garde. Je vois bien que le Clan du Tonnerre est au bord de la famine, comme le Clan du Vent. Si tu choisis d'attendre que les deux autres Clans se décident, les tiens mourront.

— Je suis désolé, Étoile Filante. Je voudrais vous aider, mais mon cœur me dit que le Clan du Tonnerre ne peut partir sans les autres. Il faudra tenter de les convaincre à nouveau.

— Très bien, cracha le vieux chef en battant de la queue. Sans vous, nous ne pouvons voyager. Nous attendrons donc. Je ne te reproche pas la famine qui nous accable, mais je suis déçu par ton refus. »

Il s'en alla à petits pas, flanqué d'Écorce de Chêne, prêt à l'épauler en cas de besoin. Le chef du Clan du Vent ne semblait guère en état de parvenir jusqu'à la lisière de la clairière, sans même parler de rejoindre la lande.

Nuage d'Écureuil se tourna vers Griffe de Ronce.

« Pourquoi le signe n'est-il pas venu ? demanda-t-elle, indignée.

— Tu penses que Minuit s'est trompé ? » Ses grands yeux reflétaient la lune. « Après tout, que nous a-t-il dit que nous ne pouvons deviner en regardant autour de nous ? » Du bout de la queue, il désigna la clairière ravagée, les arbres abattus. « Tout le monde sait déjà que les Bipèdes sont en train de détruire la forêt. Il se peut qu'Étoile de Jais ait raison. Chaque Clan devrait peut-être essayer de se sauver lui-même. »

Nuage d'Écureuil lutta pour ne pas céder à la panique.

« Tu ne penses pas ce que tu dis ! Nous devons garder la foi ! lança-t-elle. C'est le Clan des Étoiles qui nous a envoyés en mission. Il attend de nous que nous sauvions les quatre Clans.

— Et si nous en sommes incapables ? » chuchota Griffe de Ronce.

Nuage d'Écureuil le dévisagea, consternée. Des images d'arbres tombant, de monstres grondant et de sang dévalant les Rochers du Soleil jusqu'à la rivière tourbillonnèrent dans son esprit.

« Ne renonce pas, Griffe de Ronce ! murmura-t-elle. Notre périple, la mort de Jolie Plume ne doivent pas avoir été vains. Nous devons sauver les Clans à tout prix ! »

CHAPITRE 7

NUAGE D'ÉCUREUIL SE PELOTONNA près de Nuage de Musaraigne, si lasse que ses pattes la faisaient souffrir. Elle essayait de ne pas penser à la tanière chaude garnie de mousse où les apprentis dormaient naguère. Au moins, la petite ravine où ils étaient tapis les abritait un peu de la bise nocturne. Après avoir voyagé si longtemps avec Griffe de Ronce, il lui semblait étrange de ne plus dormir près de lui. Elle se consola en se disant que Nuage de Musaraigne paraissait content qu'elle soit revenue. Elle ferma les yeux, enroulant sa queue autour de son museau pour se réconforter. Le souvenir de la rencontre désastreuse aux Quatre Chênes la tourmenta un moment, mais des bribes de rêves s'insinuèrent dans ses pensées et l'attirèrent peu à peu dans le sommeil.

Nuage d'Écureuil était seule au milieu des arbres balayés par un vent glacial. Un parfum de gibier flottait dans l'air : une souris dodue fouinait dans les feuilles. C'était la proie la plus appétissante qu'elle ait repérée depuis son retour – l'eau lui monta aussitôt à la bouche. Griffe de Ronce serait content de partager cette nourriture avec elle.

Dans la position du chasseur, Nuage d'Écureuil rampa en silence vers le rongeur. La prise serait facile : la tête à moitié plongée sous une feuille de chêne, il ne l'avait pas remarquée. Soudain, des pas rapides résonnèrent derrière l'apprentie. Terrifiée, la souris fila se terrer entre les racines d'un arbre. Nuage d'Écureuil fit volte-face, la fourrure hérissée par la colère.

Une chatte au pelage écaille et au regard ambré empli de bonté se tenait là.

« Bonjour, Nuage d'Écureuil, miaula-t-elle. J'ai quelque chose à te montrer.

— Tu as tout gâché ! Ma proie, peut-être la seule de la journée, s'est enfuie à cause de toi », feula la rouquine. Elle n'avait jamais vu la nouvelle venue, qui portait pourtant l'odeur du Clan du Tonnerre. Elle s'interrompit, la tête penchée. « Qui es-tu, d'abord ?

— Je m'appelle Petite Feuille. »

Nuage d'Écureuil cligna des yeux, stupéfaite. Elle avait souvent entendu parler de l'ancienne guérisseuse du Clan du Tonnerre, morte depuis bien longtemps. Pourquoi venait-elle la voir ?

Elle s'avança pour la saluer du bout du museau, mais la chatte disparut à son approche.

Ébahie, Nuage d'Écureuil scruta les arbres alentour. L'oreille tendue, elle guetta le moindre bruit, en vain. Elle retourna à sa chasse, alléchée par l'odeur de souris. Après tout, Petite Feuille voulait peut-être simplement la saluer…

L'apprentie traqua le gibier un peu plus loin dans la forêt, suivant le sentier menant aux Rochers aux Serpents. Tandis qu'elle se faufilait dans les taillis, les bois se métamorphosèrent et, bientôt, elle ne reconnut plus les arbres bordant le chemin. Elle aurait dû atteindre les Rochers aux Serpents depuis longtemps… S'était-elle trompée de route ? Pressant l'allure, elle se mit à courir entre des arbres qu'elle n'avait jamais vus.

Une petite voix lui rappela que ce n'était qu'un rêve, qu'elle n'était pas vraiment perdue. Elle ferma les yeux et se concentra pour se réveiller, mais, lorsqu'elle les rouvrit, elle était toujours prise au piège des bois étranges ; son inquiétude s'accentua et son cœur se mit à cogner dans sa poitrine comme le bec d'un pivert sur un tronc. Elle reprit sa course, espérant reconnaître un point de repère familier. La forêt se fit plus sombre, plus silencieuse encore, comme si les arbres eux-mêmes l'observaient. Ce bosquet paraissait inhabité : aucun frémissement dans les feuilles, aucune odeur de ses camarades ou des autres Clans dans l'air.

« Petite Feuille ! appela-t-elle. Aide-moi. »

Aucune réponse.

La forêt était plus dense à cet endroit, où les ombres entre les arbres étaient si épaisses qu'elle voyait à peine où elle mettait les pattes.

« N'aie pas peur. »

La douce voix semblait venir de toutes les directions à la fois. Nuage d'Écureuil tourna sur elle-même, essayant de la localiser. Elle flaira une faible odeur du Clan du Tonnerre et vit alors la pâle fourrure de Petite Feuille irradier une étrange lueur parmi les arbres.

« Petite Feuille, je suis perdue !

— Mais non, la rassura gentiment la guérisseuse. Suis-moi. »

Avec un soupir de soulagement, Nuage d'Écureuil se faufila entre les troncs. Les ombres se dissipèrent un peu et la forêt lui parut moins ténébreuse.

« Suis-moi », répéta Petite Feuille avant de partir au pas de course, aussi sûre d'elle que si elle suivait un sentier invisible.

L'apprentie s'élança derrière elle.

Petite Feuille était vive comme le vent, mais Nuage d'Écureuil ne se laissa pas distancer. Elle courait si vite que ses pattes effleuraient à peine le sol… Elle se sentait presque aussi légère qu'un oiseau. Elle jubilait tant qu'elle remarqua à peine que la forêt était redevenue familière. Elle reconnut le Grand Sycomore, qui brandissait ses branches vers le ciel, puis les Rochers aux Serpents, tas de blocs de pierre arrondis sur un sol sablonneux. Les vipères venaient y prendre le soleil à la saison des feuilles vertes, mais, lorsqu'il faisait plus froid, on y trouvait souvent du gibier. En quelques bonds, Petite Feuille grimpa jusqu'au sommet des rochers, puis descendit de l'autre côté pour replonger dans la verdure. Nuage d'Écureuil la suivit aussi vite que possible.

La rouquine finit par détecter l'odeur âcre du Chemin du Tonnerre. Soudain, sans crier gare, Petite Feuille stoppa net. Nuage d'Écureuil dérapa dans les feuilles pour ne pas la percuter, et suivit le regard de la guérisseuse. Droit devant, jusqu'au bord du Chemin du Tonnerre, les arbres avaient été arrachés jusqu'au dernier, et le sol de la forêt retourné, transformé en bourbier. Des nids de Bipèdes en bois bordaient cette trouée, où des monstres étaient tapis, silencieux.

« Par là », miaula Petite Feuille.

Elle entraîna Nuage d'Écureuil à travers la clairière glissante sillonnée d'ornières, droit vers les nids.

« On n'entend pas un bruit », chuchota l'apprentie.

Bizarrement, cet étrange silence la rassurait ; elle suivit la guérisseuse sans la moindre crainte.

Lorsque Petite Feuille s'immobilisa près d'un nid, Nuage d'Écureuil demanda :

« Quel est cet endroit ? Pourquoi m'avoir amenée ici ? »

La queue brun et or de Petite Feuille frémit.

« Regarde par ce trou, la pressa-t-elle. Tu verras les cages. »

Les « cages » ? Nuage d'Écureuil n'avait jamais entendu ce mot. Elle remarqua une fissure dans le mur, à une longueur de renard du sol. Dressée sur ses pattes arrière, elle planta ses griffes dans la paroi. Le ventre contre les planches, elle jeta un coup d'œil à l'intérieur.

Des rangées de tanières fabriquées dans une espèce de toile brillante s'alignaient le long des murs. C'était sûrement ça, les « cages ». Dans chacune d'elles, elle distingua une silhouette sombre tapie au sol. *Des chats !* Son cœur se mit à palpiter lorsqu'un bouquet d'odeurs lui parvint : Clan de la Rivière, Clan du Vent, chats errants. Le souffle coupé, elle scruta la pièce, puis elle distingua enfin la chaude odeur du Clan du Tonnerre. Elle sursauta en reconnaissant sa sœur roulée en boule dans l'une des cages près du toit.

« Nuage de Feuille ! » hoqueta-t-elle.

Tirant sur ses griffes, poussant sur ses pattes arrière, elle tenta de se glisser par le trou.

« Tu ne peux pas entrer, Nuage d'Écureuil. » Petite Feuille s'était elle aussi redressée pour se mettre à sa hauteur. « Tout cela n'est qu'un rêve, murmura-t-elle. Mais lorsque tu te réveilleras, Nuage de Feuille sera encore dans cet endroit.

— Est-ce que j'arriverai à la sauver ?

— Je l'espère, répondit la guérisseuse d'une voix douce.

— Mais comment ? gémit la rouquine en se laissant tomber sur le sol.

— Pour l'amour du Clan des Étoiles, arrête de gigoter ! » marmonna Nuage de Musaraigne.

Nuage d'Écureuil ouvrit brusquement les yeux. Elle était couchée dans l'étroite rigole des Rochers du Soleil. Dans la sombre cavité, elle discernait à peine les silhouettes de ses camarades endormis autour d'elle. Elle s'assit et regarda à l'extérieur. Dehors, de la gelée blanche scintillait sur la roche lisse. En bas, les branches des arbres dénudés se découpaient sur le ciel.

« Qu'est-ce qui se passe ? demanda Nuage de Musaraigne d'une voix ensommeillée.

— Je sais où se trouve Nuage de Feuille ! lui souffla-t-elle. Je dois aller à son secours. »

L'apprenti écarquilla les yeux, soudain tout à fait réveillé.

« Et comment le sais-tu ?

— Petite Feuille me l'a dit dans un rêve !

— Tu en es certaine ?

— Évidemment ! » rétorqua-t-elle.

Nuage de Musaraigne remua les oreilles.

« Tu ne peux pas disparaître sans prévenir », la mit-il en garde.

Il n'ajouta pas « comme l'autre fois », mais Nuage d'Écureuil devina qu'il n'en pensait pas moins.

« Je pourrais réveiller Étoile de Feu, répondit-elle. Maintenant que je sais où est ma sœur, il pourrait envoyer une patrouille de secours.

— Pas au beau milieu de la nuit. Il fait trop froid. Et ce n'était qu'un rêve.

— C'était bien plus qu'un rêve, insista-t-elle.

— Tu n'es pas guérisseuse. Personne ne voudra partir à l'aventure en pleine nuit simplement parce que tu as fait un rêve. » Son regard ambré était doux. « Par contre, demain matin, ils t'écouteront peut-être. En attendant, essaie de te rendormir. »

Nuage d'Écureuil soupira en comprenant qu'il avait raison. Elle se laissa choir sur la pierre, hantée par l'image du nid de bois rempli de cages.

Nuage de Musaraigne se coucha près d'elle et posa sa queue sur le flanc de sa camarade pour la réconforter.

« Demain matin, on la retrouvera », promit-il en fermant les yeux.

Sa respiration ralentit et il se rendormit aussitôt. Nuage d'Écureuil, elle, resta éveillée. Par l'entrée de la cavité, elle discernait une étroite bande de ciel où brillait la Toison Argentée. Dire qu'un membre du Clan des Étoiles était venu lui dire où était sa sœur ! Elle savait que, lorsque son père était venu vivre dans la forêt, un lien spécial s'était forgé entre lui et Petite Feuille. Se pouvait-il qu'elle veuille aider les filles d'Étoile de Feu parce qu'elle l'aimait toujours ?

Nuage d'Écureuil se réveilla en sursaut. Une lumière éclatante se déversait dans la ravine. L'air glacial lui donnait d'autant plus froid que les autres apprentis étaient déjà partis. Elle s'étira en vitesse avant de s'extirper de la tanière de fortune. Son rêve n'avait pas quitté son esprit. Elle comptait aller trouver son père sur-le-champ pour qu'il organise une patrouille de secours.

Nuage de Musaraigne faisait sa toilette sur la pente rocheuse, devant l'entrée de la crevasse.

« Où est Étoile de Feu ? lui demanda-t-elle.

— Parti en patrouille avec Plume Grise, répondit-il en frottant sa joue du bout de sa patte.

— Pourquoi tu ne m'as pas réveillée ? s'indigna-t-elle, la queue battante.

— Tu avais passé une mauvaise nuit, non ? Je me suis dit que tu pouvais te reposer encore un peu, et partir en patrouille plus tard avec moi. Étoile de Feu a donné son accord.

— Tu lui as parlé de mon rêve ? Qu'a-t-il dit ? Quand est-ce que la patrouille doit partir ?

— Je... je ne lui en ai pas parlé, bégaya Nuage de Musaraigne. Je pensais que tu aurais oublié. Ce n'était qu'un rêve, après tout. »

La rouquine le foudroya du regard.

« C'était un message du Clan des Étoiles !

— Je suis désolé, murmura-t-il, la tête basse.

— Non, c'est moi qui suis désolée, se reprit-elle

d'une voix plus douce. Ce n'est pas ta faute si j'ai dormi comme un loir.

— N'en parlons plus. Tu as vraiment vu Nuage de Feuille dans ton rêve ?

— Oui. Ainsi que les autres disparus. Du moins, j'ai reconnu les odeurs des Clans du Vent et de la Rivière.

— C'est incroyable ! » Il jeta un coup d'œil derrière Nuage d'Écureuil et remua les moustaches. « On dirait que la chasse a été bonne. Voilà qui devrait mettre Étoile de Feu de bonne humeur. »

En suivant son regard, l'apprentie vit Griffe de Ronce qui escaladait les rochers, un campagnol dans la gueule. Il le porta jusqu'à Fleur de Bruyère, qui prenait le soleil en regardant jouer ses chatons. Elle accepta l'offrande du guerrier en cillant à peine, comme si elle n'avait même plus la force de le remercier. Nuage d'Écureuil remarqua avec inquiétude que les chatons étaient minuscules. Ils semblaient à peine en âge de quitter la pouponnière ; alors voyager jusqu'au repaire de Minuit... En temps normal, lorsque la mauvaise saison arrivait, les petits étaient assez forts pour affronter ses températures cruelles. Si Nuage d'Écureuil et Griffe de Ronce réussissaient à convaincre le Clan de quitter la forêt, combien de leurs camarades ne verraient jamais leur nouveau territoire ?

Elle secoua la tête. Pour le moment, une seule chose importait : sauver sa sœur.

« Griffe de Ronce ! » Elle le rejoignit en quelques bonds. « Je sais où se trouve Nuage de Feuille ! Le Clan des Étoiles m'a parlé dans un rêve ! Les

Bipèdes l'ont piégée dans un petit nid, après les Rochers aux Serpents. Il faut aller à son secours.

— Vraiment ? fit le guerrier, les oreilles dressées, avant de balayer du regard les Rochers du Soleil. Tu l'as dit à Étoile de Feu ? Est-ce qu'il prépare une patrouille ?

— Non, il n'est pas là. Mais si tu viens avec moi, on pourra la sauver ensemble.

— À quoi penses-tu ? Tu veux qu'on la fasse sortir d'un nid de Bipèdes ? À nous deux, on n'aurait aucune chance.

— Mais le Clan des Étoiles veut qu'on y aille tout de suite ! s'emporta-t-elle. Sinon, pourquoi Petite Feuille serait-elle venue me voir cette nuit ? Nuage de Feuille doit être en danger, plus que jamais !

— Attendons le retour d'Étoile de Feu. Lui saura quoi faire.

— Tu refuses de m'aider ? s'écria-t-elle, n'en croyant pas ses oreilles.

— Je ne te laisserai pas partir pour une mission aussi dangereuse ! rétorqua-t-il.

— Tu as peur ! miaula-t-elle, réprimant une envie de lui griffer les oreilles.

— Et si on se faisait prendre en tentant de la sauver ? répondit-il, le poil hérissé. Qui d'autre connaît le chemin à travers les montagnes ? Qui guiderait le Clan du Tonnerre jusqu'à son nouveau territoire ?

— Tu n'étais pas comme ça, avant ! Tu avais accepté de faire demi-tour pour sauver Pelage d'Orage !

— C'est vrai, et regarde ce qui est arrivé à Jolie Plume !

— Mais c'est ma sœur ! insista-t-elle en battant de la queue. Pourquoi refuses-tu de comprendre ?

— Je te demande simplement d'attendre le retour de ton père... »

Refusant d'en entendre davantage, elle s'éloigna vers les arbres. Elle parvenait au sous-bois quand des bruits de pas précipités la poussèrent à regarder en arrière. Elle espérait que c'était Griffe de Ronce qui avait changé d'avis, mais il s'agissait de Poil de Châtaigne.

« J'ai tout entendu ! haleta la guerrière. Si le Clan des Étoiles t'a dit où se trouvait Nuage de Feuille, c'est qu'il veut que nous la sauvions le plus vite possible !

— C'est bien mon avis, gronda la novice, mais Griffe de Ronce ne veut pas m'aider.

— Moi, je t'aiderai, proposa Poil de Châtaigne, la mine triste. Je n'ai rien pu faire lorsque les Bipèdes l'ont enlevée, mais je ferai tout mon possible pour la libérer.

— Alors, allons-y ! » s'exclama la rouquine.

Elle s'élança dans la forêt, talonnée par Poil de Châtaigne. Les deux chattes passèrent devant le ravin sans même un regard pour leur ancien camp, filant droit vers le Grand Sycomore. Les monstres étaient toujours là, avalant sans répit un peu plus de forêt. S'ils n'y prenaient pas garde, ils tomberaient dans le ravin et s'écraseraient contre le Promontoire, se dit Nuage d'Écureuil, pleine d'espoir.

« Reste cachée », conseilla-t-elle à la guerrière lorsqu'elles s'approchèrent des bêtes grondantes.

Mais Poil de Châtaigne n'avait pas attendu sa

remarque pour la suivre, le ventre collé au sol, parmi les fougères gelées.

« Que la Toison Argentée soit louée, ils ont laissé quelques arbres pour nous dissimuler. »

Elles s'engagèrent ensuite dans les Rochers aux Serpents. Nuage d'Écureuil, qui tenait à suivre pas à pas l'itinéraire emprunté par Petite Feuille, pria pour que le faible soleil n'ait pas encouragé quelques reptiles à sortir de leur trou. Une fois les Rochers aux Serpents derrière elles, les deux chattes s'enfoncèrent à nouveau dans les bois, en direction du Chemin du Tonnerre.

Nuage d'Écureuil sentit les monstres des Bipèdes juste avant d'entendre leurs grondements. Leur puanteur détestable lui piqua le nez. Lorsqu'elle arriva à la lisière de la clairière boueuse, sa respiration devint sifflante et ses pattes se mirent à trembler. La peur la tétanisait du museau jusqu'au bout de la queue.

Poil de Châtaigne s'arrêta net à côté d'elle, puis hasarda un coup d'œil hors du buisson de ronces épaisses qui les dissimulait.

« Et maintenant, qu'est-ce qu'on fait ? demanda la guerrière.

— Je ne sais pas », admit Nuage d'Écureuil.

La clairière grouillait de Bipèdes vociférants ; leurs monstres se déplaçaient en tous sens, retournant toujours un peu plus de terre. L'endroit était bien différent de la clairière déserte et silencieuse de son rêve. Le brouhaha et l'activité renforcèrent sa détermination. Si le Clan des Étoiles l'avait conduite ici en ayant parfaitement conscience du danger, c'est qu'il avait foi en elle.

« Nuage de Feuille est là-bas », dit-elle à sa camarade en désignant du bout de la queue le nid de bois où Petit Feuille l'avait conduite.

Un monstre bien plus petit que ses congénères dévoreurs d'arbres était tapi près de la porte. Il grondait doucement comme pour lui-même. Ses pattes rondes et noires étaient plongées dans la boue jusqu'à mi-hauteur.

« Regarde, souffla soudain Nuage d'Écureuil. Ils ont laissé la porte ouverte ! »

Elle se figea lorsqu'un Bipède sortit du nid, une cage dans les pattes. À l'intérieur, un matou tigré famélique écarquillait les yeux, terrifié. Le Bipède le déposa dans le ventre du monstre avant de retourner dans le nid chercher une autre cage.

Horrifiée, Nuage d'Écureuil reconnut aussitôt la boule de fourrure à l'intérieur.

« Nuage de Feuille ! »

Sans réfléchir, elle s'élança vers elle. Sa sœur l'aperçut sans doute, car, lorsque le Bipède poussa sa cage à l'intérieur du monstre, elle cria :

« Nuage d'Écureuil, va-t'en d'ici ! »

Son miaulement fit sursauter le Bipède, qui se retourna brusquement et repéra aussitôt la jeune chatte rousse. Une lueur triomphale dans le regard, il posa la cage et se rua vers elle. Elle voulut regagner le couvert des arbres, mais s'enlisa dans une mare bourbeuse. Avec ses longues pattes arrière, le Bipède gagnait du terrain à chaque enjambée, alors qu'elle bataillait toujours pour trouver une prise dans la boue. *Clan des Étoiles ! À l'aide !*

Au moment même où elle crut mourir de peur, Poil de Châtaigne surgit des buissons dans un feulement féroce. Elle se jeta sur le Bipède, le griffant jusqu'au sang. Tandis qu'il hurlait de douleur, la guerrière attrapa Nuage d'Écureuil par la peau du cou et la traîna jusqu'aux arbres. Haletante, l'apprentie retrouva enfin pied et Poil de Châtaigne put la lâcher. Les deux chattes détalèrent aussitôt dans les bois. Une fois à l'abri d'un massif de ronces, Nuage d'Écureuil marqua une halte.

« Continue à courir ! feula Poil de Châtaigne en lui donnant des coups de museau qui la poussèrent plus loin dans les ronces. Ils n'abandonneront pas si facilement ! »

Nuage d'Écureuil trébucha, écorchée par les épines.

« Et Nuage de Feuille ?

— Tu veux la rejoindre ? cracha la guerrière. Continue à courir ! »

Aveuglée par la peur, Nuage d'Écureuil suivit docilement sa camarade.

Ce ne fut qu'une fois arrivée aux Rochers aux Serpents que Poil de Châtaigne ralentit, le souffle court. Nuage d'Écureuil s'arrêta à son côté, trop choquée pour parler.

« Au nom du Clan des Étoiles, que se passe-t-il ? » Le miaulement grave de Plume Grise se répercuta sur les rochers lorsqu'il émergea d'une touffe de fougères, flanqué de Cœur d'Épines et de Perle de Pluie. Le lieutenant du Clan du Tonnerre observa les deux chattes tremblantes. « Qu'est-ce qui vous arrive ? Vous avez vu le fantôme d'Étoile du Tigre ou quoi ?

— C'est Nuage de Feuille ! s'écria Nuage d'Écureuil. On l'a retrouvée, mais les Bipèdes l'ont mise dans le ventre d'un monstre. Ils vont l'emmener loin d'ici, je le sais ! »

Les yeux plissés, Plume Grise ouvrit la gueule pour parler, avant de se reprendre. Il jeta un coup d'œil aux buissons derrière lui.

« Griffe de Ronce ? C'est toi ? lança-t-il.

— Oui. » Les branchages frémirent et le guerrier tacheté apparut. « Je suis à la recherche de Nuage d'Écureuil. » Il cligna des yeux en l'apercevant près de Poil de Châtaigne. « Tout va bien ?

— J'ai retrouvé ma sœur ! Les Bipèdes vont l'emmener ! Il faut la sauver tout de suite ou je ne la reverrai jamais ! »

Plume Grise regarda Griffe de Ronce, puis Perle de Pluie et Cœur d'Épines. Les guerriers du Clan du Tonnerre se tenaient bien droit, le menton relevé. Ils faisaient rouler les muscles puissants de leurs larges épaules.

« Nous ne pouvons pas laisser les Bipèdes enlever nos camarades, gronda Perle de Pluie.

— Hors de question de les laisser partir sans nous battre ! » ajouta Cœur d'Épines.

La forêt leur appartenait encore. Ils n'étaient peut-être pas en mesure de la protéger des Bipèdes et de leurs monstres, mais cette bataille-là, ils avaient une chance de la remporter.

Plume Grise s'adressa alors à Nuage d'Écureuil, l'air déterminé :

« Très bien. Montre-nous le chemin.

— Par là », souffla-t-elle.

Elle bondit sur les Rochers aux Serpents, Poil de Châtaigne sur les talons. Plume Grise et les trois guerriers les imitèrent. Les sachant à sa suite, Nuage d'Écureuil se sentit soudain confiante. À eux six, ils devraient réussir à sauver sa sœur !

Lorsqu'ils atteignirent le massif de ronces bordant la clairière, Plume Grise leur fit signe de s'arrêter.

« Restez bien près du sol ! » ordonna-t-il.

Au grand soulagement de Nuage d'Écureuil, le petit monstre attendait toujours près du nid de bois, et le Bipède continuait de déposer des cages dans son ventre.

« Nuage de Feuille est déjà à l'intérieur, murmura-t-elle.

— Bien, marmonna le lieutenant. Cœur d'Épines et moi, on attaque le Bipède. On va le distraire pendant que Poil de Châtaigne, Griffe de Ronce et Perle de Pluie libèrent les autres chats.

— Et moi, alors ? demanda Nuage d'Écureuil.

— Tu restes là pour faire le guet, répondit-il sèchement. Préviens-nous si d'autres Bipèdes arrivent.

— Mais… protesta-t-elle.

— La plupart des prisonniers doivent être dans le monstre, maintenant, poursuivit Plume Grise en l'ignorant. Griffe de Ronce et Poil de Châtaigne, je veux que vous montiez à l'intérieur pour les faire sortir. Perle de Pluie, va dans le nid et occupe-toi de ceux qui y sont encore. »

Nuage d'Écureuil leva les yeux vers Plume Grise et lança :

« Je sortirai moi-même ma sœur de ce monstre ! »

Le lieutenant soutint longuement son regard. L'apprentie attendit son verdict en retenant son souffle.

« Très bien, céda-t-il. Mais si ça tourne mal, file vers les arbres le plus vite possible. »

Nuage d'Écureuil hocha la tête. Elle vit du coin de l'œil l'expression inquiète de Griffe de Ronce. *J'ai affronté bien pire pendant notre voyage !* voulait-elle lui dire. *Arrête de me traiter comme un chaton !*

« Bon, fit Plume Grise en se tournant vers le monstre. Le Bipède va bientôt ressortir avec une nouvelle cage. On l'attaquera par surprise à ce moment-là. »

Le matou jaillit des taillis, courant ventre à terre sur le sol boueux. Cœur d'Épines, Poil de Châtaigne, Perle de Pluie et Griffe de Ronce l'imitèrent. Nuage d'Écureuil s'élança à son tour, sentant la boue lui coller aux pattes et alourdir la fourrure de son ventre.

À quelques longueurs de queue de la porte ouverte, Plume Grise cracha : « Attendez ! », et les guerriers s'immobilisèrent.

Le Bipède sortit du nid de bois, une autre cage dans les pattes. Il ne vit pas les six chats qui lui tendaient une embuscade.

« Maintenant ! » s'écria le lieutenant, et il bondit sur le Bipède.

Lorsque le matou planta ses griffes dans sa patte arrière, le Bipède laissa tomber la cage. Avec un bruit de branche qui se brisait, elle s'entrouvrit. Stupéfaite, Nuage d'Écureuil reconnut la chatte grise prisonnière à l'intérieur. *Patte de Brume !* Le lieutenant du Clan de la Rivière fusa hors de sa cage et attaqua l'autre patte du Bipède en crachant furieusement. Cœur d'Épines rejoignit la mêlée, grimpant sur l'ennemi comme s'il escaladait un arbre.

Le Bipède hurla de douleur, gesticulant dans tous les sens, un chat accroché à chaque patte.

« Viens, Nuage d'Écureuil ! » lança Griffe de Ronce.

Le guerrier sauta dans le ventre du monstre, suivi de près par Poil de Châtaigne. En voyant Perle de Pluie se faufiler dans le nid, Nuage d'Écureuil pria pour qu'il n'y ait pas d'autres Bipèdes à l'intérieur. Elle respira profondément avant de rejoindre Griffe de Ronce et Poil de Châtaigne.

Dans le ventre sombre du monstre, elle vit des rangées de cages ; l'odeur de la peur y était si forte qu'elle en devenait presque palpable. Elle s'immobilisa un instant. Seul le Clan des Étoiles savait comment ils allaient réussir à libérer tous ces félins. Soudain, elle aperçut Nuage de Feuille, pressée contre la toile de sa cage.

« Nuage d'Écureuil ! Par là ! gémit-elle.

— J'arrive ! » Vive comme l'éclair, elle la rejoignit aussitôt et entreprit de tirer le loquet avec ses dents. « Ça vient ! » siffla-t-elle en sentant le fermoir se détendre comme une aile de pigeon.

Elle tira de toutes ses forces. La porte s'ouvrit brusquement, l'envoyant rouler au sol. Nuage de Feuille bondit à l'extérieur et donna un petit coup de museau à sa sœur.

« C'est bien toi ! s'exclama l'apprentie guérisseuse.

— Petite Feuille m'a montré où tu étais ! » expliqua la rouquine en se relevant.

Nuage de Feuille cligna des yeux, avant de s'ébrouer.

« Tu me raconteras tout plus tard. Viens, il faut libérer les autres ! »

Elle gagna la cage la plus proche et s'attaqua au loquet.

Nuage d'Écureuil fit de même de son côté, tirant si fort qu'elle crut y laisser quelques dents. Le système de fermeture finit par céder et un chat errant au pelage emmêlé s'échappa. Sans un mot, il fila droit vers les bois.

« De rien », marmonna Nuage d'Écureuil avant de s'attaquer à la cage suivante.

Des matous inconnus bondissaient autour d'elle à mesure que Griffe de Ronce, Poil de Châtaigne et Nuage de Feuille les libéraient. Des chats errants, pour la plupart, qui disparaissaient aussitôt. Puis un félin la poussa sur le côté. C'était Patte de Brume, qui se dirigeait droit vers la cage du fond.

« Sacha ! miaula-t-elle en donnant des coups de griffes au loquet.

— Ça marche mieux comme ça », lui dit Nuage d'Écureuil en l'écartant pour lui faire une démonstration avec ses crocs.

La cage s'ouvrit aussitôt et Sacha s'en échappa.

« Va-t'en, vite ! » la pressa Patte de Brume.

La chatte hésita, les yeux posés sur les cages encore closes.

« On s'en occupe ! » promit le lieutenant du Clan de la Rivière.

Le pelage de la chatte errante était hérissé et ses yeux bleus écarquillés. Elle tremblait tant qu'elle n'aurait pas réussi à ouvrir une cage même si elle l'avait voulu. Elle finit par hocher la tête, avant de sauter hors du monstre.

Il ne restait que quelques prisonniers. Nuage de Feuille les passa en revue, avant de lancer à Nuage d'Écureuil :

« Flocon de Neige et Cœur Blanc sont encore dans le nid ! Va les libérer. Moi, je m'occupe de Jessie.

— Qui ça ?

— Je te dirai plus tard ! Dépêche-toi ! »

La rouquine se précipita vers le nid de bois. Son cœur fit un bond dans sa poitrine : un autre Bipède était arrivé en renfort. Cœur d'Épines finit par lâcher sa prise sur le premier Bipède. Le guerrier du Clan du Tonnerre retomba lourdement dans la boue, mais il se releva aussitôt pour repartir à l'attaque au côté de Plume Grise.

Lorsque Nuage d'Écureuil se rua à l'intérieur du nid, elle faillit se faire éjecter par un chat errant au pelage brun tigré fonçant vers la sortie. Elle l'esquiva de justesse, avant de balayer l'endroit du regard, à la recherche de Flocon de Neige et Cœur Blanc.

Flocon de Neige avait déjà été libéré. Il aidait Perle de Pluie à donner des coups de griffes au loquet de sa compagne.

« On n'arrive pas à ouvrir ! gémit Flocon de Neige, en proie à la panique.

— Essaie avec les dents », lança Nuage d'Écureuil.

Il mordit de toutes ses forces, tremblant sous l'effort, mais le fermoir refusait toujours de s'ouvrir. Au moment où d'autres voix de Bipèdes résonnaient au-dehors, Plume Grise déboula dans le nid.

« Ils sont trop nombreux ! hurla-t-il. Il faut partir d'ici ! » Il poussa Nuage d'Écureuil vers la porte. « Toi, retourne à la forêt !

— Mais Cœur Blanc est toujours emprisonnée !

— Je m'en charge ! promit le lieutenant en la repoussant du museau. Contente-toi de filer d'ici ! »

D'un bond, il rejoignit Perle de Pluie et Flocon de Neige, qui tiraillaient toujours le loquet, et les dégagea de son passage.

« À couvert ! cracha-t-il. Maintenant ! »

Incapable de bouger, les membres raides, Flocon de Neige contemplait avec horreur la cage de sa compagne. Épouvantée, celle-ci pressait son visage contre la toile de métal.

« Viens ! » cracha Perle de Pluie en poussant le guerrier blanc vers la sortie.

Nuage d'Écureuil jeta un coup d'œil derrière elle et vit Plume Grise saisir le loquet grippé entre ses mâchoires puissantes, puis elle suivit les autres dans la clairière.

Dehors, un Bipède tenta de l'attraper, mais elle s'enfuit en rasant le mur du nid. Les Bipèdes étaient partout, hurlant de rage. Elle aperçut Flocon de Neige et Perle de Pluie qui se dirigeaient vers les arbres, et s'élança à leur suite, se frayant un passage à travers les ronces. Perle de Pluie disparut dans la forêt. Flocon de Neige, lui, s'arrêta à la lisière pour guetter la porte du nid. Nuage d'Écureuil se tapit à son côté. Nuage de Feuille et une chatte tigrée qu'elle ne connaissait pas couraient vers eux, poursuivies par un Bipède.

« Vite ! » s'écria-t-elle.

Le Bipède gagnait du terrain, avançant à pas de géant dans la boue. Tandis que Nuage d'Écureuil observait la scène en priant pour que les deux chattes sèment leur poursuivant, le pelage blanc et roux de Cœur Blanc attira son attention. Elle venait de sortir du nid ! Plume Grise avait réussi à ouvrir sa cage !

La guerrière du Clan du Tonnerre filait ventre à terre vers les arbres, les cicatrices qui la défiguraient à moitié dissimulées par des éclaboussures boueuses. Elle frôla le Bipède qui coursait Nuage de Feuille et lui fit perdre l'équilibre. Il tomba dans la boue en poussant un juron.

L'apprentie guérisseuse et la chatte tigrée rampèrent entre les épines pour se mettre à l'abri au cœur d'un buisson.

« Je n'arrive pas à y croire ! Vous nous avez sauvés ! » haleta l'inconnue.

Sans attendre un instant de plus, Nuage d'Écureuil frotta son museau contre la joue de sa sœur et flaira son parfum familier.

« Je suis désolée, c'était presque trop tard, murmura-t-elle.

— Je pensais ne jamais te revoir ! s'écria Nuage de Feuille, le souffle court. Où est Griffe de Ronce ? »

Prise de panique, Nuage d'Écureuil huma l'air. Elle perçut les odeurs fraîches de Cœur d'Épines et de Poil de Châtaigne. Puis elle remarqua une touffe de poils sombres accrochée à une épine sanguinolente. Son soulagement fut tel qu'elle en frissonna. Si Griffe de Ronce était arrivé jusque-là, c'est qu'il avait réussi à s'échapper.

« Il va bien, miaula-t-elle. Est-ce que Patte de Brume est sortie ?

— Une fois le dernier chat libéré, elle est partie vers les arbres, lui apprit Nuage de Feuille.

— Alors tout le monde est libéré ! » se réjouit Nuage d'Écureuil.

Au même instant, Cœur Blanc déboula dans les ronces, les yeux écarquillés, visiblement terrifiée.

« Plume Grise ! hoqueta-t-elle.

— Où est-il ? » voulut savoir Nuage d'Écureuil.

Flocon de Neige se précipita vers sa compagne, manquant la renverser.

« Je n'aurais jamais dû te laisser seule ! cria-t-il en couvrant de coups de langue le visage abîmé.

— Où est Plume Grise ? répéta Nuage d'Écureuil.

— Les Bipèdes ! ahana la guerrière en s'écartant de Flocon de Neige. Ils l'ont attrapé ! »

La rouquine jeta un coup d'œil entre les branchages. Un Bipède était en train de refermer le ventre du monstre. Crachant et jurant contre les autres Bipèdes, qui contemplaient la clairière, éberlués, il monta à l'avant. Le monstre gronda en revenant à la vie ; ses grosses pattes noires projetèrent des jets boueux, puis il s'éloigna. Ce que Nuage d'Écureuil vit alors lui retourna l'estomac. Un seul visage était collé à la vitre du monstre, un visage qu'elle connaissait depuis toujours. Il contemplait les arbres avec désespoir tandis que le monstre accélérait, disparaissant au loin.

« Plume Grise ! »

CHAPITRE 8

EN REGARDANT LE MONSTRE s'éloigner, Nuage de Feuille ouvrit la bouche pour hurler, mais aucun son n'en sortit. La forêt se mit à tournoyer autour d'elle. Elle cligna des yeux, luttant contre l'envie de se coucher à même le sol pour ne plus jamais se relever.

Les Bipèdes s'élancèrent vers les arbres. Ils braillaient et agitaient les pattes en tout sens. Les félins n'étaient pas encore sortis d'affaire.

Griffe de Ronce surgit derrière eux en criant :

« Vite ! Courez ! »

Il se rua vers Nuage d'Écureuil et la poussa en avant.

La novice tourna vers le guerrier son regard horrifié.

« Et Plume Grise, alors ? demanda-t-elle.

— Pour l'instant, on ne peut rien faire pour lui ! Vite ! Il faut partir d'ici !

— De quel côté ? gémit Jessie, les yeux fouillant les arbres.

— Suivez-moi », ordonna Griffe de Ronce.

Nuage de Feuille n'avait pas vu le jeune matou depuis qu'il avait quitté la forêt avec Nuage d'Écureuil.

C'était un chat bien différent qui était revenu : un guerrier confiant, expérimenté, qui donnait des ordres calmement malgré le danger. Ce n'était guère le moment de leur demander où ils étaient passés. Extirpant ses pattes de la boue, elle suivit sa sœur hors du roncier, accompagnée de Jessie. Flocon de Neige les dépassa – Cœur Blanc le collait de si près que leurs pelages se touchaient.

L'apprentie guérisseuse poussa un profond soupir de soulagement en reconnaissant les fourrures familières de Poil de Châtaigne et Perle de Pluie qui filaient entre les arbres, droit devant eux. Patte de Brume les accompagnait. Tous les prisonniers avaient été libérés, mais ils avaient perdu Plume Grise.

Jetant un rapide coup d'œil derrière elle, elle vit les Bipèdes s'engager bruyamment dans la forêt. Ils progressaient tant bien que mal parmi les buissons, contournant péniblement les arbres, trébuchant sur des branches mortes. À ce train-là, ils ne risquaient pas de la rattraper. La forêt était son domaine. Elle pouvait y courir aussi vite que le vent : son corps souple était parfaitement adapté pour se faufiler ventre à terre dans les taillis.

Les chats en fuite franchirent à toute allure les Rochers aux Serpents. Les Bipèdes étaient maintenant loin. Lorsqu'ils atteignirent, hors d'haleine, la clairière au sol jonché de feuilles mortes près du Grand Sycomore, Jessie s'écroula à côté de l'apprentie guérisseuse. Flocon de Neige léchait interminablement les oreilles de Cœur Blanc. Patte de Brume les regardait, ses flancs gris pâle se soulevant au rythme de son souffle court.

Nerveuse, Jessie balaya l'endroit du regard.

« On est en sécurité, ici ? demanda-t-elle.

— Les Bipèdes ne nous rattraperont pas, la rassura Nuage de Feuille.

— Et les renards ? Les blaireaux ? La forêt n'est-elle pas peuplée de toutes sortes d'horribles créatures ?

— Comme des chats sauvages, tu veux dire ? » plaisanta Nuage de Feuille, sans grande conviction, avant de s'effondrer sur le doux tapis de feuilles, auprès de ses camarades de Clan.

Perle de Pluie se força à s'asseoir. Son pelage gris sombre était hérissé, et du sang gouttait entre ses griffes.

« Tu es certaine qu'ils ont attrapé Plume Grise ?

— Le monstre l'a emmené, répondit Nuage de Feuille, les oreilles rabattues. Je l'ai vu comme je te vois !

— Mais il se battait comme un guerrier du Clan du Tigre ! protesta Cœur d'Épines.

— Ils étaient trop nombreux, expliqua l'apprentie.

— Je lui dois la vie, intervint Patte de Brume, la tête basse. Je pensais qu'on n'arriverait jamais à s'échapper. » Elle leva les yeux vers Nuage d'Écureuil. « Tu nous as sauvés.

— Je n'étais pas seule. Nous avons tous risqué notre vie. Et c'est Plume Grise qui a tout planifié. »

Les yeux plissés, Nuage de Feuille étudia sa sœur. Sa réponse était celle d'une guerrière, non d'une novice. Devenue forte et agile, elle était en bien meilleure santé que les guerriers faméliques du Clan du Tonnerre. Nuage de Feuille entreprit de nettoyer sa propre fourrure négligée. Pour la première fois de sa vie, elle se sentait mal à l'aise devant sa sœur. Elle ne savait pas quoi lui dire, alors que tant d'événements s'étaient produits depuis leur séparation.

« Qu'est-ce que les Bipèdes vont lui faire ? » gémit Poil de Châtaigne.

Nuage de Feuille aurait voulu la réconforter, mais les mots lui manquaient. Sans le courage de ses camarades de Clan, c'est elle, et non Plume Grise, que le monstre aurait emportée au loin.

« Que le Clan des Étoiles lui vienne en aide, murmura Cœur d'Épines.

— Le Clan des Étoiles ne peut rien contre les Bipèdes, cracha Nuage d'Écureuil.

— Il était pourtant à nos côtés aujourd'hui, lui rappela sa sœur. Il vous a donné la force d'affronter les Bipèdes. Il veillera sur Plume Grise. »

Poil de Châtaigne se mit péniblement debout pour toucher le museau de Nuage de Feuille du bout de la truffe.

« Le Clan des Étoiles soit loué, ces brutes ne t'ont pas emmenée, toi aussi, chuchota-t-elle. Nuage d'Écureuil t'a vue en rêve, piégée dans cet endroit. Elle a insisté pour qu'on vienne te délivrer.

— Vous nous avez tous sauvés », intervint Jessie, venue se placer près de Nuage de Feuille.

Poil de Châtaigne s'écarta soudain, toisant la chatte domestique.

« T'es qui, toi ? demanda-t-elle. Tu n'appartiens pas aux Clans, mais tu n'as pas non plus l'air d'une chatte errante.

— Elle s'appelle Jessie, expliqua Nuage de Feuille.

C'était ma voisine de cage. Grâce à elle, j'ai repris espoir.

— Tu es une chatte domestique ? » s'enquit la guerrière en la reniflant.

Perle de Pluie s'assit pour étudier l'inconnue. Cœur d'Épines fit le gros dos.

« Oui, c'est vrai », confirma Jessie.

Lorsque Griffe de Ronce s'approcha d'elle, elle s'obligea à ne pas reculer devant le guerrier massif au pelage strié de boue et de sang.

« Veux-tu que nous te montrions le chemin jusqu'au territoire des Bipèdes ? proposa-t-il.

— C'est trop risqué, coupa Nuage de Feuille. Les Bipèdes sont peut-être en train de fouiller les bois. »

Cœur Blanc scruta les environs, nerveuse.

« Ne t'inquiète pas, la rassura Flocon de Neige. S'ils arrivent, nous les sèmerons de nouveau.

— On serait quand même plus en sécurité au camp, miaula Nuage d'Écureuil. Jessie pourrait venir avec nous, pour le moment, non ? »

La chatte domestique n'avait pas l'air enthousiaste. Malgré le courage dont elle avait fait preuve pendant sa captivité, se retrouver parmi les chats sauvages sanguinaires dont elle avait tant entendu parler l'effrayait un peu.

« Tu seras la bienvenue, assura Nuage de Feuille, avant de couler un regard vers Griffe de Ronce et Perle de Pluie, attendant confirmation.

— Étoile de Feu ne refusera pas d'accueillir un chat en difficulté, approuva Griffe de Ronce.

— Tes Bipèdes ne vont pas se faire du souci ? demanda Poil de Châtaigne, d'un ton incisif qui surprit Nuage de Feuille.

— Si, bien sûr. » Jessie labourait le sol de ses griffes. Son regard bleu retrouva un peu de son éclat. « Mais s'il est trop dangereux pour moi de traverser seule la forêt, je préfère attendre plutôt que de vous faire courir le moindre risque.

— On te raccompagnera dès que possible, promit l'apprentie guérisseuse.

— Bon, alors on devrait y aller, soupira Poil de Châtaigne. Que va-t-on dire à Étoile de Feu, pour Plume Grise ? » demanda-t-elle alors à Griffe de Ronce.

Il ne sut que répondre.

La gorge de Nuage de Feuille se serra. Plume Grise était le lieutenant du Clan du Tonnerre, l'un des guerriers les plus courageux et les plus expérimentés qui soient. Mais c'était avant tout le meilleur ami d'Étoile de Feu. Comment le Clan s'en sortirait-il sans lui ?

Les félins s'enfoncèrent dans la forêt en silence, accablés. Nuage de Feuille se rendit compte que Cœur d'Épines les entraînait vers les Rochers du Soleil. Pourquoi ne retournaient-ils pas au camp ? Perplexe, elle jeta un coup d'œil à Nuage d'Écureuil.

« Le Clan a dû abandonner l'ancien camp, lui expliqua sa sœur. Les Bipèdes s'en approchaient dangereusement.

— On en est donc là ? miaula sa sœur, incrédule.

— J'en ai bien peur, répondit Cœur d'Épines, la mine sombre.

— Mais nous sommes trop nombreux pour nous abriter tous aux Rochers du Soleil, non ? s'inquiéta Flocon de Neige.

— Et comment vont les petits ? voulut savoir Cœur Blanc.

— Ils ne sont pas aussi bien nourris qu'ils le devraient, reconnut Nuage d'Écureuil.

— Nous devrions partir avant qu'ils ne s'affaiblissent davantage », marmonna Griffe de Ronce.

Nuage de Feuille se demanda ce qu'il voulait dire. Elle fut plus déconcertée encore lorsque Cœur d'Épines décocha un regard oblique au guerrier. Griffe de Ronce et Nuage d'Écureuil venaient tout juste de rentrer… pourquoi parlait-il déjà de repartir ?

« C'est encore loin ? » s'enquit Jessie, qui fermait la marche.

Nuage de Feuille entendait le murmure de la rivière entre les arbres dénudés. Ils approchaient de la frontière du Clan de la Rivière. Les Rochers du Soleil étaient donc juste devant.

« Non, nous y sommes presque », répondit-elle.

Cœur d'Épines s'engagea dans une pente couverte de fougères ; les autres le suivirent. Ils émergèrent au sommet d'un talus. En bas, Nuage de Feuille aperçut la surface ridée de l'eau. À sa grande surprise, la présence immuable de la rivière, qui contrastait avec les ravages infligés par les Bipèdes au reste de la forêt, la rassura.

Patte de Brume descendit jusqu'au cours d'eau. Sur la berge, elle se tourna vers les autres.

« Je rends hommage aux guerriers du Clan du Tonnerre qui m'ont libérée, lança-t-elle. Et je pleure avec vous la perte de Plume Grise. »

Ses yeux bleus se voilèrent un instant, puis elle plongea dans l'eau tourbillonnante. Poussant sur ses pattes puissantes, elle remonta le courant jusqu'à la rive opposée.

Les autres se dirigèrent vers les Rochers du Soleil. Nuage de Feuille pressa le pas, impatiente de retrouver son Clan et de savoir ce qui était arrivé à leur ancien camp. Jessie, collée à elle, accéléra elle aussi. Nuage de Feuille devinait à ses oreilles frémissantes que la chatte domestique était à la fois excitée et nerveuse à l'idée de rencontrer le Clan.

« Ma venue ne posera pas de problèmes, tu en es bien certaine ? » murmura-t-elle.

L'apprentie guérisseuse l'entendit à peine. Elle venait d'apercevoir Étoile de Feu, assis près du sommet de la large pente rocheuse. Les rayons du soleil embrasaient son pelage roux. Les yeux à demi clos, il semblait amaigri et las. Comment lui annoncer que Plume Grise s'était sacrifié pour la libérer ? Cette idée même lui transperça le cœur comme une épine.

La brise dut porter son odeur jusqu'à lui, car il se tourna soudain, les yeux baissés vers leur groupe. Il se leva d'un bond avant de dévaler la roche, la queue dressée bien haut.

« Nuage de Feuille ! miaula-t-il, le souffle court. Tu es saine et sauve ! »

Il lui donna quelques coups de langue sur l'oreille en ronronnant.

« Tu m'as tellement manqué », lui dit sa fille. Et elle fourra son visage dans la chaleur de son pelage si familier.

« Que le Clan des Étoiles soit loué, vous m'êtes revenues toutes les deux », déclara-t-il d'une voix vibrante d'émotion.

Griffe de Ronce et Nuage d'Écureuil attendirent

en bas de la pente avec les autres guerriers du Clan du Tonnerre. Quant à Jessie, elle avait préféré rester sous les arbres.

Flocon de Neige et Cœur Blanc s'élancèrent sur les Rochers du Soleil, appelant :

« Nuage Ailé ! Nous sommes revenus ! »

L'apprentie à la fourrure immaculée somnolait à l'abri d'une crevasse. En les entendant, elle se leva d'un bond.

« Vous vous êtes échappés ! » s'écria-t-elle, dévalant les rochers pour aller à la rencontre de ses parents.

Elle se rua droit sur eux, ronronnant de plaisir. Flocon de Neige enroula sa queue autour d'elle tandis que Cœur Blanc la léchait avec tant d'ardeur que Nuage Ailé finit par s'écarter en piaillant.

Tempête de Sable surgit d'un surplomb. Elle sauta de pierre en pierre, écartant Étoile de Feu de son passage.

« Nuage de Feuille ! gémit-elle. T'ont-ils fait du mal ?

— Non, la rassura la jeune chatte alors que sa mère commençait à la lécher avec tendresse pour débarrasser sa fourrure de la puanteur du nid de Bipèdes. Je vais bien, promis.

— Comment t'es-tu enfuie ? demanda Étoile de Feu.

— C'est Nuage d'Écureuil qui est venue nous sauver, expliqua-t-elle, ravie, tout en tentant de ne pas perdre l'équilibre sous les vigoureux coups de langue de sa mère.

— Hier soir, j'ai fait un rêve, expliqua la rouquine en s'avançant d'un pas. Petite Feuille m'a dit où Nuage de Feuille était retenue prisonnière.

— Pourquoi ne pas m'avoir averti ? s'indigna Étoile de Feu.

— Tu étais parti en patrouille. Je ne pouvais pas attendre. Alors Poil de Châtaigne et moi, on a retrouvé Nuage de Feuille toutes seules…

— On n'avait pas le temps de revenir au camp pour chercher de l'aide, intervint Poil de Châtaigne. Les Bipèdes commençaient à emmener les chats capturés.

— À nous deux, on ne pouvait rien faire, poursuivit l'apprentie. Heureusement, on a trouvé Plume Grise et Griffe de Ronce près des Rochers du Soleil.

— Ainsi que Cœur d'Épines et Perle de Pluie, ajouta Griffe de Ronce. Mais c'est Plume Grise qui a pris le commandement. Après avoir évalué le danger, il a décidé d'essayer de sauver tous les chats piégés par les Deux-Pattes.

— Plume Grise, murmura Étoile de Feu. Ça ne m'étonne pas de lui. » Il chercha son ami du regard. « Où est-il, d'ailleurs ? »

Nuage de Feuille crut que la roche cédait sous ses pattes. Tempête de Sable cessa sa toilette, soudain alarmée.

Étoile de Feu regarda l'apprentie guérisseuse, la tête penchée sur le côté.

« Pourquoi n'est-il pas avec vous ? »

Puis son visage s'assombrit devant l'expression de sa fille.

« Les Bipèdes l'ont attrapé, se força-t-elle à dire, ses mots résonnant comme le bruit sec de pierres heurtant la roche.

— Ils l'ont enfermé à l'intérieur d'un monstre et

l'ont emporté, expliqua Nuage d'Écureuil d'une voix rauque.

— Plume Grise a disparu ? » souffla Étoile de Feu.

Il s'assit avec lenteur, la queue enroulée autour de ses pattes. Nuage de Feuille frémit. Jamais elle n'avait vu son père si distant, si loin d'elle qu'elle ne pouvait le réconforter.

« On... on aurait dû rassembler une patrouille plus importante avant d'attaquer, bafouilla Griffe de Ronce. J'aurais dû l'arrêter. Je suis désolé. »

Étoile de Feu dévisagea le guerrier au pelage sombre et tacheté. Des flammes semblaient danser dans ses yeux. L'espace d'un instant, Nuage de Feuille craignit que son père ne se décharge de sa douleur sur le jeune matou. Près d'elle, Nuage d'Écureuil sortit les griffes. *Oserait-elle vraiment le défendre contre son propre père ?* se demanda l'apprentie guérisseuse. Griffe de Ronce soutint le regard de son chef sans fléchir.

« Vous avez ramené ma fille, Flocon de Neige et Cœur Blanc, déclara finalement le meneur comme s'il essayait de se convaincre lui-même qu'il ne pouvait rien reprocher à Griffe de Ronce. Plume Grise trouvera un moyen de revenir.

— Mais ils l'ont enfermé *dans un monstre* », lui rappela Perle de Pluie.

Étoile de Feu se tourna vers le guerrier, le regard vide.

« Il reviendra, affirma-t-il. Je dois le croire ou bien tout est perdu. »

Tempête de Sable pressa sa joue contre son épaule. Mais il s'éloigna pour rejoindre l'ombre du surplomb. Soudain, il semblait bien plus vieux qu'il ne l'était réellement.

Sa compagne le suivit à petits pas.

« Nous avons retrouvé nos deux filles, lança-t-elle. C'est un miracle !

— Plume Grise n'aurait pas hésité à se sacrifier pour elles, reconnut Étoile de Feu en s'asseyant.

— Voilà pourquoi il sera toujours le meilleur ami dont on puisse rêver », murmura-t-elle en s'installant à son côté, la queue enroulée autour de lui.

« Nuage de Feuille ! siffla Jessie depuis l'ombre des arbres. Tout va bien ? »

L'apprentie guérisseuse ne put répondre. La gorge nouée, elle n'avait pas quitté son père des yeux. Sa sœur se frotta gentiment contre elle en murmurant :

« Ne t'inquiète pas. Tant qu'il restera persuadé que Plume Grise reviendra un jour, Étoile de Feu tiendra le coup.

— Mais ils l'ont enfermé dans un monstre, répéta Perle de Pluie, comme si l'image le hantait.

— Étoile de Feu devra choisir un autre lieutenant avant minuit », miaula Poil de Souris, la mine sombre.

Les yeux de Nuage d'Écureuil s'embrasèrent lorsqu'elle fit volte-face vers la guerrière. Son mouvement fut si brusque que Nuage de Feuille sursauta.

« Tu dis ça comme si Plume Grise était mort ! s'écria la rouquine. Ce n'est pas le cas ! Tu as entendu Étoile de Feu. Il reviendra. Nous devons garder espoir. »

CHAPITRE 9

UNE PLAINTE LUGUBRE résonna dans la crevasse et réveilla Nuage de Feuille en sursaut. Elle se crut tout d'abord dans sa cage, comme si sa fuite terrifiante n'avait été qu'un rêve. Puis, en humant les senteurs de la forêt et de la rivière portées par le vent, elle se souvint qu'elle se trouvait aux Rochers du Soleil, dans le nouveau camp du Clan du Tonnerre. Clignant ses yeux encore ensommeillés, elle passa la tête par l'ouverture, son souffle blanc tourbillonnant comme de la fumée dans l'air glacial.

« Quel est ce bruit ? » demanda Jessie.

La chatte domestique avait dormi près d'elle dans la tanière des apprentis. Nuage de Feuille sentit la douce fourrure de sa nouvelle amie se hérisser contre son flanc.

« On aurait dit Fleur de Bruyère, miaula l'apprentie guérisseuse. Mais d'ici, je ne vois que Pelage de Poussière. »

La silhouette du guerrier brun se découpait dans la lumière du petit matin. Un chaton pendait mollement entre ses mâchoires.

Lorsque Pelage de Poussière emmena son petit

au loin, Fleur de Bruyère gémit de nouveau depuis la fissure qui faisait office de pouponnière.

Luttant pour trouver une prise sur la pierre gelée, Nuage de Feuille s'extirpa du repaire des apprentis pour rejoindre Fleur de Bruyère à toute allure.

« Que s'est-il passé ?

— Petit Laurier est morte ! se lamenta la reine. Pelage de Poussière est parti l'enterrer. » Elle attira son seul chaton survivant tout près de son ventre. « Quand je me suis réveillée, elle était toute froide. Si froide ! » Sa voix se brisa. « Je l'ai léchée tant que j'ai pu, mais elle ne s'est pas réveillée. »

Le cœur de Nuage de Feuille se serra. Quelle genre de guérisseuse était-elle pour n'avoir pas même remarqué que Petit Laurier était aux portes de la mort ?

« Oh, Fleur de Bruyère, je suis désolée… »

Un par un, les membres du Clan se rassemblèrent au-dessus de la pouponnière dans un silence accablé. Jessie était parmi eux, aussi émue que les autres. Au grand soulagement de Nuage de Feuille, ses camarades de Clan ne s'offusquèrent pas de sa présence. Désormais, un ennemi commun les rapprochait : les Bipèdes, qui emprisonnaient les chats et dévastaient la forêt.

Museau Cendré se fraya un passage jusqu'à la reine endeuillée.

« Va me chercher des graines de pavot, ordonna-t-elle à son apprentie. Fleur de Bruyère ne doit pas gaspiller le peu d'énergie qui lui reste à pleurer sa petite. »

Nuage de Feuille fila jusqu'à la brèche où la guérisseuse gardait ses quelques remèdes et tendit la patte vers le ballot de feuilles contenant les graines de pavot. Elle aurait tant voulu qu'ils soient encore dans l'ancien camp, au creux du ravin, où les guérisseurs avaient toujours eu une bonne réserve de remèdes dans leur antre… À voir les feuilles chiffonnées sous sa patte, elle devina qu'il ne restait que deux ou trois doses de graines. Pendant la mauvaise saison, elles n'avaient aucune chance d'en trouver davantage.

L'appel d'Étoile de Feu la fit sursauter :

« Nuage de Feuille ! » Son père grimpait les rochers, suivi de Griffe de Ronce et Poil de Souris. « Comment va Fleur de Bruyère ?

— Museau Cendré m'a demandé de lui rapporter des graines de pavot pour l'apaiser.

— Je ne pensais pas que les choses tourneraient si mal aussi vite ! gronda le chef. Oh, Clan des Étoiles ! Que puis-je donc faire pour aider les miens ? »

Il leva les yeux vers la Toison Argentée, qui disparaissait peu à peu dans la lumière de l'aube naissante.

« Il a fait si froid, la nuit dernière… déclara Poil de Souris. La pauvre petite boule de poils n'avait pas assez de chair sur les os pour le supporter.

— Petit Frêne a survécu, lui rappela Nuage de Feuille. Nous devons faire tout notre possible pour que Fleur de Bruyère puisse le nourrir correctement.

— Mais les nuits seront de plus en plus froides, et lorsqu'il commencera à neiger… »

Étoile de Feu laissa sa phrase en suspens, le regard perdu dans les arbres dominant les Rochers du Soleil.

« Si nous devons quitter la forêt, il faudra partir bientôt, miaula Griffe de Ronce. Avant que la neige ne nous empêche de traverser les montagnes. »

Nuage de Feuille plissa les yeux. Depuis que sa sœur lui avait rapporté la prophétie de Minuit, elle ne savait que penser. Comme nombre de leurs camarades, elle ne voulait pas quitter sa forêt natale, et elle craignait que le Clan ne soit pas assez fort pour entreprendre un tel voyage. Mais comment pouvait-elle ignorer la volonté du Clan des Étoiles ?

« Tu sais déjà ce que j'en pense, répondit le chef. Nous ne pouvons partir sans les autres Clans. »

En son for intérieur, Nuage de Feuille l'approuvait. Quelles que soient les difficultés que connaissait l'un des Clans, ils devaient rester ensemble à tout prix.

« Je dois apporter ça à Fleur de Bruyère », murmura-t-elle en ramassant le petit paquet de graines.

Au moment où Nuage de Feuille allait entrer dans la pouponnière, Poil de Châtaigne en sortit, la mine triste. Elle ne leva même pas la tête pour la saluer. La novice se glissa dans la fissure et déposa les graines devant Museau Cendré. Fleur de Bruyère gisait sur le sol, les yeux écarquillés, dans le vague. Petit Frêne était pelotonné contre sa mère, trop choqué, trop affamé pour miauler. À la grande surprise de Nuage de Feuille, Jessie aussi était là.

« Merci, murmura Museau Cendré en ouvrant délicatement le ballot de feuilles avec ses dents.

— Tu ne serais pas mieux dehors ? suggéra gentiment Nuage de Feuille à Jessie.

— J'espérais pouvoir me rendre utile, répondit

la chatte domestique. Je sais ce qu'elle endure, j'ai perdu une portée entière.

— Une portée entière ? C'est horrible !

— Mes petits ne sont pas morts, se hâta d'expliquer Jessie. Mes maisonniers les ont envoyés vivre avec d'autres Bipèdes. Cela m'a brisé le cœur.

— Et tu veux quand même retourner auprès d'eux ? Comment peux-tu leur pardonner une chose pareille ?

— Pour nous, chattes domestiques, il est normal de ne pas élever nos petits. Nous y sommes préparées. Mes maisonniers sont gentils. Ils ont choisi un bon foyer pour chacun de mes petits. Ils ne se doutaient pas que mes chatons me manqueraient. »

Museau Cendré les fit taire d'un regard appuyé. Fleur de Bruyère s'agitait de nouveau, se tordant sur la pierre froide en poussant des petits gémissements.

« Petit Laurier est avec le Clan des Étoiles, maintenant, lui murmura-t-elle. Elle ne connaîtra plus jamais ni le froid ni la faim.

— J'ai fait de mon mieux, sanglota la reine. Pourquoi ne suis-je pas morte à sa place ? »

Le miaulement grave d'Étoile de Feu leur parvint depuis l'extérieur.

« Et qui se serait occupé de Petit Frêne ? Tu dois être brave, Fleur de Bruyère. »

Jessie se fit toute petite, les oreilles rabattues. Elle n'avait pas encore rencontré le chef du Clan du Tonnerre.

« Fleur de Bruyère, je suis vraiment désolé pour Petit Laurier, poursuivit-il. Nous ferons en sorte que Petit Frêne survive.

— Petit Frêne *doit* survivre ! » cracha-t-elle en levant les yeux vers son chef.

Museau Cendré posa une graine de pavot près de la chatte.

« Tiens, dit-elle. Avale. Cela apaisera ta douleur. »

La reine contempla le remède, l'air peu convaincu.

Jessie tendit le cou pour renifler la petite chose noire.

« Mange, lui conseilla-t-elle en la poussant du bout de la patte vers Fleur de Bruyère. Tu dois garder toutes tes forces pour le chaton qu'il te reste. »

Étoile de Feu l'observa avec curiosité.

« Tempête de Sable m'a dit que Nuage de Feuille avait ramené une chatte domestique. C'est donc toi ?

— Oui. Je m'appelle Jessie.

— Comme tu as pu le constater, le Clan n'est guère en mesure de t'offrir un endroit sûr, s'excusa Étoile de Feu. Mais il serait plus risqué encore de rentrer chez toi. Lorsqu'un de mes guerriers sera disponible, il t'escortera. D'ici là, tu peux rester parmi nous.

— Merci », murmura Jessie.

Étoile de Feu reporta son attention sur Fleur de Bruyère.

« Elle va se remettre ? demanda-t-il à la guérisseuse.

— Oui, elle a juste besoin de repos.

— Et Petit Frêne ?

— Il a toujours été le plus costaud des trois. »

Museau Cendré se pencha pour lécher la petite boule de poils qui avait commencé à pétrir le ventre de sa mère pour trouver du lait.

— Fais de ton mieux », déclara le meneur avant de s'éloigner.

Les épaules de Jessie s'affaissèrent soudain.

« On a du mal à croire que ton père est un ancien chat domestique, murmura-t-elle à Nuage de Feuille.

— Je t'avoue que je n'y pense jamais. Ce n'est pas comme si je le connaissais à l'époque. Lorsque je suis née, il était déjà devenu le chef du Clan. Tu pourras t'adapter à la vie d'ici ?

— Bien sûr. » Jessie semblait surprise par sa question. Elle fit doucement glisser sa queue sur le flanc de Nuage de Feuille, avant de se coucher près de Fleur de Bruyère. « Vous pouvez partir, miaula-t-elle à l'intention de la guérisseuse et de son apprentie. Vous avez bien d'autres chats à soigner. Je ne pourrai pas faire grand-chose pour le reste du Clan, mais je peux au moins m'occuper de Fleur de Bruyère. »

Voyant que Museau Cendré hésitait, Jessie la rassura :

« Je ferai en sorte qu'elle mange les graines, promit-elle. Et pendant son sommeil, je distrairai Petit Frêne. Sa sœur va lui manquer.

— Très bien. Surtout, appelle-moi si l'état de Fleur de Bruyère s'aggrave. »

Jessie acquiesça. Nuage de Feuille sortit à la suite de Museau Cendré, après avoir jeté un dernier regard empreint de gratitude à son amie.

La mine grave, les membres du Clan s'étaient répartis en petits groupes sur les rochers balayés par la bise. Nuage de Feuille eut soudain envie de partir courir dans les bois, toute seule. Le Clan qu'elle avait retrouvé souffrait tant qu'elle se sentait inutile. Elle voulait s'en éloigner, ne serait-ce qu'un instant.

À l'orée de la forêt, elle se fraya un passage dans les sous-bois. Elle huma les senteurs, s'en délectant jusqu'à l'ivresse. Elle y détecta les odeurs familières de Nuage d'Écureuil et de Griffe de Ronce. En tendant l'oreille, elle distingua leurs voix. Ils échangeaient des miaulements angoissés, tout près de là. Elle se faufila parmi les fougères et les trouva dans une petite clairière non loin de la frontière du Clan de la Rivière.

« J'ai dit à Étoile de Feu que nous devions partir avant l'arrivée de la neige, expliquait le guerrier. Pour traverser les montagnes plus facilement. Et si nous restons là, nous ne survivrons pas jusqu'à la saison des feuilles nouvelles.

— Comment sais-tu qu'il faudra passer par les montagnes ? contesta Nuage d'Écureuil. On n'a vu aucun signe, l'autre soir, au Grand Rocher. Un guerrier devait nous montrer le chemin !

— Sans ce signe, comment être seulement sûrs que nous devons bel et bien partir ? marmonna Griffe de Ronce. Peut-être que Minuit se trompait.

— C'est impossible ! Le Clan des Étoiles nous a envoyés jusqu'à lui ! »

Nuage de Feuille se figea, la queue frémissante. Elle ferma les yeux et pria pour que le Clan des Étoiles leur envoie le signe tant attendu. Puis elle ouvrit les paupières avec agacement. Pourquoi sa foi vacillait-elle ? Si le Clan des Étoiles devait leur parler, il le ferait en temps voulu. En attendant, ils devraient se débrouiller seuls.

« Nuage d'Écureuil ! lança-t-elle. Griffe de Ronce ! C'est moi. »

Elle quitta les fourrés pour rejoindre ses camarades. Le guerrier et l'apprentie s'éloignèrent brusquement l'un de l'autre, le visage tourné vers elle, inquiets.

Griffe de Ronce se dandinait sur place.

« Tu as entendu ce qu'on disait ? demanda-t-il.

— Oui.

— Qu'en penses-tu ? Est-ce que Minuit a pu se tromper ? »

Nuage de Feuille avait voulu croire que le blaireau s'était trompé. Elle souhaitait rester dans sa forêt natale. Qui était aussi la demeure du Clan des Étoiles. Mais, dans ce cas, pourquoi les guerriers de jadis leur auraient-ils ordonné d'entreprendre un voyage si périlleux ? Jamais ils ne les auraient poussés à risquer leur vie sans raison.

« Doutes-tu du Clan des Étoiles ou de toi-même ? » murmura-t-elle.

Le guerrier secoua la tête d'un air las.

« Notre périple a été suffisamment difficile. Jamais nous n'aurions imaginé que ce serait plus dur ici. Nous étions si certains que le Clan des Étoiles nous montrerait le chemin... Même si nous ne pouvons plus attendre, arracher le Clan à la forêt est une telle responsabilité...

— Et on ignore quand partir, et où aller, ajouta Nuage d'Écureuil.

— De toute façon, la décision appartient à Étoile de Feu », leur rappela Nuage de Feuille.

Griffe de Ronce opina.

« Depuis quand tu es si sage ? la railla Nuage d'Écureuil.

— Et toi, depuis quand es-tu si courageuse et noble ? » la taquina sa sœur en lui donnant du bout de la queue une pichenette sur le flanc. Cette complicité retrouvée la transporta soudain de joie. Puis elle repensa à Fleur de Bruyère et Plume Grise, et son cœur se serra. « Si Étoile de Feu décide de partir, souffla-t-elle, qu'adviendra-t-il de Plume Grise ?

— Il nous retrouvera, où qu'on aille, répondit la rouquine avec tristesse.

— Je l'espère. Mais jusqu'à ce jour, qui sera notre lieutenant ?

— Plume Grise est toujours notre lieutenant, répondit Griffe de Ronce.

— Il n'est pas là, et le Clan a besoin plus que jamais d'une forte autorité, rétorqua Nuage de Feuille.

— Étoile de Feu ne peut pas nommer un nouveau lieutenant tant qu'il croit Plume Grise toujours en vie », insista Griffe de Ronce.

Nuage de Feuille secoua la tête. Elle ne pouvait lui donner raison, mais elle admirait sa loyauté.

« Ne nous disputons pas là-dessus, implora Nuage d'Écureuil. On a assez de soucis comme ça. » Elle se tourna vers sa sœur. « Il y a une question que j'aurais voulu poser à Plume Grise avant qu'il ne disparaisse.

— Laquelle ? fit l'apprentie guérisseuse.

— En fait, ça m'a intriguée parce que Étoile de Feu l'a fait taire avant qu'il puisse répondre... »

Griffe de Ronce dressa les oreilles, tout ouïe.

« À notre retour, Plume Grise nous a accueillis

en nous disant : “le feu et le tigre sont revenus.” Quelle drôle d’idée », fit-elle en clignant des yeux.

Nuage de Feuille baissa la tête, ne sachant que répondre. Devait-elle leur parler de la vision de mauvais augure de Museau Cendré ? Ou bien valait-il mieux qu’ils l’ignorent ?

« Tu sais quelque chose, pas vrai ? » la pressa la rouquine.

Nuage de Feuille soupira. Elle ne pouvait vraiment rien cacher à sa sœur !

« Museau Cendré a reçu un message du Clan des Étoiles.

— Je pensais que nos ancêtres étaient restés silencieux… la coupa Griffe de Ronce.

— C’était juste avant votre départ. Le Clan des Étoiles l’a prévenue que feu et tigre détruiraient le Clan.

— Feu et tigre ? répéta Nuage d’Écureuil. Quel est le rapport avec nous ? »

Nuage de Feuille remua une oreille.

« Toi, tu es la fille d’Étoile de *Feu*. Et toi, poursuivit-elle en regardant Griffe de Ronce, tu es le fils d’Étoile du *Tigre*.

— Alors feu et tigre, c’est nous ? » reprit Nuage d’Écureuil, éberluée.

Sa sœur hocha la tête.

« C’est ridicule ! Comment a-t-on pu croire une chose pareille, protesta la rouquine. On a risqué nos vies pour le sauver, le Clan !

— Je sais. » Nuage de Feuille baissa les yeux vers le sol. « Et personne ne le croyait vraiment… En fait, seuls Étoile de Feu, Museau Cendré, Plume Grise et moi sommes au courant. » Elle cherchait les mots justes pour rassurer sa sœur. « Jamais nous n'avons cru que vous nuiriez au Clan. »

Griffe de Ronce ne dit rien, mais ses yeux sombres reflétaient son anxiété. Soudain, Nuage de Feuille prit peur.

« Griffe de Ronce ? miaula-t-elle. Qu'y a-t-il ?

— Es-tu certaine que nous ne détruirons pas le Clan ? gronda-t-il.

— Qu… que veux-tu dire ?

— Qu'est-ce que tu racontes ! protesta Nuage d'Écureuil en se tournant brusquement vers lui.

— On ne le ferait jamais exprès, mais… C'est nous, n'est-ce pas – feu et tigre – qui voulons entraîner le Clan loin de chez lui dans un voyage aussi long que périlleux, alors que nous ne savons même pas où nous devons aller… »

Un frisson courut le long de l'échine de Nuage de Feuille. La prophétie de Museau Cendré semblait plus effrayante que jamais. Si le Clan quittait la forêt pour suivre Nuage d'Écureuil et Griffe de Ronce, quel terrible destin l'attendait ?

Lorsque les trois félins regagnèrent le camp, le soleil était déjà bas dans le ciel. Chacun d'eux rapportait une prise : Nuage de Feuille avait attrapé une souris, Griffe de Ronce tenait un étourneau entre ses mâchoires et Nuage d'Écureuil une grive dodue.

Il tardait à Nuage de Feuille d'aller dormir pour oublier les paroles inquiétantes de Griffe de Ronce. Cependant, en tant que guérisseuse, elle ne pouvait se reposer avant d'être sûre que le Clan n'avait besoin de rien. Tout en suivant sa sœur sur la pente rocheuse, elle se demanda si Jessie avait réussi à persuader Fleur de Bruyère d'avaler les graines de pavot.

Poil de Fougère vint à leur rencontre.

« La réserve de gibier est de ce côté », leur dit-il en désignant du bout de la queue un tas minuscule non loin du sommet des rochers.

Pelage de Granit montait la garde, les yeux levés au ciel pour guetter les oiseaux de proie. L'époque où la réserve se trouvait à la lisière du camp, bien garnie, et sans garde pour la surveiller, était révolue.

Lorsque Nuage de Feuille y déposa sa prise, elle fut consternée de voir le tas si peu fourni. Il n'y aurait pas assez de pièces de viande pour tout le monde, ils devraient partager. Ce soir-là, elle se passerait de dîner, se dit-elle. De toute façon, elle se sentait trop fatiguée pour manger.

Elle se dirigea à pas menus vers Museau Cendré et Poil de Souris, allongées sous un petit surplomb. La guérisseuse semblait épuisée. Elle avait tout autant besoin de remèdes que ses camarades.

« Comment se porte Fleur de Bruyère ? demanda l'apprentie.

— Elle se repose. Jessie prend soin d'elle, répondit son mentor.

— Elle s'en tire bien, pour une chatte domestique, ajouta Poil de Souris en remuant la queue. Elle avait l'air si nerveuse quand elle est arrivée que je ne pensais pas qu'elle s'habituerait si vite. On dirait pourtant qu'elle se fait à notre mode de vie… pour le moment. »

Nuage de Feuille remercia d'un regard la guerrière brun foncé, puis se tourna vers Museau Cendré.

Elle se devait de lui poser une question, même si elle redoutait la réponse :

« Fleur de Bruyère perdra-t-elle son dernier chaton ?

— Pour l'instant, Petit Frêne est assez robuste, la rassura son aînée. De plus, avec une seule bouche à nourrir, Fleur de Bruyère devrait pouvoir lui donner plus de lait.

— Peut-être, mais si nous restons ici, il ne passera pas la mauvaise saison », intervint Poil de Souris. Elle s'alarma en voyant que Pelage de Poussière trottait vers elle. « J'espère qu'il ne m'a pas entendue... chuchota-t-elle.

— Si, j'ai entendu, Poil de Souris, miaula-t-il d'une voix lasse. Et je suis d'accord avec toi. Nous devons quitter la forêt. »

Nuage de Feuille le contempla, sous le choc. La mort de Petit Laurier semblait avoir épuisé ses dernières forces.

Pelage de Poussière avait haussé le ton pour que ses mots portent jusqu'au pied des rochers. Tous les membres du Clan se tournèrent vers lui, étonnés.

« Nous devons partir dès que possible ! affirma-t-il, le regard embrasé, avant de tourner la tête vers Griffe de Ronce. Le message que le Clan des Étoiles t'a chargé de nous rapporter est le seul signe d'espoir que nous ayons.

— Avant de partir, il nous faut un nouveau lieutenant », répondit Poil de Souris en se dressant sur ses pattes.

Au même instant, Étoile de Feu apparut à l'orée de la forêt, un merle rachitique entre les mâchoires. Il avait manifestement tout entendu. Les yeux brillants, il vint déposer l'oiseau sur le tas de gibier avant de gagner le sommet de la pente rocheuse.

« Le Clan du Tonnerre a déjà un lieutenant. Lorsque Plume Grise reviendra, il ne trouvera personne à sa place. » Il s'adressa ensuite à Pelage de Poussière : « Je suis content que tu aies changé d'avis. Mais nous ne pouvons pas partir tout de suite, pas sans les autres Clans.

— Il ne me reste qu'un petit, gémit Pelage de Poussière. Si nous attendons, il mourra. Comme nous tous.

— Alors nous devons redoubler d'efforts pour persuader les autres Clans de partir, gronda Étoile de Feu.

— Ils n'auront qu'à nous suivre quand ils seront décidés, rétorqua le guerrier endeuillé. Nous, nous sommes déjà prêts.

— Nous ne pouvons pas partir maintenant, répéta le chef en soutenant le regard du matou.

— Fleur de Bruyère a encore besoin de repos », ajouta Museau Cendré.

D'un hochement de la tête, Étoile de Feu la remercia de son soutien.

Griffe de Ronce s'adressa à son tour à Pelage de Poussière :

« Je sais que tu pleures tes deux petits. Et que tu as peur pour le dernier qu'il te reste. Mais Étoile de Feu a raison. Le Clan des Étoiles ne voudrait pas que les Clans se séparent. » Il se tourna vers l'assemblée de félins. « Le Clan des Étoiles a choisi un membre de chaque Clan pour porter le message de Minuit. Nous avons dû nous entraider pour survivre, sans jamais penser à nos différences. Les guerriers de jadis voulaient que nous partagions ce périple, que nous apprenions à nous épauler. Ils souhaitent sans nul doute que nous entreprenions cet autre voyage tous ensemble. »

Étoile de Feu vint se placer au côté du jeune guerrier.

« Nous devons multiplier les patrouilles de chasse, miaula le chef. Pour le moment, personne ne nous menace. Le Clan de la Rivière a davantage de nourriture que nous. Il n'aurait aucune raison de nous attaquer. » Il balaya du regard l'assemblée de chats faméliques. « À partir de maintenant, nous consacrerons toutes nos forces à la chasse. Nous trouverons suffisamment de gibier dans la forêt jusqu'au jour du départ. Oui, Pelage de Poussière, nous partirons bel et bien. Je vais retourner voir les Clans de la Rivière et de l'Ombre pour tenter une nouvelle fois de les convaincre. »

Nuage de Feuille fut soulagée de voir les autres guerriers hocher la tête. Puis son cœur bondit dans sa poitrine lorsque Poil de Souris s'avança d'un pas.

« Et Plume Grise ? » demanda-t-elle. Le meneur se crispa, mais elle poursuivit : « Qu'il revienne un jour ou non, on a besoin d'un autre lieutenant pendant son absence, quelqu'un pour accomplir ses tâches.

— Elle a raison, miaula Pelage de Poussière. Tu n'as encore désigné personne. » Il coula un regard vers Griffe de Ronce avant de poursuivre : « Tu devrais choisir un jeune guerrier. Un chat en qui le Clan des Étoiles a déjà placé sa confiance. »

Nuage de Feuille remarqua que Pelage de Granit, Nuage Ailé, Pelage de Givre et Flocon de Neige dévisageaient Griffe de Ronce. Même Cœur d'Épines semblait penser qu'il était le guerrier tout désigné pour succéder à Plume Grise. Seuls Poil de Souris et Perle de Pluie regardaient ailleurs.

« Poil de Fougère est suffisamment expérimenté, rétorqua Poil de Souris. Il est jeune, fort, et a prouvé maintes fois qu'il méritait son nom de guerrier.

— Oui, Poil de Fougère ferait un bon lieutenant, renchérit Perle de Pluie en hochant la tête.

— Qu'est-ce que vous racontez ? Plume Grise n'est pas mort ! s'emporta Étoile de Feu. Il est toujours notre lieutenant. » Les poils dressés sur son échine étaient un avertissement : mieux valait ne pas le contredire. Il s'ébroua et cligna des yeux pour se calmer. « Mais vous avez raison. Quelqu'un doit remplir ses devoirs. Ainsi, jusqu'à son retour, les guerriers expérimentés se les partageront. » Il jeta un coup d'œil vers Poil de Fougère. « Toi, tu auras en charge l'organisation des nouvelles patrouilles de chasse. Tempête de Sable s'occupera de distribuer les tâches à l'intérieur du camp. Griffe de Ronce, tu viendras avec moi voir les Clans de l'Ombre et de la Rivière. » Il se dirigea à grands pas vers le surplomb et appela Nuage de Feuille au passage : « Je veux te parler, dit-il. Seul à seule. »

Sa fille le suivit, mal à l'aise, jusqu'à la cavité. Elle regarda en contrebas vers la pouponnière de fortune. Jessie était occupée à faire la toilette de Petit Frêne, ignorant les menus cris de protestation du chaton. Fleur de Bruyère dormait non loin. Soulagée, l'apprentie guérisseuse se faufila sous le surplomb, dans la caverne sombre.

Étoile de Feu plongea avidement son regard dans le sien.

« Nuage de Feuille, miaula-t-il. Si tu as reçu le moindre message du Clan des Étoiles, tu dois me le dire.

— Non, je n'ai pas vu de signe, répondit-elle, surprise par son angoisse. Et Museau Cendré ?

— Elle non plus, admit-il. J'espérais qu'il se serait adressé à toi. »

Nuage de Feuille piétina sur place, gênée. La confiance de son père la flattait. Cependant, l'idée qu'il puisse penser que le Clan des Étoiles lui parlerait à elle plutôt qu'à leur guérisseuse la déroutait.

Nos ancêtres essaient-ils de nous dire que chaque Clan doit se débrouiller seul, que nous ne devons pas partir ensemble ? Pourquoi sont-ils si silencieux ? poursuivit le chef, furieux, faisant crisser ses griffes sur la roche.

— Je me suis posé la même question lorsque les Bipèdes m'ont capturée, reconnut Nuage de Feuille. Le Clan des Étoiles ne m'est pas apparu une seule fois pendant que j'étais prisonnière de cette cage puante. J'avais l'impression d'être seule au monde. Mais je me trompais. » Elle retourna à son père son regard solennel. « Mes camarades de Clan sont venus me sauver. »

Étoile de Feu écarquilla les yeux lorsqu'elle poursuivit :

« Les guerriers de jadis ne feront rien pour garantir la cohésion des Clans. C'est inutile. Notre appartenance à l'un des quatre Clans – non des deux ou des trois, mais bien des quatre – est gravée dans notre cœur, tout comme la capacité de pister une proie et de nous dissimuler dans les ombres de la forêt. Quoi que disent les autres Clans, ils ne peuvent nier les divisions, les différences, les rivalités qui nous unissent. La frontière qui nous sépare du Clan du Vent ou du Clan de la Rivière est aussi le lien qui nous soude. Le Clan des Étoiles le sait. C'est à nous d'avoir foi en ces liens. »

Étoile de Feu contemplait sa fille comme s'il la voyait pour la première fois.

« On croirait entendre Petite Feuille, murmura-t-il. J'aurais tant voulu que tu la connaisses. »

Touchée au-delà des mots, Nuage de Feuille baissa les yeux. Elle sentait que ce n'était pas le moment d'avouer à son père que Petite Feuille lui avait parlé plusieurs fois dans ses rêves. Elle était flattée qu'Étoile de Feu la considère digne de l'ancienne guérisseuse du Clan du Tonnerre qui, du haut du ciel, veillait toujours sur ses camarades.

Elle aurait juste voulu être sûre que Petite Feuille et les autres guerriers de jadis les accompagneraient lorsque les Clans quitteraient la forêt pour toujours.

CHAPITRE 10

ÉTOILE DE FEU GUIDAIT LA PATROUILLE le long de la rivière. Ils longeaient la frontière qui les séparait du territoire du Clan rival, d'où leur parvenaient d'alléchantes odeurs de gibier. Nuage d'Écureuil cheminait juste derrière lui, au côté de Griffe de Ronce, tandis que Pelage de Granit fermait la marche. C'était la première fois depuis des jours que Griffe de Ronce et la rouquine quittaient ensemble le camp. Étoile de Feu et le jeune guerrier avaient rendu visite aux Clans de la Rivière et de l'Ombre pour les convaincre de partir. Ils avaient fait de leur mieux, mais Étoile du Léopard et Étoile de Jais avaient tous deux refusé de croire que leur destin était de suivre coûte que coûte les autres Clans bien loin de leur forêt natale.

Pendant la nuit, les nuages s'étaient amoncelés dans le ciel. Depuis l'aurore, une brume glaciale enveloppait les arbres. La pluie refusait de tomber, mais la brume s'infiltrait partout. La fourrure de Nuage d'Écureuil, que l'humidité commençait à pénétrer, lui collait au corps. Les végétaux trempés luisaient dans la faible clarté du jour. Les gouttelettes qui tombaient des branches nues transformaient les amas de feuilles mortes en plaques glissantes.

Tout à coup, Étoile de Feu s'arrêta, la truffe levée. Nuage d'Écureuil inspira profondément, espérant déceler l'odeur tant attendue d'une souris, d'une grive ou d'un campagnol. En vain. Elle ne détecta qu'un fumet qui lui semblait étrangement familier.

« Je crois que je reconnais cette odeur, murmura-t-elle à Griffe de Ronce.

— C'est un chat errant, gronda le guerrier.

— Chut ! » ordonna Étoile de Feu.

Il marqua une pause, avant de s'élancer, le poil soudain hérissé. Les buissons frémirent et une chatte au pelage fauve s'en échappa. Tandis qu'elle filait au loin, Griffe de Ronce poussa un cri guerrier et se lança lui aussi à sa poursuite.

« En avant ! » cria-t-il, mais Nuage d'Écureuil ne l'avait pas attendu pour se mettre à courir.

L'inconnue vira vers la frontière du Clan de la Rivière. Étoile de Feu la suivit sans ralentir. Les guerriers du Clan du Tonnerre gagnaient du terrain, mais la chatte était déjà passée de l'autre côté. Au moment même où les pattes d'Étoile de Feu allaient franchir la frontière, un cri féroce retentit tout près. Un guerrier du Clan de la Rivière au pelage sombre et tacheté bondit d'un bouquet de fougères, les crocs découverts.

Étoile de Feu dérapa sur les feuilles mouillées, avant de s'arrêter juste sur la frontière. Griffe de Ronce et Pelage de Granit, qui le talonnaient, faillirent le percuter.

« Plume de Faucon ! » hoqueta Griffe de Ronce.

Sans quitter le matou du regard, Étoile de Feu

fit un pas en arrière, la fourrure hérissée, les yeux écarquillés comme s'il venait de voir un guerrier du Clan des Étoiles.

« Que fais-tu sur le territoire du Clan de la Rivière ? » demanda Plume de Faucon.

Étoile de Feu ne répondit pas tout de suite. Puis il sembla se reprendre. Sa fourrure retomba et ses épaules se relâchèrent.

« Je chassais cette intruse du territoire du Clan du Tonnerre, répondit-il enfin en jetant un coup d'œil à la femelle au pelage fauve qui s'était arrêtée près de Plume de Faucon. Pourquoi me défier alors que tu as laissé une chatte errante franchir ta frontière ? »

Plume de Faucon échangea un long regard avec l'inconnue avant de répondre :

« Ma mère sera toujours la bienvenue sur notre territoire. »

Sacha ! Nuage d'Écureuil finit par la reconnaître. Elle l'avait aidée à s'échapper du nid de Bipèdes. Sa curiosité était enfin satisfaite. Tout le monde avait entendu l'histoire de la mère de Plume de Faucon et de Papillon. Mais personne, en dehors de son Clan d'accueil, ne l'avait vue : elle n'était pas restée assez longtemps dans la forêt pour que les autres Clans puissent faire sa connaissance.

Étoile de Feu semblait réfléchir à d'autres questions restées sans réponse. Le dos raide, il contemplait la mère et le fils, les oreilles dressées.

Sacha le salua d'un petit signe de tête.

« On m'a beaucoup parlé de toi, Étoile de Feu, murmura-t-elle alors. Je suis… enchantée de faire enfin ta connaissance. »

Sa voix était à la fois glaciale et digne. En comparaison, Nuage d'Écureuil se sentit soudain très jeune et gauche.

« Alors comme ça, c'est toi, Sacha ? miaula le chef, les yeux brillants.

— Pourquoi ? Tu t'attendais à autre chose ? »

Le regard d'Étoile de Feu s'attarda sur le pelage soigné de la chatte.

« Tu ne ressembles pas à une chatte errante.

— Et toi, tu ne ressembles pas à un chat domestique. »

Nuage d'Écureuil se crispa, mais son père ne s'offusqua pas de la remarque. Il se contenta de soutenir fièrement le regard de la chatte.

« Je me suis souvent demandé pourquoi une chatte errante choisirait de laisser un Clan élever ses petits à sa place.

— Et pourquoi un Clan laisserait-il un chat domestique devenir son chef ? » Elle n'attendit pas sa réponse. « Tout le monde ne croit pas à la fatalité, Étoile de Feu. Certains chats sont maîtres de leur destin.

— Comme toi ? demanda-t-il, les yeux plissés.

— Peut-être, ronronna-t-elle. Ou peut-être pas. Mais j'espère que mes enfants sont dans ce cas. »

Elle contempla son fils avec fierté.

« Resteras-tu un peu parmi le Clan de la Rivière ? demanda Plume de Faucon. Le poisson est abondant. »

Il décocha une œillade moqueuse à Étoile de Feu, mais celui-ci ne réagit pas. Le meneur se contentait d'observer la scène, l'air pensif.

« Je ne resterai pas longtemps, répondit-elle à son fils. Mais j'aimerais au moins voir Papillon avant de repartir. »

Plume de Faucon se tourna vers le chef du Clan du Tonnerre en montrant les crocs.

« Je ne manquerai pas d'envoyer une patrouille dès mon retour au camp pour m'assurer que vous n'avez pas volé le gibier de notre Clan.

— Nous n'avons pas besoin de voler notre nourriture, répliqua Étoile de Feu, avant de s'adresser à ses guerriers : Venez. »

Même si la tension était encore palpable, Nuage d'Écureuil sentit que le danger était passé. Plume de Faucon et Étoile de Feu se tournèrent le dos et s'éloignèrent de la frontière, chacun de son côté. L'apprentie se préparait à rejoindre son père lorsque celui-ci fit soudain volte-face pour interroger Sacha d'une voix posée :

« Leur père, c'était Étoile du Tigre, pas vrai ? »

La question ne sembla guère la surprendre.

« C'est exact », reconnut-elle en hochant la tête.

Nuage d'Écureuil crut que ses pattes se dérobaient sous elle. Pas étonnant qu'Étoile de Feu ait eu l'air si surpris de voir Plume de Faucon bondir devant lui. Il avait dû croire qu'Étoile du Tigre lui-même était revenu, doté d'une dixième vie. Ce n'était pas la première fois qu'il voyait Plume de Faucon : il l'avait aperçu lors des Assemblées sous la pleine lune, et même au cours de la désastreuse réunion nocturne aux Quatre Chênes. Mais, jusque-là, ils ne s'étaient jamais retrouvés face à face en plein jour.

Près d'elle, les yeux écarquillés, Griffe de Ronce étouffa un hoquet de surprise.

« Mais Étoile du Tigre était aussi mon père ! croassa-t-il. Ça veut dire que j'ai des parents dans *deux* autres Clans ?

— Je m'étonne que tu ne l'aies pas deviné tout seul », répondit Plume de Faucon.

Nuage d'Écureuil compara les deux guerriers et remarqua pour la première fois leur ressemblance : leur fourrure tachetée et leurs épaules puissantes étaient identiques.

« Je pensais que Pelage d'Or et moi, on était les seuls... murmura Griffe de Ronce.

— Au moins, tu as eu la chance de le connaître, répondit Plume de Faucon en remuant la queue. Je t'envie.

— J'ai bien plus appris d'Étoile de Feu que d'Étoile du Tigre, rétorqua Griffe de Ronce.

— Peu importe. Étoile du Tigre savait que tu existais. Alors qu'il n'a jamais posé les yeux sur moi. »

Nuage d'Écureuil se surprit à le prendre en pitié, sachant à quel point elle chérissait sa relation avec son propre père. Elle repoussa cette émotion ; sans savoir pourquoi, elle se méfiait du guerrier du Clan de la Rivière.

Le regard de Plume de Faucon se durcit.

« Éloignez-vous de la frontière », les mit-il en garde. Il laboura le sol de ses longues griffes recourbées, semblables à celles des tigres noir et or que les anciens décrivaient dans leurs histoires. Ces griffes mêmes qui avaient valu son nom de guerrier à son père. « Je suis prêt à défendre mon Clan contre n'importe qui. »

Il tourna les talons et entraîna sa mère jusqu'à la rivière. Ils se glissèrent ensemble dans le courant et traversèrent le cours d'eau en pataugeant avant de disparaître dans les buissons bordant la rive opposée. Nuage d'Écureuil les regarda s'éloigner en silence, sachant que le guerrier n'hésiterait pas à mettre sa menace à exécution.

CHAPITRE 11

TANDIS QU'ÉTOILE DE FEU ramenait sa patrouille au camp, la pluie commença à tomber. Nuage d'Écureuil était déçue de rapporter si peu de gibier. En grimpant dans un chêne, Griffe de Ronce avait réussi à attraper un écureuil assoupi au creux d'une branche, mais l'effort l'avait exténué. La famine commençait à les affaiblir eux aussi.

« Mieux vaut taire aux autres ce que nous avons appris à propos de Plume de Faucon, déclara Étoile de Feu tandis qu'ils serpentaient entre les arbres détrempés.

— Mais le Clan ne devrait-il pas se préparer, au cas où… » Nuage d'Écureuil hésita à poursuivre. « Au cas où il arriverait quelque chose ? » finit-elle gauchement.

Griffe de Ronce laissa tomber son écureuil. Des gouttes de pluie dégoulinaient de ses moustaches.

« Je pense que ton père a raison, dit-il. Pour le bien du Clan, mieux vaut ne pas le mettre au courant. »

Nuage d'Écureuil plissa les yeux. Qui Griffe de Ronce voulait-il protéger : le Clan ou lui-même ? Avait-il peur des réactions de ses camarades ? Malgré ses efforts pour prouver sa loyauté, personne n'avait oublié que son père avait tout tenté pour détruire le Clan du Tonnerre.

« Inutile de réveiller une hostilité passée, poursuivit Étoile de Feu.

— Et si Plume de Faucon avait hérité de l'ambition d'Étoile du Tigre et cherchait à conquérir toute la forêt ? gronda Pelage de Granit, qui partageait manifestement les craintes de Nuage d'Écureuil.

— Attention aux conclusions hâtives, le mit en garde son chef. À l'évidence, Plume de Faucon est d'abord un guerrier loyal envers son Clan. Il a déclaré qu'il se battrait pour défendre les siens. Étoile du Tigre aurait-il affirmé une chose pareille ? »

À regret, Pelage de Granit secoua la tête. Étoile de Feu continua :

« Plume de Faucon ne représente aucune menace.

— Pour le moment, précisa Pelage de Granit.

— Sans preuve, il ne sert à rien d'inquiéter le reste de notre Clan. Nous pourrions avoir besoin de l'aide du Clan de la Rivière avant que tout cela soit terminé. »

Frustré, le guerrier battit l'air de sa queue, mais ne le contredit pas.

« Ne t'en fais pas, Pelage de Granit », lança Nuage d'Écureuil d'une voix qu'elle espérait convaincante. « Plume de Faucon, c'est Plume de Faucon. Il ne reste rien d'Étoile du Tigre dans la forêt, à part des mauvais souvenirs. »

Griffe de Ronce reprit son écureuil sans faire le moindre commentaire et s'en alla vers les Rochers du Soleil. L'apprentie jeta un coup d'œil à son père.

« Ne t'inquiète pas pour lui », miaula le chef d'une voix calme en la frôlant.

Lorsqu'ils atteignirent le camp, une pluie battante martelait la roche nue et s'écoulait en rigoles jusqu'au sol, transformant la terre au pied des rochers en une mare de boue. Pourtant, au lieu de s'abriter, les félins s'étaient rassemblés à mi-hauteur, serrés en cercle les uns contre les autres. Des gémissements éplorés se mêlaient aux crépitements de la pluie sur la roche.

Poussant un miaulement alarmé, Étoile de Feu bondit jusqu'à eux, suivi par Nuage d'Écureuil. Le cœur battant, elle se fraya un chemin entre les chats. Une petite forme brune trempée gisait au centre du cercle. Autour d'elle, une flaque d'eau de pluie teintée de rose. Trop choquée pour parler, Nuage d'Écureuil reconnut aussitôt le matou inerte au museau allongé. C'était Nuage de Musaraigne.

Museau Cendré et Nuage de Feuille étaient tapies près de l'apprenti.

« Sa nuque est brisée, murmura la guérisseuse. Il a dû mourir sur le coup, au moment où le monstre l'a percuté. Il n'a pas souffert. »

Nuage d'Écureuil ferma les yeux. *Clan des Étoiles, que faites-vous ?*

Un cri de désespoir retentit dans la pouponnière. Fleur de Bruyère en sortit et gravit la pente à toute vitesse. Nuage de Musaraigne était issu de sa première portée. Ses camarades s'écartèrent pour la laisser contempler son petit sans vie.

« Mais qu'ai-je fait au Clan des Étoiles pour qu'il me torture ainsi ? gémit-elle.

— N'accuse pas le Clan des Étoiles, répondit gentiment Nuage de Feuille. Les Bipèdes sont les seuls responsables.

— Et pourquoi le Clan des Étoiles n'a-t-il rien fait pour les en empêcher ? sanglota la reine.

— Il est aussi impuissant que nous face aux Bipèdes. » L'apprentie guérisseuse s'ébroua avant de se redresser. « Jessie ? » appela-t-elle.

Nuage d'Écureuil regarda la chatte domestique se faufiler entre les guerriers rassemblés. Ses côtes commençaient à saillir sous son pelage, mais elle n'avait pas insisté pour qu'un guerrier soit dispensé de patrouille de chasse afin de l'escorter jusque chez elle.

« Je crois que Fleur de Bruyère devrait retourner à la pouponnière, miaula Nuage de Feuille.

— Elle est inondée d'eau de pluie, lui apprit Jessie. J'ai emmené Petit Frêne à la tanière des guerriers, sous le surplomb. Je vais y conduire sa mère.

— Bonne idée. Te reste-t-il des graines de pavot ? »

Jessie fit oui de la tête.

« Petit Frêne pleure tant il a faim, murmura-t-elle en regardant l'expression bouleversée de Fleur de Bruyère. Je pense qu'il pourra avaler de la nourriture solide si je la lui mâche d'abord. Fleur de Bruyère, la pauvre, ne sera pas en état de le nourrir elle-même pendant quelque temps.

— Griffe de Ronce a attrapé un écureuil. Tu n'as qu'à le lui donner, suggéra la rouquine.

— Je vais l'apporter à la tanière », annonça Pelage de Granit.

« Comment est-ce arrivé ? voulut savoir Étoile de Feu quand les autres furent partis.

— Il était avec moi », expliqua Cœur d'Épines, le mentor de l'apprenti. Sa fourrure était hérissée, et ses yeux immenses reflétaient son désespoir. « Il pourchassait un faisan.

— Pourquoi n'a-t-il pas vu le monstre ?

— Il pourchassait un *faisan* ! répéta le guerrier. Une prise pareille aurait permis de nourrir la moitié du Clan. Il a oublié d'être prudent.

— Et toi, tu n'as pas entendu ou senti le monstre ? Tu ne l'as pas prévenu ? »

Les questions d'Étoile de Feu exprimaient davantage sa peine que des reproches.

Accablé, Cœur d'Épines secoua la tête.

« Le gibier se fait si rare qu'il vaut mieux se séparer pour multiplier nos chances. J'étais trop loin pour voir ce qui se passait. »

Comprenant que le drame avait été inévitable, Étoile de Feu baissa la tête.

« Je vais rester près de lui. » La jeune voix de Nuage Ailé avait résonné clairement malgré la pluie battante. Nuage de Musaraigne avait été son compagnon de tanière depuis leur naissance, et sa tristesse se lisait dans ses yeux verts. « Je me fiche qu'on nous ait chassés de notre camp. On peut quand même le veiller.

— Je le veillerai avec toi », déclara Cœur d'Épines d'une voix brisée.

Il se pencha pour presser son museau contre le flanc ensanglanté de son défunt élève.

Les autres matous défilèrent pour faire leurs adieux à leur jeune camarade. Lorsque vint son tour, le cœur serré, Nuage d'Écureuil chuchota à son oreille : « Tu étais un apprenti dans le Clan du Tonnerre, mais tu seras un guerrier dans le Clan des Étoiles. »

Elle se détourna, descendit les rochers pour gagner le couvert des arbres. Elle se sentait si triste que la pluie qui trempait sa fourrure et lui glaçait les os aurait pu être ses propres larmes. Elle aperçut Griffe de Ronce, assis sous un sapin.

« Je n'arrive pas à croire que Nuage de Musaraigne est mort, soupira-t-elle.

— Moi non plus, murmura le guerrier, enroulant sa queue autour de celle de son amie.

— Fleur de Bruyère a le cœur brisé, dit-elle en se collant un peu plus à lui.

— Ses camarades de Clan la soutiendront. Elle trouvera du réconfort dans leur présence. »

Il soupira à son tour, comme s'il ne parlait pas seulement du chagrin de la reine.

« Après tout, le Clan compte plus que la famille, ajouta-t-il.

— Et Pelage d'Or ?

— Elle appartient au Clan de l'Ombre. Ma loyauté envers elle ne vient qu'après celle envers mon Clan. Elle le comprend tout à fait.

— Et pour Plume de Faucon et Papillon ? Tu te sens proche d'eux, maintenant ?

— Ça ne change rien, répondit Griffe de Ronce. Je ne ressemble pas à Plume de Faucon. » Le bout de sa queue s'agita. « N'est-ce pas ?

— Évidemment ! Personne ne peut prétendre le contraire.

— Même en apprenant notre filiation ?

— Le Clan du Tonnerre te considérera toujours comme un guerrier courageux et loyal, le rassura-t-elle.

— Merci. »

Il lui donna un petit coup de langue sur la joue avant de se mettre sur ses pattes. Il s'approcha de la rivière et s'assit près de la frontière.

Nuage d'Écureuil vint s'installer près de lui et suivit son regard vers le cours d'eau, dont la surface était piquetée par les gouttes de pluie. La rouquine se concentra un instant, les yeux papillonnant de-ci de-là.

« Regarde, Griffe de Ronce ! miaula-t-elle, surprise. Regarde la rivière !

— Qu'est-ce qu'elle a ?

— Tu te souviens, lorsque Plume de Faucon et Sacha l'ont traversée tout à l'heure ?

— Oui, et alors ? fit-il, les oreilles frétillantes.

— Ils pataugeaient ! Ils ne nageaient pas, ils pataugeaient ! » répéta-t-elle.

Griffe de Ronce semblait dérouté.

« Regarde un peu les pierres du passage à gué ! poursuivit-elle en se levant d'un bond. Elles sortent largement de l'eau. Après une averse comme celle-ci, en pleine mauvaise saison, elles devraient à peine affleurer à la surface.

— En effet, reconnut enfin le guerrier en se redressant.

— Le niveau de l'eau ne devrait pas être si bas, non ?

— Eh bien, le temps était plutôt sec, ces derniers jours…

— Pas tant que ça. Il pleut à verse depuis des

heures, et la rivière n'est pas du tout en crue. Ce n'est pas normal.

— Ce qui veut dire ? »

Une voix familière venue de la rive opposée empêcha l'apprentie de répondre :

« Tiens, bonjour, vous deux ! » lança Pelage d'Orage. Il les rejoignit de l'autre côté. « Alors, pour vous aussi, c'est dur d'être coincés dans un camp après un si long voyage ?

— Oui. Tout va mal. Nuage de Musaraigne est mort, lui apprit-elle avec tristesse. Nuage Ailé est en train de le veiller. »

Elle se demanda soudain si sa place n'était pas au camp, pour honorer leur défunt camarade. Elle jeta un coup d'œil à Griffe de Ronce, qui sembla comprendre son malaise.

« On y retournera bientôt, promit-il.

— Voulez-vous que j'attrape un poisson pour votre Clan ? proposa Pelage d'Orage.

— Les nôtres en auraient bien besoin, miaula Griffe de Ronce. Mais je ne pense pas qu'ils l'accepteraient.

— Tu es sûr ? La pêche est facile, avec un niveau si bas.

— Alors j'avais raison. L'eau a bien baissé, miaula Nuage d'Écureuil. Que se passe-t-il ?

— C'est sans doute temporaire, répondit le guerrier du Clan de la Rivière en haussant les épaules. Avec cette pluie, le niveau remontera bientôt. »

L'apprentie huma une faible trace de l'odeur de Sacha. Elle reporta alors son attention sur Pelaged'Orage. Le mystère entourant le cours d'eau lui semblait soudain moins important que la façon dont le Clan de la Rivière considérait cette chatte errante, qui allait et venait à sa guise sur leur territoire, et dont les descendants avaient tant d'influence sur leur Clan d'adoption.

« On a vu Sacha, ce matin, lança-t-elle.

— Vous la connaissez ? s'étonna le guerrier gris. Ah, c'est vrai. Vous l'avez vue le jour où vous avez sauvé Patte de Brume, c'est ça ? Le jour où... mon père s'est fait capturer. »

Sa voix se brisa. Nuage d'Écureuil se pressa contre lui pour le réconforter.

« Je suis vraiment désolée, murmura-t-elle.

— Moi aussi, répondit-il en lui donnant un petit coup de museau. Je regrette de ne pas avoir été là pour l'aider. Mais mon père a choisi de prendre des risques pour libérer les chats emprisonnés. » Il inspira profondément avant de poursuivre : « Grâce à lui, on a récupéré Patte de Brume. Le Clan de la Rivière a été stupéfait de la voir revenir.

— En particulier Plume de Faucon, j'imagine », commenta Griffe de Ronce.

D'un regard, l'apprentie le mit en garde. Griffe de Ronce ne montrait-il pas trop d'intérêt pour le fils de Sacha ? Ils ignoraient si Pelage d'Orage connaissait toute la vérité.

« Il aurait sans doute apprécié de rester lieutenant un peu plus longtemps, convint Pelage d'Orage. Mais il s'est réjoui de la voir revenir saine et sauve, comme nous tous. C'est un bon guerrier. Il sait qu'il sera lieutenant un jour, et attendre ne le dérange pas.

— Il a l'air très sûr de lui, fit remarquer Nuage d'Écureuil avec prudence.

— Il a toujours été comme ça. Le plus important, c'est qu'il est d'une loyauté sans faille et qu'il suit le code du guerrier comme une chenille la nervure d'une feuille. »

Nuage d'Écureuil cligna des yeux. Visiblement, Pelage d'Orage ne se doutait pas un instant de l'identité du père de Plume de Faucon. Elle se tourna vers Griffe de Ronce, guettant sa réaction, mais son camarade avait autre chose en tête.

« À ton avis, est-il possible qu'Étoile du Léopard change d'avis ?

— Elle affirme qu'elle n'ira nulle part tant qu'il y aura des poissons dans la rivière.

— Elle ne pense donc pas que les Clans doivent rester ensemble ? s'enquit Nuage d'Écureuil.

— Elle a tout de même demandé à Patte de Pierre si le Clan des Étoiles lui avait parlé, lui apprit Pelage d'Orage, sur la défensive. Mais notre guérisseur ne quitte plus guère son antre, ces derniers temps.

— Alors lui non plus n'a pas reçu de message du Clan des Étoiles, conclut Nuage d'Écureuil, déçue.

— Non, rien du tout, soupira le guerrier gris. À croire que le signe promis par Minuit ne viendra jamais, maintenant que les Bipèdes ont détruit les Quatre Chênes.

— On l'a peut-être raté, ce signe, alors qu'il était devant nous, se dit tout haut Nuage d'Écureuil.

— Pourtant, nous en avons vu, des morts, depuis notre retour, marmonna Griffe de Ronce, la mine sombre. Et pas que des guerriers, mais des chatons, et aussi des apprentis. Tu sais quoi ? Je commence à penser que personne ne nous montrera le chemin. Où que nous allions, il faudra que nous y parvenions seuls. »

CHAPITRE 12

DE SES GRIFFES, Nuage de Feuille ratissa la base de sa queue pour déloger une puce indésirable. Elle écrasa le petit corps dodu entre ses dents, goûtant non sans quelque satisfaction le sang que la vermine lui avait volé.

« Je l'ai eue !

— Ne dis pas aux autres que tu as eu du gibier en rab, plaisanta Nuage d'Écureuil. Ils voudront tous leur part ! »

Le ventre de Nuage de Feuille gargouilla. Le campagnol qu'elle venait de partager avec sa sœur avait à peine entamé son appétit. Elles s'étaient couchées côte à côte, dans une petite cavité, les yeux rivés au soleil qui disparaissait peu à peu derrière les rochers. Les nuages s'étaient dissipés, révélant une demi-lune parfaite dans la voûte nocturne.

« Museau Cendré t'a dit si elle comptait faire le voyage jusqu'à la Pierre de Lune, ce soir ? demanda Nuage d'Écureuil.

— Elle est justement en train d'en parler à Étoile de Feu. »

À chaque demi-lune, les guérisseurs de tous les Clans se retrouvaient à la Grotte de la Vie pour partager les rêves du Clan des Étoiles. Ils n'avaient pas besoin d'attendre la trêve de la pleine lune pour traverser les territoires des autres Clans. En tant que guérisseurs, ils se situaient au-delà des clivages entre les Clans. La demi-lune était un moment important pour partager craintes et savoir-faire.

En voyant son mentor sortir de la caverne, Nuage de Feuille bondit sur ses pattes, pressée de connaître le verdict. Mais Museau Cendré se dirigea vers elle en secouant la tête.

« Étoile de Feu est d'accord avec moi, déclara-t-elle. Il serait trop dangereux de nous rendre aux Hautes Pierres avec tous ces Bipèdes et ces monstres sur nos terres.

— Mais nous avons plus que jamais besoin des conseils du Clan des Étoiles ! protesta la novice.

— Étoile de Feu affirme qu'il ne peut risquer de nous perdre, et il a raison. Que deviendrait le Clan sans guérisseur ? »

La jeune chatte soupira et fit crisser ses griffes sur la roche.

« Le Clan des Étoiles nous parlera s'il le souhaite, miaula Museau Cendré.

— Peut-être, maugréa l'apprentie en haussant les épaules.

— En tout cas, moi, je suis bien contente que tu n'y ailles pas, lança Nuage d'Écureuil lorsque Museau Cendré s'éloigna. J'ai failli te perdre une fois à cause des Bipèdes. Ça me suffit ! »

Nuage de Feuille donna un petit coup de langue plein de tendresse à sa sœur, avant de se rallonger.

« Tu crois que Patte de Pierre et Papillon iront à la Pierre de Lune ? » demanda-t-elle.

Si les autres guérisseurs entreprenaient le trajet sans elles, le Clan des Étoiles penserait-il qu'elles étaient lâches ?

« Ça m'étonnerait, répondit sa sœur. L'autre fois, Pelage d'Orage nous a confié, à Griffe de Ronce et à moi, que Patte de Pierre était mal en point.

— Pourtant, si tous les guérisseurs se rendaient ensemble à la Pierre de Lune, cela rapprocherait peut-être les Clans, hasarda Nuage de Feuille.

— Je sais. Des problèmes pareils auraient dû nous pousser à nous unir, comme lors de l'attaque du Clan du Sang. Au lieu de quoi, c'est comme si on ne vivait plus côte à côte dans la même forêt.

— Chaque Clan semble vouloir agir de son côté. Si seulement le Clan des Étoiles nous envoyait un signe !

— Tu espérais qu'il te parlerait ce soir, c'est ça ? »

Nuage de Feuille acquiesça légèrement en évitant le regard de sa sœur. Elle ne voulait pas trahir la peur qui lui avait noué le ventre toute la journée : que tous fassent le long trajet jusqu'à la Pierre de Lune et que le Clan des Étoiles reste silencieux, même là-bas.

« Je ne comprends pas pourquoi les Clans ont tant de mal à coopérer. » Le miaulement de Nuage d'Écureuil tira Nuage de Feuille de ses pensées. « Ils ont bien plus de points communs qu'ils ne le croient. »

L'apprentie guérisseuse étudia pensivement sa sœur, ne voyant pas où elle voulait en venir.

« Après tout, certains membres des Clans de

l'Ombre, de la Rivière et du Tonnerre sont liés par le sang, poursuivit la rouquine.

— Tu parles de Pelage d'Or et Pelage d'Orage ?

— Pas seulement. »

Nuage d'Écureuil se demanda si sa sœur avait découvert un secret qu'elle-même connaissait depuis déjà une lune sans l'avoir révélé à qui que ce soit.

« Tu penses à Plume de Faucon et Papillon ? Et à leur père, Étoile du Tigre ? »

Nuage d'Écureuil la contempla, les yeux écarquillés.

« Tu es de nouveau entrée dans mes rêves ?

— Non. Je le sais depuis un moment déjà.

— Pourquoi tu ne me l'as pas dit ?

— Cela me semblait sans importance. Tous les Clans sont en danger. Savoir qu'Étoile du Tigre est leur père n'y change rien », répondit-elle, tentant de se convaincre elle-même.

La dernière chose dont les Clans avaient besoin, c'était bien d'un matou aussi avide de pouvoir que l'ancien chef du Clan de l'Ombre.

« Nous devons nous méfier de Plume de Faucon, insista Nuage d'Écureuil.

— Mais Étoile du Tigre est aussi le père de Griffe de Ronce, fit remarquer sa sœur, mal à l'aise.

— Griffe de Ronce n'a rien à voir là-dedans.

— Évidemment ! Je voulais juste dire que les enfants d'Étoile du Tigre ne suivront pas forcément son exemple, expliqua-t-elle, tout en priant pour que cela soit vrai.

— Je préfère, répondit la rouquine. Parce que Griffe de Ronce ne ressemble pas à Plume de Faucon. Ils n'ont rien en commun. Rien du tout. »

Nuage de Feuille se pelotonna contre sa sœur et enfouit son museau sous ses pattes pour se réchauffer. Les paroles de Nuage d'Écureuil semblaient empruntées à quelqu'un d'autre... à Griffe de Ronce, peut-être ?

« Bonne nuit, Nuage d'Écureuil », murmura-t-elle en se roulant en boule, leur vive discussion déjà oubliée.

L'apprentie guérisseuse n'avait pas besoin que le Clan des Étoiles lui envoie une vision pour deviner que sa sœur était en train de tomber amoureuse de Griffe de Ronce. Malgré tous leurs problèmes, malgré leur complicité passée qu'elle regrettait, elle s'en réjouissait, pour sa sœur comme pour le Clan dans son ensemble.

Elle ferma les yeux. *Je me demande si le Clan des Étoiles viendra dans mes rêves*, pensa-t-elle, tandis que le sommeil l'emportait tel le courant d'une douce rivière. Après tout, c'était la demi-lune. Qu'elle soit partie pour la Grotte de la Vie ou non, cela restait un moment important.

Nuage de Feuille sentit qu'on la poussait du bout du museau avec insistance.

« Qui veut quoi ? murmura-t-elle, à demi réveillée.

— C'est moi, Papillon. »

La voix tremblante de la jeune chatte trahissait sa peur.

En ouvrant les yeux, Nuage de Feuille aperçut la silhouette de l'apprentie guérisseuse du Clan de la Rivière nimbée par le clair de lune.

« Viens vite, j'ai besoin de ton aide », souffla-t-elle.

Nuage d'Écureuil remua dans son sommeil avant de demander en bâillant :

« Que se passe-t-il ?

— C'est Papillon », lui apprit sa sœur.

La rouquine se leva aussitôt.

« Que fais-tu dans notre camp ? cracha-t-elle.

— J'ai besoin de l'aide de Nuage de Feuille, expliqua l'intruse. Patte de Pierre est au plus mal.

— Et ça te donne le droit d'entrer en douce dans notre camp, au beau milieu de la nuit ?

— Tais-toi, Nuage d'Écureuil, tu vas réveiller tout le monde », gronda Nuage de Feuille. Elle aurait voulu lui dire qu'elle ne devait pas considérer Papillon comme la fille d'Étoile du Tigre, mais plutôt comme une guérisseuse en détresse. Elle préféra s'abstenir pour ne pas embarrasser Papillon. « Je vais prévenir Étoile de Feu et Museau Cendré.

— Mais… la coupa Papillon.

— Je veux bien t'accompagner, mais je dois d'abord les prévenir. »

Elle escalada la pente jusqu'au surplomb, laissant les deux chattes dans un silence gêné. Elle se faufila à l'intérieur de la caverne sombre et se guida en suivant l'odeur de son père.

Étoile de Feu leva la tête, les yeux bouffis de sommeil. Près de lui, Tempête de Sable s'agita un instant, sans se réveiller.

« C'est toi, Nuage de Feuille ? demanda-t-il.

— Papillon est venue me demander de l'aide. Patte de Pierre est très malade. »

Elle vit une ombre bouger au fond de la tanière et reconnut le parfum de Museau Cendré.

« Que lui donne-t-elle ? s'enquit la guérisseuse à voix basse.

— Je ne sais pas.

— Penses-tu qu'il soit prudent d'y aller ? lui demanda Étoile de Feu, inquiet.

— Papillon ne mentirait jamais, lui assura-t-elle, devinant qu'il craignait une embuscade.

— Alors tu dois y aller, murmura Étoile de Feu. Mais si tu n'es pas de retour à l'aurore, j'enverrai une patrouille te chercher.

— Nous reviendrons », promit Museau Cendré. Elle soutint le regard surpris de son apprentie. « Je t'accompagne. Nous devons faire tout notre possible pour aider Patte de Pierre. »

Elle entraîna Nuage de Feuille jusqu'à la crevasse où elle gardait ses remèdes et en sortit plusieurs ballots de feuilles.

La novice en ramassa la moitié, puis, ensemble, elles redescendirent jusqu'au rocher où Papillon les attendait près de Nuage d'Écureuil.

« Je viens avec vous », annonça cette dernière.

Sa sœur secoua la tête.

« Pas besoin, marmonna-t-elle sans lâcher les petits paquets qu'elle tenait dans la gueule.

— Elles reviendront sans faute, je m'y engage », voulut la rassurer Papillon.

La rouquine décocha un regard méfiant à la chatte au pelage doré.

« Montre-nous le chemin, Papillon », la pria Museau Cendré.

L'apprentie du Clan de la Rivière opina avant de bondir au bas de la pente rocheuse. Elles traversèrent facilement le cours d'eau en prenant soin de maintenir les herbes au-dessus de la surface. Papillon les entraîna dans les roseaux, où le sol n'était plus marécageux mais sec comme à la saison des feuilles vertes. La perspective d'entrer dans un camp rival noua l'estomac de Nuage de Feuille. De son côté, Papillon ne semblait guère s'en soucier. Elle les guida droit vers la clairière principale abritée par les roseaux. Des regards inquiétants, qui luisaient dans la pénombre, les accueillirent. Mais, vus de plus près, les guerriers du Clan de la Rivière ne semblaient éprouver que peine et curiosité.

« Parfait, vous avez accepté de venir », leur lança Étoile du Léopard en guise de salutation.

Dans l'obscurité à peine entamée par le clair de lune, Nuage de Feuille remarqua que la meneuse semblait moins bien nourrie. Sa fourrure plissait sur son corps, et son regard sans éclat – commun à tous les membres du Clan du Tonnerre – trahissait sa faim.

Comment ces chats pouvaient-ils souffrir de la faim alors que les Bipèdes étaient encore loin de leur territoire ?

« Patte de Pierre est dans son antre, miaula la meneuse. Papillon va vous y conduire. » Elle plongea son regard dans celui de Museau Cendré. « Faites tout ce qui est en votre pouvoir, mais ne le laissez pas souffrir. Il a bien servi son Clan, et si le Clan des Étoiles a davantage besoin de lui que nous, alors nous devons le laisser partir en paix. »

Nuage de Feuille suivit Museau Cendré et Papillon le long d'un étroit passage bordé de roseaux débouchant sur une clairière secondaire. Elle ressemblait tant à celle des guérisseurs de son ancien camp que l'apprentie se sentit soudain nostalgique.

Un gémissement rauque leur parvint d'un coin sombre.

« Tout va bien, Patte de Pierre, murmura Papillon. J'ai ramené Museau Cendré. »

Cette dernière se hâta d'examiner le vieux guérisseur, de renifler sa fourrure et d'exercer du bout des pattes de petites pressions sur ses flancs. Quel que soit le mal qui le rongeait, il s'était insinué au plus profond de son faible corps. Manifestement à l'agonie, Patte de Pierre marmonnait des paroles indistinctes, hachées par la souffrance.

« Museau… Cendré… laisse-… moi… partir… paisiblement, supplia-t-il d'une voix grinçante.

— Ne bouge pas, mon ami. » Museau Cendré demanda alors à Papillon : « Que lui as-tu donné ?

— Des orties contre l'œdème, du miel et des pétales de souci pour les infections, de la grande camomille pour faire tomber la fièvre et des graines de pavot contre la douleur. »

Papillon récita si rapidement les remèdes que Nuage de Feuille en resta interdite. La dernière fois qu'elle avait vu son amie en situation d'urgence – lorsqu'un apprenti du Clan de la Rivière avait failli se noyer –, la panique lui avait fait perdre ses moyens et Nuage de Feuille avait dû s'occuper du jeune chat à sa place.

« Bien, c'est exactement ce que je lui aurais

donné, déclara Museau Cendré. Tu as essayé la mille-feuille ?

— Oui, mais cela l'a fait vomir.

— Cela arrive parfois. » Les yeux bleus de la guérisseuse reflétaient sa compassion. « Je suis désolée. On ne peut rien faire de plus.

— Mais il souffre le martyre ! protesta Papillon.

— Je vais lui donner des graines de pavot. Te reste-t-il du souci ?

— Plein. »

L'apprentie fila jusqu'à une ouverture dans les roseaux, d'où elle tira une patte pleine de pétales écrasés. Museau Cendré sortit quelques baies fripées d'un de ses ballots de feuilles et les mélangea aux pétales. Les baies étaient encore assez souples pour se transformer en pulpe. Museau Cendré y ajouta quantité de graines de pavot – Nuage de Feuille s'étonna qu'elle en mette autant – avant de pousser la mixture vers Patte de Pierre.

« Voilà qui apaisera ta douleur, souffla-t-elle. Avales-en autant que possible. »

Le vieux guérisseur lapa faiblement le remède. Son regard s'adoucit, empreint de gratitude, lorsqu'il reconnut les différents composants. Pendant un bref instant, Nuage de Feuille se demanda si Museau Cendré, en lui donnant tant de graines de pavot, avait décidé de l'envoyer rejoindre le Clan des Étoiles. Mais elle connaissait la gentillesse de son mentor, celle-ci ne cherchait sans doute qu'à diminuer ses souffrances. Leurs ancêtres avaient beau rester silencieux, Museau Cendré leur faisait toujours confiance : le moment venu, ils viendraient chercher eux-mêmes Patte de Pierre.

« Maintenant, laissez-nous, murmura Museau Cendré aux deux apprenties. Je le veillerai durant son sommeil.

— Va-t-il mourir ? demanda Papillon d'une voix brisée par l'émotion.

— Pas tout de suite. Mais ce mélange calmera ses douleurs jusqu'à ce que le Clan des Étoiles l'appelle. »

Papillon et Nuage de Feuille revinrent sur leurs pas.

« Comment va-t-il ? demanda Étoile du Léopard dès qu'elles émergèrent dans la grande clairière baignée de rayons lunaires.

— Museau Cendré fait son possible », répondit Papillon.

La meneuse hocha la tête, avant de s'éloigner.

« C'est la première fois que je viens ici, déclara Nuage de Feuille, espérant changer les idées de son amie. Le camp est bien protégé. »

Papillon haussa les épaules.

« Je comprends mieux pourquoi Étoile du Léopard ne voulait pas partir », poursuivit-elle en prenant soin de garder un ton égal.

La maigreur inattendue du chef du Clan de la Rivière l'avait rendue curieuse. À en juger par l'allure de ses guerriers, elle n'était pas la seule à souffrir de la faim.

« Le poisson commencerait-il à manquer, maintenant que le niveau de la rivière a baissé ? » hasarda-t-elle avec courage.

Son amie la regarda longuement avant de répondre.

« Oui. Il y a longtemps que nous n'avons plus mangé correctement.

— Crois-tu alors qu'Étoile du Léopard acceptera de s'en aller ? »

À son grand désarroi, Papillon secoua la tête.

« Elle affirme que nous ne bougerons pas tant que les Bipèdes n'investiront pas notre territoire. Elle dit que si la rivière ne peut plus nous nourrir, il nous faudra apprendre à chasser d'autres proies. »

L'entêtement du chef du Clan de la Rivière exaspérait Nuage de Feuille. *Quelles proies ? Il n'y a plus de gibier nulle part !* avait-elle envie de crier. Mais elle s'abstint, ne voulant pas manquer de respect au Clan de son amie.

« Tu es devenue une grande guérisseuse, dit-elle gauchement pour changer de sujet. Museau Cendré n'aurait pas fait mieux. »

La voix de Plume de Faucon résonna soudain à son oreille, manquant la faire bondir.

« Tu as raison, dit-il. Le Clan aura de la chance d'avoir une telle guérisseuse lorsque Patte de Pierre ira chasser avec le Clan des Étoiles.

— Je crois que Plume de Faucon a plus de foi en moi que je n'en ai moi-même, murmura Papillon.

— Tu n'as aucune raison de douter de toi, insista son frère. Notre père était un grand guerrier. Notre mère est fière et forte. Tous deux n'avaient qu'un seul défaut : leur loyauté centrée sur eux-mêmes. » Il marqua une pause, balayant la clairière du regard. « Nous, nous sommes différents. Nous savons que nous devons rester loyaux envers notre Clan. Nous avons le courage de vivre en suivant le code du guerrier. Et grâce à cela, un jour, nous serons les membres les plus puissants du Clan de la Rivière, et nos camarades seront alors dans l'obligation de nous respecter. »

Nuage de Feuille eut l'impression de tomber tête la première dans la rivière glacée. Plume de Faucon avait beau jurer qu'il ne vivait que pour suivre le code du guerrier, ce genre d'ambition pouvait le rendre dangereux… comme son père.

Papillon émit un ronron amusé.

« Tu ne dois pas prendre ce que dit mon frère trop au sérieux, souffla-t-elle à Nuage de Feuille. C'est le chat le plus courageux et le plus loyal du Clan de la Rivière, mais il se laisse emporter, parfois. »

Nuage de Feuille espérait de tout son cœur que son amie avait raison. Néanmoins, l'arrogance qui luisait dans les yeux de Plume de Faucon la mettait mal à l'aise. Son instinct lui disait qu'il ne s'en tiendrait pas là.

Plume de Faucon n'était pas digne de confiance.

CHAPITRE 13

NUAGE D'ÉCUREUIL LAISSA TOMBER la souris sur le tas de gibier, où ne gisaient qu'un moineau et un campagnol, rapportés par la patrouille de l'aube. Poil de Châtaigne avait chassé avec elle, mais n'avait rien attrapé.

« Tu peux l'emporter directement aux anciens, miaula Étoile de Feu, qui se dirigeait vers elles.

— Et Fleur de Bruyère ? s'enquit Nuage d'Écureuil.

— Selon Museau Cendré, elle refuse encore de s'alimenter, soupira le meneur. Mais Jessie partage ses repas avec Petit Frêne.

— Cette chatte domestique ferait mieux de retourner chez ses Bipèdes et d'arrêter de manger notre gibier, lâcha Poil de Châtaigne. Elle n'est pas capable de chasser.

— Jessie ne garde presque rien pour elle-même, lui fit remarquer Étoile de Feu. Et pendant qu'elle s'occupe de Petit Frêne, les autres ont plus de temps pour chasser. »

Nuage d'Écureuil coula un regard amusé vers la guerrière. Cette dernière était simplement jalouse de Jessie, qui passait beaucoup de temps avec Nuage de Feuille. L'apprentie reprit la souris dans la gueule et la porta au sommet des rochers, où les anciens profitaient des maigres rayons du soleil à son zénith.

Les yeux clos, Pelage de Givre et Perce-Neige somnolaient. Longue Plume, le matou aveugle qui n'était pas plus âgé que certains guerriers, s'assit à son arrivée.

« Je sens une odeur de souris, miaula-t-il.

— Elle n'est pas très grosse, malheureusement, s'excusa Nuage d'Écureuil.

— Ça ira », la rassura-t-il en donnant un petit coup de patte à la souris.

Lorsque le corps du rongeur bougea, Longue Plume agita le bout de la queue, comme si son désir de chasser pour son Clan n'avait pas faibli.

Soudain, il leva la tête pour flairer l'air.

« Le Clan du Vent ! s'exclama-t-il, plus surpris qu'inquiet.

— Quoi, ici ? » miaula l'apprentie en regardant alentour.

À sa connaissance, son père n'attendait pas de visiteurs.

Étoile Filante apparut au pied du rocher, à la tête d'une petite patrouille mal en point. Les membres du Clan du Tonnerre les regardèrent grimper jusqu'à Étoile de Feu. Personne ne tenta de les arrêter. Le pas d'Étoile Filante était si hésitant, sa silhouette si émaciée que Nuage d'Écureuil s'étonna qu'il ait pu faire le trajet jusqu'à eux. Ses guerriers ne valaient guère mieux. Moustache et Oreille Balafrée étaient si maigres qu'ils semblaient faits de brindilles et de feuilles, si frêles que le vent menaçait de les emporter.

Nuage Noir fermait la marche. Sans être aussi décharné que ses compagnons, il avait tout de même beaucoup maigri depuis leur retour dans la forêt. Nuage d'Écureuil dévala la pente rocheuse pour l'accueillir d'un frottement de museau. Elle remarqua alors sa fourrure négligée et son regard aussi terne que celui des autres membres du Clan du Vent.

« Nuage Noir ! s'écria-t-elle. Tu vas bien ?

— Aussi bien que n'importe lequel de mes camarades, grogna-t-il.

— Depuis qu'il est revenu, Nuage Noir chasse autant qu'une patrouille entière, intervint Oreille Balafrée. À lui seul, il débusque assez de gibier pour nourrir presque tout le Clan. »

Nuage d'Écureuil dressa les oreilles.

« Il y a deux jours, il a même attrapé un faucon, poursuivit le guerrier, non sans fierté.

— J'ai utilisé une des techniques de la Tribu, répondit l'intéressé avec un haussement d'épaules.

— Nuage Noir ! » lança Griffe de Ronce en venant à leur rencontre.

À voir sa mine sombre, Nuage d'Écureuil devina qu'il était lui aussi atterré par l'apparence de leur ami.

La voix d'Étoile Filante la tira de ses pensées.

« Étoile de Feu, nous sommes venus implorer l'aide du Clan du Tonnerre », croassa-t-il.

Comme si ces paroles avaient épuisé ses dernières forces, ses pattes se dérobèrent sous lui et il s'effondra sur le flanc. Nuage d'Écureuil voulut aller à son secours, mais Griffe de Ronce la retint.

« Les Bipèdes s'en prennent maintenant aux anciens terriers où nous avons trouvé abri, haleta le vieux chef. Nous ne pouvons rester un instant de plus dans la lande, mais nous sommes trop faibles pour voyager seuls. Je me fiche que le signe ne soit pas apparu. Nous devons partir immédiatement. Emmène-nous à cet endroit où sombre le soleil, je t'en supplie. »

Étoile de Feu contempla Étoile Filante avec tristesse avant de répondre :

« Par le passé, nous avons maintes fois été alliés. Je ne peux vous regarder mourir de faim sans rien tenter. »

Au moment où il relevait la tête, le regard plongé dans la forêt, les sous-bois frémirent et une silhouette à la robe écaille surgit des buissons.

Pelage d'Or ! La guerrière du Clan de l'Ombre avait le poil hérissé, et ses yeux écarquillés trahissaient l'épouvante.

« Les Bipèdes attaquent notre camp ! hurla-t-elle. Leurs monstres nous ont encerclés ! Venez vite, par pitié ! »

En quelques sauts, Étoile de Feu bondit au pied de la pente rocheuse. Même Étoile Filante se leva péniblement pour aller à la rencontre de la guerrière du Clan de l'Ombre.

« Aidez-nous, implora Pelage d'Or. Aidez-nous, ne serait-ce qu'en mémoire du sang du Clan du Tonnerre qui coule dans mes veines. »

Étoile de Feu fit glisser le bout de sa queue sur le museau de la chatte.

« Nous viendrons pour le bien du Clan de l'Ombre, répondit-il avec gentillesse. Et pour le bien de tous les Clans de la forêt. » Il se tourna vers ses guerriers. « Cœur d'Épines, Poil de Souris, Tempête de Sable, chacun de vous commandera une patrouille. Nous emmènerons tous ceux qui ont encore la force de se battre. »

Aussitôt, les trois guerriers se dispersèrent parmi l'assemblée en donnant des ordres.

« Et qui défendra le camp ? lança Pelage de Poussière.

— Le défendre contre qui ? rétorqua Étoile de Feu. Les seules créatures qui nous menacent attaquent déjà le Clan de l'Ombre.

— Et le Clan de la Rivière ? »

Le petit miaulement de Nuage de Feuille provenait du sommet des rochers. Elle se tut lorsque tous se tournèrent vers elle.

Le cœur de Nuage d'Écureuil fit un bond dans sa poitrine. Sa sœur avait raison. S'ils laissaient le camp sans défense, Plume de Faucon pourrait persuader le Clan de la Rivière d'envahir les Rochers du Soleil.

Mais les guerriers se méprirent sur les paroles de l'apprentie guérisseuse.

« Le Clan de la Rivière ne nous aidera pas ! cracha Poil de Souris.

— Peut-être que si, miaula Museau Cendré. La rivière s'assèche peu à peu et leur Clan n'est plus aussi bien nourri. »

Nuage d'Écureuil jeta un coup d'œil à Griffe de Ronce. Ils n'étaient donc pas les seuls à l'avoir remarqué. Si le Clan de la Rivière souffrait lui aussi, il serait peut-être plus enclin à aider le Clan du Tonnerre qu'à l'attaquer. Mais elle ne pouvait se défaire de sa méfiance envers Plume de Faucon.

Une lueur d'espoir illumina les yeux d'Étoile de Feu.

« Griffe de Ronce ! lança-t-il. File au camp du Clan de la Rivière pour demander de l'aide à Étoile du Léopard.

— Bien, Étoile de Feu !

— Trouve d'abord Patte de Brume, lui souffla Nuage d'Écureuil. Et assure-toi que Plume de Faucon vienne aussi. Il ne doit pas rester dans leur camp.

— Tu penses qu'il nous attaquerait ? demanda-t-il.

— On ne sait jamais.

— Tu es trop méfiante », railla-t-il, avant de filer comme l'éclair.

Nuage d'Écureuil se sentit presque coupable. *Pourvu que Griffe de Ronce ne pense pas que je me méfie de lui aussi*, songea-t-elle.

« Nuage d'Écureuil, tu te joindras à ma patrouille, ordonna Tempête de Sable. Reste près de moi ou de Pelage de Poussière. »

La novice hocha la tête. Ses pattes la démangeaient : le temps était venu de riposter… ou d'accepter de perdre la forêt pour toujours. L'idée d'une bataille semblait avoir revigoré les guerriers du Clan du Vent. Nerveux, Moustache agitait la queue, tandis qu'Oreille Balafrée faisait les cent pas devant lui.

« Nous vous accompagnerons, annonça Étoile Filante, retrouvant un peu d'aplomb.

— Vous n'êtes pas assez robustes, rétorqua Étoile de Feu en secouant la tête.

— Mes guerriers et moi irons au combat, répéta

le vieux chef en soutenant fermement le regard du rouquin.

— Très bien », concéda le jeune meneur en baissant la tête avec respect. Il balaya ses troupes du regard. « Poil de Souris, Tempête de Sable, Cœur d'Épines, vos patrouilles sont-elles prêtes ? »

Les trois guerriers acquiescèrent.

« Ce sera peut-être notre dernière bataille dans la forêt, poursuivit-il d'un ton ému. À défaut d'arrêter les Bipèdes, nous devons au moins essayer de sauver le Clan de l'Ombre. » Il s'adressa ensuite à Nuage de Feuille. « Nous aurons besoin de toi, là-bas, pour soigner les blessés. Museau Cendré restera ici pour s'occuper de ceux qui parviendront à rallier le camp. »

Nuage d'Écureuil couva sa sœur d'un regard protecteur, avant de se souvenir que les guérisseurs apprenaient à se battre comme n'importe quel guerrier.

Tandis qu'Étoile de Feu entraînait son Clan vers la forêt, Nuage d'Écureuil entendit Moustache murmurer à son chef :

« Étoile Filante, tu vas risquer ta dernière vie. Je t'en prie, reste là.

— Que je sois dans ma première ou ma neuvième vie, mon devoir est de servir la forêt, répondit-il d'un ton calme. Je ne raterai pas cette bataille. »

Une détermination glaçante animait le regard du vieux meneur. Respectant la dignité de son chef, Moustache se contenta d'opiner et de descendre la pente rocheuse à son côté pour rejoindre les autres.

Étoile de Feu marqua une halte à l'orée des bois pour s'assurer que chaque patrouille était prête, puis il s'engouffra dans la forêt. Nuage d'Écureuil filait juste derrière lui, tout près de Pelage d'Or. Un coup d'œil en arrière lui apprit que nul ne s'était laissé distancer : même Étoile Filante soutenait l'allure. Ils suivirent la rivière jusqu'à la clairière des Bipèdes près du ravin, puis, une fois en sécurité, ils obliquèrent pour rejoindre le sommet du talus surplombant les Quatre Chênes. Sans une hésitation, Étoile de Feu les fit descendre dans la cuvette, où les arbres massacrés avaient été rangés en piles de rondins bien nettes. Avec un frisson d'horreur, Nuage d'Écureuil constata que le Grand Rocher avait été littéralement pulvérisé, réduit à un énorme tas de cailloux.

Nuage Noir se faufila entre les félins pour remonter jusqu'à elle.

« Ne regarde pas, lui conseilla-t-il. Même si le Grand Rocher était encore là, cela n'aiderait guère le Clan de l'Ombre. »

Soudain, un cri retentit derrière eux. Étoile de Feu dérapa dans l'humus et pila. Ses troupes l'imitèrent avant de faire volte-face comme un seul félin.

Patte de Brume, le lieutenant du Clan de la Rivière, se tenait au sommet du talus. Elle était flanquée de ses meilleurs guerriers : Pelage d'Orage, Griffe Noire, Papillon. La silhouette imposante de Plume de Faucon se dessinait près d'eux. Griffe de Ronce était à son côté : le contour de sa tête et de ses épaules, qui se découpait sur le ciel pâle, aurait pu se superposer parfaitement à celui de Plume de Faucon.

« Attendez ! lança Patte de Brume. Le Clan de la Rivière se joint à vous ! »

Sans attendre, Griffe de Ronce dévala le talus jusqu'à Nuage d'Écureuil.

« Comment as-tu réussi à persuader Étoile du Léopard ? lui demanda-t-elle, ébahie.

— Ce n'était pas difficile. Ils ont faim et le désespoir les gagne peu à peu. »

Pelage d'Orage se fraya un passage dans la masse des chats pour les rejoindre.

« Nous combattrons ensemble, annonça-t-il.

— Comme il se doit », ajouta Nuage Noir.

Nuage d'Écureuil se rendit compte que tous ses anciens compagnons de voyage l'entouraient : Griffe de Ronce, Pelage d'Orage, Nuage Noir et Pelage d'Or. Elle leva les yeux vers le ciel. *Jolie Plume ? Est-ce que tu nous regardes ?*

« Allons-y ! » lança Étoile de Feu.

Avec un cri de guerre féroce, il les entraîna vers le territoire du Clan de l'Ombre.

Le Chemin du Tonnerre, qui séparait le Clan du Tonnerre du Clan de l'Ombre, était étrangement silencieux.

« Depuis qu'ils ont commencé à détruire nos terres, ils empêchent les autres monstres de venir jusque-là, murmura Pelage d'Or à Nuage d'Écureuil. L'avantage, c'est qu'on peut traverser plus facilement », conclut-elle froidement.

La surface dure glaça les pattes de Nuage d'Écureuil lorsqu'elle traversa à toute allure avant de filer dans les bois. Elle entendait les monstres rugir dans le lointain et sentait déjà leur odeur âcre. Sa fureur lui faisait oublier sa peur et la poussait à avancer toujours plus loin. Nuage Noir courait à son côté, son regard ténébreux fixant le sentier. La rouquine s'émerveilla de ce que son corps si décharné recèle encore une telle force.

Elle aperçut un horrible monstre jaune entre les arbres. Les griffes de ses énormes pattes avant fouissaient dans les sous-bois. Soudain, un bruit terrifiant fit frémir la forêt. Nuage d'Écureuil s'arrêta net, dérapant sur le sentier terreux. Tout autour d'elle, la forêt émettait des craquements, des grincements sinistres.

Tapie contre le sol vibrant, elle avisa un monstre de Bipèdes à quelques longueurs de queue de là. De ses pattes gigantesques, il arracha un chêne, le déracinant comme un simple brin d'herbe. Une averse de branches s'abattit sur le sol lorsque le monstre le renversa pour dénuder le tronc, arrosant les félins de copeaux d'écorce. Un grondement retentit derrière eux : leur voie de retraite était maintenant bloquée ; un autre monstre avançait vers eux, doucement mais sûrement.

« Ils seront bientôt au camp ! » hurla Pelage d'Or.

Nuage d'Écureuil, horrifiée, distingua d'autres monstres devant eux, ravageant les taillis près des ronciers qui abritaient le camp du Clan de l'Ombre.

« Nous n'avons pas le choix, nous devons passer par là, lança Étoile de Feu en pointant du bout de la queue une brèche entre les arbres encore épargnés par les monstres.

« Non, nous irons plus vite de ce côté ! rétorqua Nuage Noir en chargeant droit vers le camp.

— Arrête ! Tu vas te faire tuer ! » s'écria Nuage d'Écureuil en lui sautant sur le dos pour le clouer au sol.

Il s'effondra sous son poids, crachant furieusement :

« Laisse-moi !

— Ne sois pas ridicule, Nuage Noir ! lança Griffe de Ronce.

— Il a perdu la tête ! cria Nuage d'Écureuil. Je ne le laisserai pas courir à la mort.

— Je n'ai pas peur de rejoindre le Clan des Étoiles, rétorqua Nuage Noir. La forêt se meurt, de toute façon. Et Jolie Plume m'attend ! »

CHAPITRE 14

PENCHÉ SUR NUAGE NOIR, Griffe de Ronce cracha :

« Tu préfères rejoindre une défunte plutôt que de te battre pour sauver les vivants ? Ton Clan a besoin de toi plus que jamais ! Sers-toi de ta tête et suis les ordres d'Étoile de Feu ! Nuage d'Écureuil, tu peux le relâcher, à présent. »

Elle obéit prudemment, s'attendant presque à ce que l'apprenti déguerpisse. Mais il se contenta de se relever et se s'ébrouer.

Derrière eux, le monstre tueur d'ormes attaqua sa première victime. Des échardes pointues comme des épines fusèrent dans toutes les directions. Nuage d'Écureuil sursauta de douleur lorsqu'un petit éclat d'écorce se planta dans son flanc.

« Maintenant ! » hurla Étoile de Feu.

Les guerriers s'élancèrent au moment où le monstre arrachait une branche de l'orme avant de la jeter sur le sol, à l'endroit même que les félins venaient de quitter.

Étoile de Feu ne s'arrêta qu'une fois arrivé devant la ronceraie.

« Tempête de Sable, emmène Nuage de Feuille et le reste de ta patrouille pour évacuer les reines et les chatons, ordonna-t-il. Poil de Souris, prends Oreille Balafrée et Nuage Noir avec toi, vous chercherez les anciens. »

Nuage d'Écureuil s'apprêtait à suivre sa mère, mais Étoile de Feu la rappela :

« Nuage d'Écureuil, j'ai besoin de toi ici ! Cœur d'Épines, tu aideras les apprentis à sortir. Guerriers du Clan de la Rivière, accompagnez-le, s'il vous plaît. » Patte de Brume opina avant de partir à la suite du guerrier du Clan du Tonnerre. « Pelage de Poussière, posté à l'entrée, tu devras t'assurer que tout le monde a réussi à s'échapper. Ne laisse personne bloquer le passage.

— Et moi ? demanda Moustache en regardant les autres s'éloigner.

— J'y viens », promit le meneur. Il se tourna vers Pelage d'Or, qui labourait le sol de ses longues griffes. « Tu connais cette partie de la forêt bien mieux que nous. Nous ne pouvons pas revenir par le même chemin. De quel côté partir, pour sortir de là au plus vite ?

— Par là ! répondit aussitôt la guerrière, en désignant d'un signe de tête une trouée entre les arbres. Si on est rapides, on y arrivera avant les monstres. De là, on peut rejoindre un sentier qui nous conduira au tunnel sous le Chemin du Tonnerre. »

Étoile de Feu reporta son attention sur Moustache et Étoile Filante.

« Vous deux, vous défendrez notre voie de repli », miaula-t-il alors.

C'était la tâche la moins risquée. Nuage d'Écureuil devinait que son père tentait de protéger la dernière vie du chef du Clan du Vent.

« Quant à vous, dit ensuite le meneur à Griffe de Ronce et Nuage d'Écureuil, suivez Pelage d'Or à l'intérieur du camp. Elle saura quelle tanière abrite qui. Assurez-vous que personne ne reste dans le camp. Lorsque les monstres atteindront les ronciers, je vous alerterai. À mon signal, il faudra immédiatement sortir. »

Griffe de Ronce pressa son museau à l'oreille de la rouquine pour lui murmurer :

« Tu t'en sens capable ?

— Évidemment ! Tu me prends pour qui ? Un chaton qui n'a jamais quitté la pouponnière ? » Indignée, elle s'écarta d'un bond. Les yeux du guerrier reflétaient son angoisse, et elle comprit qu'il s'inquiétait simplement pour elle. « Tout va bien, reprit-elle. C'est comme une bataille et j'ai besoin de me battre pour la forêt… même si la défaite est inévitable. On ne peut pas laisser tomber Pelage d'Or. »

Et elle fila vers l'entrée du camp. Pelage d'Or disparaissait déjà dans le tunnel épineux. Lorsque Nuage d'Écureuil s'y engagea à son tour, elle faillit s'arrêter net, suffoquée par une odeur pestilentielle : celle d'un Clan entier frappé de terreur. À l'intérieur du camp, les chats couraient en tous sens, dans un vacarme où se mêlaient les cris de détresse des reines appelant leurs petits et les ordres hurlés par les guerriers.

Malgré le chaos, les félins venus à la rescousse parvinrent à garder leur calme. Poil de Châtaigne et Oreille Balafrée escortaient un groupe d'anciens à travers la clairière tandis que, de l'autre côté, Nuage de Feuille pressait Rhume des Foins, l'ancien-guérisseur du Clan de l'Ombre, vers la sortie.

Le pelage blanc d'Étoile de Jais se détachait nettement dans l'ombre. Un apprenti à la robe grise était pelotonné près de lui, la fourrure hérissée.

« N'aie pas peur ! gronda le chef en lui donnant un coup de museau pour le relever. Je ne te laisserai pas mourir. »

Tandis qu'il poussait le petit vers le tunnel de ronces, un chaton vagit à l'autre bout de la clairière. Étoile de Jais et Nuage d'Écureuil se tournèrent vers lui en même temps. Une petite boule de poils brun foncé s'était effondrée sur le sol, les yeux fermés.

Le meneur décocha un regard noir à Nuage d'Écureuil.

« Ne reste pas là ! la rabroua-t-il. Fais sortir Nuage de Fumée pendant que je m'occupe de ce rejeton. »

D'un coup de museau, il projeta l'apprenti vers elle avant de bondir de l'autre côté.

Nuage de Fumée la dévisagea sans comprendre, trop choqué pour réagir. Pas le temps de faire des présentations formelles. Nuage d'Écureuil l'attrapa par la peau du cou et le traîna jusqu'au tunnel, où elle le força à entrer. Puis elle se retourna pour balayer la clairière du regard. Le chaton dans la gueule, Étoile de Jais filait droit sur elle. Nuage d'Écureuil s'écarta de son chemin juste à temps pour le laisser passer.

Elle se précipita vers les ronces abritant la pouponnière et y engouffra la tête. Scrutant les ombres, elle huma l'air, l'oreille aux aguets, guettant le moindre bruit. Le nid était vide.

« Tout le monde est sorti ? » lui demanda Papillon, venue la rejoindre malgré la terreur qui ébouriffait son pelage.

Nuage d'Écureuil acquiesça. Au même instant, elle entendit Plume de Faucon lancer à l'un de ses camarades de Clan :

« Nous en avons fait plus qu'assez. Sors de là, avant que le camp soit détruit !

— Nous resterons jusqu'à ce que tout le monde ait été évacué ! rétorqua Patte de Brume, son miaulement aigu figeant Plume de Faucon sur place.

— Arrête de te conduire comme si tu étais le chef ! siffla Papillon à l'intention de son frère.

— Ça arrivera bien un jour ! » cracha-t-il.

Une reine du Clan de l'Ombre au pelage écaille s'efforçait de porter ses deux petits de l'autre côté de la clairière. Elle fit quelques pas en tenant le premier dans sa gueule, puis le posa et rebroussa chemin pour aller chercher le deuxième. Nuage d'Écureuil se porta à son secours.

« Je prends celui-ci ! » souffla-t-elle en soulevant la petite boule de poils entre ses mâchoires.

La reine la remercia d'un regard et, côte à côte, elles se dirigèrent vers la sortie. Pelage de Poussière attendait à l'extérieur. Nuage d'Écureuil lui passa le chaton avant de retourner dans le tunnel.

Le camp se vidait rapidement. Le rugissement des monstres, de plus en plus proche, était assourdissant. *Assurez-vous que personne ne reste dans le camp.* L'ordre d'Étoile de Feu résonnait encore dans sa tête. Elle fouilla du regard les ronces pour vérifier que personne ne s'y terrait, terrifiée à l'idée qu'un monstre pouvait défoncer la barrière végétale à tout moment. Mais il n'y avait plus que Griffe de Ronce, Pelage d'Or et Papillon dans la clairière.

« Papillon, rejoins Nuage de Feuille à l'extérieur pour l'aider à s'occuper des blessés, ordonna Griffe de Ronce. Nous, on va s'assurer qu'aucun traînard n'a été oublié. »

Des arbres tombaient, abattus, tout autour du camp, leurs branches nues s'entrechoquant tels des ossements. Malgré sa peur, Nuage d'Écureuil était bien forcée de croire qu'il leur restait un peu de temps puisque son père n'avait pas encore donné le signal.

« Il faut vérifier chaque tanière, haleta Pelage d'Or.

— J'ai déjà regardé dans la pouponnière, miaula Nuage d'Écureuil. Elle est vide.

— Fleur de Pavot et ses petits sont partis ?

— J'ai aidé une reine et ses chatons à gagner le tunnel, répondit-elle.

— Je vais voir dans le gîte des guerriers, annonça Griffe de Ronce. Toi, tu t'occupes de la tanière des apprentis, ordonna-t-il à Pelage d'Or.

— Et la clairière du guérisseur ? demanda Nuage d'Écureuil à la guerrière.

— Petit Orage est déjà sorti.

— Mais il y a peut-être des malades, non ?

— Je ne sais pas, reconnut Pelage d'Or.

— Je vais aller jeter un coup d'œil. Où est l'entrée ?

— Par là ! » répondit la chatte en désignant d'un battement de la queue un roncier près du gîte des chasseurs.

Nuage d'Écureuil se faufila dans l'étroit tunnel. Il débouchait sur un antre spacieux, abrité du reste du camp et de la forêt par le branchage fourni d'une aubépine. L'antre était vide. Elle allait rebrousser chemin lorsqu'elle entendit soudain le cri de son père :

« Repli ! Les monstres ont atteint le camp ! »

Elle s'engagea dans le tunnel, mais les ronces se prirent dans sa fourrure. Elle tira de toutes ses forces, et sentit aussitôt les épines s'enfoncer plus profondément encore. Un arbre grinça au-dessus de sa tête, son écorce craquant tandis qu'il commençait à tomber. Dans un vacarme effroyable, il s'écrasa sur le sol, si près du camp que Nuage d'Écureuil sentit la terre vibrer.

Prise de panique, elle se tortilla de plus belle pour se libérer.

« Griffe de Ronce ! hurla-t-elle. Aide-moi ! »

Elle était terrorisée à l'idée qu'un arbre puisse tomber sur elle à tout instant. Soudain, elle sentit des crocs puissants s'enfoncer dans la peau de son cou et l'entraîner vers l'avant. Les épines lui griffèrent les flancs, mais elle n'y fit pas attention. Une fois dégagée, elle se releva et vit Griffe de Ronce qui la contemplait, le souffle court.

« Merci ! » souffla-t-elle.

Elle pressa brièvement son museau contre le sien. Ils n'étaient pas encore hors de danger. Un autre arbre crissait au-dessus de leur tête : un énorme sycomore vacillait, ses branches déployées masquant le ciel.

« Où est Pelage d'Or ? s'écria-t-elle.

— Je lui ai dit de partir. Tout le monde est sorti, il ne reste que nous. Filons ! »

Les deux félins détalèrent vers le tunnel, le traversèrent à la vitesse de l'éclair et manquèrent percuter

Pelage de Poussière qui attendait toujours à l'extérieur.

— Vous êtes les derniers, gémit le guerrier. Dépêchez-vous ! »

La rouquine vit par-dessus son épaule le sycomore s'écraser sur le camp, détruisant tout sous sa lourde ramure. Le foyer qui abritait le Clan de l'Ombre depuis des temps immémoriaux n'était plus.

Pelage de Poussière les entraîna au loin. Horrifiés, Étoile Filante et Moustache attendaient sur le sentier, les yeux écarquillés tandis que la forêt s'écroulait autour d'eux. Étoile de Feu, Nuage de Feuille et Pelage d'Or étaient avec eux.

« Vite ! les pressa Moustache. Les autres se dirigent déjà vers le Chemin du Tonnerre !

— J'ai cru que vous n'aviez pas entendu mon signal ! hoqueta Étoile de Feu.

— J'étais coincée dans les ronces, expliqua Nuage d'Écureuil, à bout de souffle.

— Où est Nuage Noir ? s'enquit Griffe de Ronce.

— Avec les autres, répondit Étoile de Feu, sursautant au bruit d'un chêne qui percutait le sol, non loin.

— Tous les chatons et les reines ont été évacués ? demanda Pelage d'Or.

— Étoile de Jais portait un petit, répondit Moustache. Et j'ai vu une chatte écaille avec deux jeunes…

— Et Fleur de Pavot ?

— Je croyais que c'était elle, la chatte écaille ! gémit Nuage d'Écureuil.

— Fleur de Pavot est brun clair et tachetée ! rétorqua Pelage d'Or, paniquée. Elle a trois petits, pas deux ! »

Les félins se regardèrent, désorientés.

« Je pensais que tout le monde était sorti, cracha Pelage de Poussière.

— Le camp était bel et bien vide ! riposta Nuage d'Écureuil. Ils ont dû s'enfuir dans la forêt ! »

L'apprentie dressa les oreilles, guettant le moindre miaulement.

« Par là ! » s'écria Moustache en indiquant du bout de la truffe une clairière bordée de frêles arbustes à l'écorce pâle.

Tous s'élancèrent. Soudain, un craquement retentit dans le ciel et un arbre s'écrasa tout près d'eux. Le souffle coupé, Nuage d'Écureuil ferma les yeux.

« Ça va ? » demanda Griffe de Ronce.

Elle rouvrit les paupières et chercha les autres du regard. Elle sauta pour escalader le tronc, Griffe de Ronce à son côté.

« Ils vont bien ! » cria-t-elle, soulagée.

Pelage d'Or et Nuage de Feuille avaient rejoint Fleur de Pavot dans la clairière. Quant à Moustache, il essayait de rassembler les trois chatons qui, terrorisés, ne tenaient pas en place, leur petite queue tendue bien haut. Non loin, Étoile de Feu scrutait la forêt à la recherche de la meilleure voie de repli. Étoile Filante se faufila entre les branches de l'arbre abattu et rejoignit d'un pas claudiquant le chef du Clan du Tonnerre.

En regardant autour d'elle, Nuage d'Écureuil comprit que les monstres les encerclaient. Ils s'approchaient peu à peu, à mesure qu'ils dévoraient les arbres sur leur passage. Soudain, elle entendit un craquement terrifiant.

« Attention ! hurla-t-elle, voyant qu'un vieux bouleau allait s'abattre sur eux. Sauvez les chatons ! » lança-t-elle, tandis que l'arbre projetait son ombre sur la fourrure couleur de flamme de son père. Alertée par son cri, Fleur de Pavot ramassa un petit ; Pelage d'Or en prit un deuxième et, suivies de près par Nuage de Feuille et Étoile Filante, elles déguerpirent au plus vite. Mais Moustache courait toujours après le troisième. Horrifiée, Nuage d'Écureuil regarda l'arbre basculer inexorablement vers eux.

L'instant sembla durer une éternité. Nuage d'Écureuil crut que son cœur allait lâcher. Soudain, son père bondit en avant, heurtant le flanc de Moustache. L'apprentie eut tout juste le temps de voir le guerrier du Clan du Vent rouler sur le côté, le chaton en sécurité entre ses mâchoires, avant que l'arbre ne percute le sol dans un vacarme assourdissant.

« Étoile de Feu ! Non ! »

Nuage d'Écureuil se précipita vers le bouleau. Griffe de Ronce la suivit aussitôt et se dirigea vers un tas de fourrure brune empêtrée dans les branches.

« Ça va aller ! » lança-t-il en tirant le guerrier du Clan du Vent et le chaton hors des branchages.

Ébahie, Nuage de Feuille s'extirpa tant bien que mal de sous l'arbuste recourbé qui l'avait protégée. Mais Étoile de Feu n'était nulle part en vue. Un Bipède beugla, puis un autre craquement terrible résonna dans l'air.

« Partez d'ici ! s'époumona Griffe de Ronce.

— Je n'irai nulle part sans mon père ! rétorqua Nuage d'Écureuil.

— On va le retrouver ! répondit-il avant de se tourner vers Moustache. Emmène les autres jusqu'au Chemin du Tonnerre. »

La terre vibra sous leurs pattes lorsqu'un orme tomba derrière eux.

« On vous attendra au tunnel », lança Moustache.

Tandis que les guerriers des Clans du Vent et de l'Ombre s'enfuyaient, Nuage d'Écureuil courut jusqu'à Nuage de Feuille, qui grattait la terre sous les branches.

« Je le vois ! » cria-t-elle, labourant le sol à coups de griffes désespérés.

Griffe de Ronce prit la place de l'apprentie puis se servit de sa tête pour écarter les rameaux brisés. Étoile de Feu apparut alors, coincé sous une lourde branche. Griffe de Ronce tendit le cou pour saisir son chef entre ses crocs. Tremblant sous l'effort, il le tira et le déposa sur un tapis de feuilles.

Un pâle rayon de soleil éclaira la clairière et embrasa la robe orange du meneur. Les yeux clos, il gisait au sol, inerte.

« Il est en train de perdre une vie, murmura Nuage de Feuille.

— Étoile de Feu… » La queue de Nuage d'Écureuil se mit à trembler. « Père ! » hurla-t-elle.

Tout autour, les monstres éventraient la terre, leurs yeux jaunes flamboyant entre les arbres.

« Il faut l'emmener loin d'ici ! siffla Griffe de Ronce.

— On ne peut pas prendre ce risque, répondit Nuage de Feuille.

— Moi, je ne pars pas sans lui », déclara Nuage d'Écureuil en s'allongeant.

Un craquement déchirant leur vrilla les tympans. La rouquine leva les yeux au ciel, et la forêt devint soudain sombre. Des images défilèrent dans son esprit : Tempête de Sable, l'ancien camp, la Tribu de l'Eau Vive, Jolie Plume… *Clan des Étoiles ! Ne me laissez pas mourir comme ça. Après tout ce qu'on a traversé, j'ai besoin de savoir si le Clan réussira à survivre !*

« Nuage d'Écureuil ! » La voix de Griffe de Ronce lui parvenait étouffée à travers les branchages de l'orme qui les recouvraient. « Où es-tu ? »

L'apprentie ouvrit les yeux et prit une longue inspiration. L'orme était tombé sur le tronc du bouleau, formant une petite caverne au-dessus de leur tête. Le pelage brun sombre de Griffe de Ronce était à peine visible entre les rameaux. Elle battit de la queue, et tendit les pattes l'une après l'autre.

« Je vais bien », le rassura-t-elle. Elle n'avait rien de cassé, juste quelques égratignures. « Et toi, tu es blessé ? »

Poussant un grognement, elle se traîna jusqu'à lui et s'étira de tout son long avant de lui lécher le flanc.

« Non, ça va, marmonna-t-il en s'asseyant tant bien que mal. Tu vois Nuage de Feuille quelque part ?

— Nuage de Feuille ? appela-t-elle en scrutant la pénombre.

— Je suis là, répondit la chatte, couchée sur son père pour le protéger.

— Le chaton… comment va-t-il ? » articula Étoile de Feu.

Lorsque Nuage d'Écureuil entendit son miaulement rauque, elle se fraya un passage dans les branchages jusqu'à ce qu'elle sente contre sa joue le souffle de son père. Ses yeux étaient vitreux, mais ouverts.

« As-tu parlé avec nos ancêtres ? lui demanda Nuage de Feuille dans un chuchotement.

— Je distinguais à peine les guerriers de jadis. Mais je savais qu'ils étaient là. » Il releva un peu la tête. « Est-ce que Moustache a sauvé le chaton ?

— Oui, ils sont en lieu sûr, tous les deux, répondit Griffe de Ronce en se faufilant jusqu'à eux.

— Est-ce qu'il va s'en sortir ? demanda Nuage d'Écureuil en fouillant le regard de sa sœur.

— Mais oui, la rassura l'apprentie guérisseuse. N'aie pas peur. Ça devait arriver un jour où l'autre.

— Comment va-t-on le tirer de là ? demanda encore la rouquine, la gorge nouée.

— Je peux marcher », miaula Étoile de Feu, et il se dressa tant bien que mal sur ses pattes.

Tout à coup, un Bipède vociféra juste au-dessus d'eux, si près que Nuage d'Écureuil fit face en crachant. Elle leva les yeux : l'intrus observait le tas de branches qui les dissimulait.

« Nous devons partir tout de suite ! » feula Griffe de Ronce.

Les yeux écarquillés, Nuage de Feuille s'était tapie contre le sol, terrorisée.

« Je ne les laisserai pas t'attraper une deuxième fois ! promit Nuage d'Écureuil avant de se tourner vers le guerrier tacheté. Tu peux les emmener loin d'ici pendant que je fais diversion ?

— Ce n'est pas prudent… répondit-il.

— Tout ira bien, insista-t-elle. Allez, on n'a pas beaucoup de temps. »

Sans attendre, elle s'extirpa des branches et se retrouva aux pieds du Bipède. Poussant un cri de fureur sonore, elle se faufila entre ses deux pattes, les griffant au passage. Le Bipède hurla en se lançant lourdement à sa poursuite, loin de ses camarades.

Nuage d'Écureuil détala à travers la forêt, martelant le sol recouvert de sciure et d'éclats de bois. Juste devant elle, un monstre leva ses pattes, prêt à abattre un nouvel arbre. La jeune chatte se réfugia dans un roncier et jeta un coup d'œil à ses camarades. *Clan des Étoiles, aidez-les !* Elle aperçut alors le pelage orange de son père qui serpentait entre les branches de l'arbre couché, droit vers le fond de la clairière. Griffe de Ronce courait à son côté, Nuage de Feuille derrière lui. Lorsqu'ils furent à découvert, Nuage d'Écureuil poussa un miaulement qui attira le Bipède dans sa direction. Il se mit à donner des coups de pied dans les ronces pour la faire sortir. L'apprentie recula à croupetons, tête basse, et miaula de plus belle.

À travers les broussailles, elle vit que Griffe de Ronce s'était arrêté. Il regarda vers elle, avant d'aller s'abriter avec les autres sous un bosquet d'arbres encore debout. Poussant un soupir de soulagement, la jeune chatte s'extirpa des ronces, puis longea la lisière de la clairière jusqu'au sentier menant au tunnel. Étoile de Feu, Griffe de Ronce et Nuage de Feuille accoururent vers elle.

« Tu as réussi ! hoqueta Nuage de Feuille.

— Continuez à courir ! » leur ordonna Griffe de Ronce.

La rouquine se plaça près de son père, qui chancelait à chaque pas.

« Ne t'arrête pas maintenant ! » l'implora-t-elle en se pressant contre lui.

Griffe de Ronce l'épaula de son côté et, à eux deux, ils le maintinrent debout jusqu'au tunnel menant au territoire du Clan du Tonnerre. Ils avaient échappé aux Bipèdes, une fois encore... Combien de temps tiendraient-ils avant que la forêt ne leur offre plus aucune protection ?

CHAPITRE 15

NUAGE DE FEUILLE JAILLIT du tunnel la première. Étoile de Feu la suivait, encadré par Griffe de Ronce et Nuage d'Écureuil. Après avoir traversé le sombre passage, l'apprentie guérisseuse fut un instant aveuglée par la lumière. Lorsque ses yeux s'accommodèrent au froid éclat du jour, elle remarqua les membres du Clan de l'Ombre, étendus, hors d'haleine, sur l'étroite bande herbeuse qui longeait le Chemin du Tonnerre déserté.

Pelotonnés contre leur mère, les chatons de Fleur de Pavot poussaient de petits piaulements. Petit Orage examinait ses camarades les uns après les autres, impuissant sans ses remèdes. Étoile de Jais contemplait son Clan comme s'il ne pouvait en croire ses yeux. Sa fourrure blanche était maculée de sang, et des éclats d'écorce s'étaient fichés dans ses pattes noires.

« Tout le monde va bien ? lança Étoile de Feu à la cantonade d'une voix rauque.

— Tu devrais t'allonger, lui conseilla Nuage de Feuille. Il n'y a pas de monstre, ici.

— Nous ne pouvons pas rester à découvert ! protesta Griffe de Ronce.

— Nous devons nous reposer avant de repartir », insista Nuage de Feuille.

Clopin-clopant, Étoile Filante se rapprocha de la novice.

« Comment va Étoile de Feu ? demanda-t-il.

— Ça ira, mais il a perdu une vie lorsque l'arbre s'est écrasé sur lui », expliqua-t-elle.

Étoile Filante ferma les yeux et frissonna des moustaches jusqu'au bout de la queue.

« Je ramène mes guerriers à notre camp, annonça Patte de Brume.

— Pourriez-vous d'abord nous aider à rapatrier le Clan de l'Ombre jusqu'aux Rochers du Soleil ? demanda Étoile de Feu.

— Aux Rochers du Soleil ? répéta Étoile de Jais, le museau plissé. Qu'est-ce qu'on irait faire là-bas ?

— C'est là que vit le Clan du Tonnerre, à présent. Vous y serez à l'abri des Bipèdes. Museau Cendré pourra utiliser ses plantes pour soigner vos blessés, et il y a suffisamment d'espace pour que tout le monde se repose. »

De toute façon, où le Clan de l'Ombre pourrait-il bien aller ? se demanda Nuage de Feuille. Dans la forêt, les zones épargnées par les Bipèdes se faisaient de plus en plus rares.

« Entendu, miaula Patte de Brume. Nous vous accompagnerons jusqu'aux Rochers du Soleil. Mais ce n'est pas parce que vous acceptez le Clan de l'Ombre sur votre territoire que ses membres sont les bienvenus sur le nôtre.

— On patrouillera le long de la frontière ! » menaça Plume de Faucon.

Nuage d'Écureuil le foudroya du regard.

« Comment peux-tu t'inquiéter pour ta frontière dans un moment pareil ? Quand comprendras-tu la signification de la prophétie, pour *tous* les Clans ? »

Griffe de Ronce la fit taire d'une œillade appuyée.

« Le Clan de l'Ombre ne franchira pas votre frontière, promit le guerrier.

— Évidemment ! » feula Étoile de Jais.

Griffe de Ronce se tourna vers Nuage de Feuille.

« Dans combien de temps pourrons-nous partir ? » lui demanda-t-il.

Comme elle hésitait, Étoile de Feu répondit à sa place.

« Je me sens mieux, dit-il. Nous partirons bientôt.

— Petit Orage, miaula l'apprentie guérisseuse, à ton avis, les tiens sont-ils capables de rallier les Rochers du Soleil ?

— Je pense, si nous avançons doucement », répondit le petit chat tigré.

Nuage de Feuille leva la tête vers le soleil, boule enflammée à peine visible par-dessus la cime des arbres.

« Nous devrions nous mettre en route avant la tombée de la nuit, dit-elle à Griffe de Ronce. Avant qu'il fasse trop froid.

— D'accord. Nous nous reposons un instant, le temps que tout le monde reprenne son souffle, puis nous nous remettrons en route. »

Lorsqu'ils repartirent, un mince voile nuageux filtrait la lumière du soleil déclinant.

« Fleur de Pavot ? miaula Nuage de Feuille en marchant au même rythme que la reine claudicante. Tes chatons vont bien ? »

La chatte regarda tour à tour ses trois petits, que d'autres guerriers portaient, et hocha la tête.

« Ils n'ont que des égratignures, murmura-t-elle.

— En arrivant aux Rochers du Soleil, on pourra les nettoyer et les soigner avec des pétales de souci. »

Patte de Brume, qui trottait tout près d'Étoile Filante, se pressait contre son flanc dès que le vieux meneur trébuchait. Poil de Fougère portait l'un des petits de Fleur de Pavot, tandis qu'Oreille Balafrée suivait les apprentis du Clan de l'Ombre en leur donnant de petits coups de museau pour les faire avancer lorsqu'ils ralentissaient l'allure.

« C'est comme si nous appartenions tous au même Clan, murmura Nuage de Feuille à l'oreille de sa sœur, qu'elle venait de rattraper.

— Exactement. C'est ce qu'on a ressenti pendant notre voyage. »

Néanmoins, lorsque les félins se hissèrent tant bien que mal sur la pente rocheuse, les vieux clivages resurgirent. Le Clan de l'Ombre grimpa jusqu'au sommet, tandis que le Clan de la Rivière s'arrêta près des arbres. Poil de Fougère déposa le chaton aux pieds de Fleur de Pavot, avant de rejoindre ses camarades qui prenaient place sur les rochers. Sa fourrure fauve effleura celle de Poil de Châtaigne, qui était si fatiguée qu'elle peinait à soulever ses pattes. Étoile Filante s'allongea près de la base du rocher, trop épuisé pour monter plus haut. Moustache, Oreille Balafrée et Nuage Noir se rassemblèrent autour de lui.

Fleur de Bruyère apparut à l'entrée de la pouponnière. Les yeux écarquillés, elle contemplait les chats rassemblés sur les rochers.

« Alors ? demanda-t-elle.

— Tout le monde est sain et sauf, annonça Griffe de Ronce. C'est le principal.

— Que le Clan des Étoiles soit loué, soupira-t-elle.

— Où est Étoile de Feu ? s'enquit Museau Cendré en sortant de son antre.

— Ici », répondit-il d'une voix rauque en se faufilant jusqu'à elle.

Inquiète de voir que sa démarche était encore hésitante, Nuage de Feuille le suivit de près et déclara à la guérisseuse :

« Étoile de Feu a perdu une vie.

— Et le camp du Clan de l'Ombre ? demanda Pelage de Givre. Vous l'avez sauvé ?

— On ne peut pas se battre contre les monstres, miaula Étoile de Feu, la mine sombre. Nous n'avons rien pu faire, à part aider le Clan de l'Ombre à évacuer son camp avant qu'il soit détruit.

— Ils l'ont détruit ? hoqueta l'ancienne.

— Il ne reste que des arbres abattus, gronda Étoile de Jais. Nous n'avons plus de foyer.

— Vous serez en sécurité ici, pour l'instant », lui assura Étoile de Feu.

Le meneur du Clan de l'Ombre sembla soulagé. Il se tourna alors vers son guérisseur :

« Petit Orage, miaula-t-il, fais de ton mieux pour soigner les nôtres. »

Le petit chat tigré examina ses camarades les uns après les autres. Il se pencha pour renifler Fleur de Pavot et se mit à lui lécher le flanc.

« Tu as plein d'échardes, par là, déclara-t-il en relevant la tête.

— Étoile Filante s'est ouvert la patte arrière », ajouta Moustache.

Voyant tous ces pelages ensanglantés autour d'elle, Museau Cendré ordonna à Nuage de Feuille :

« Va chercher tous nos remèdes. Pourvu que cela suffise… »

Lorsque l'apprentie guérisseuse s'élança vers la réserve, elle entendit qu'on la suivait. C'était Jessie.

« Il y a tant de blessés ! s'écria la chatte domestique, terrorisée.

— Mais nous sommes tous en vie », lui rappela son amie en glissant une patte dans la fissure. Elle en sortit quelques ballots d'herbes. « Sais-tu comment on enlève des échardes ?

— Je peux faire bien plus encore, lui répondit Jessie. Viens, Petit Frêne ! » lança-t-elle, avant de se diriger en compagnie de son protégé vers un groupe de chatons du Clan de l'Ombre qui tremblaient de peur et de froid.

« Elle est guérisseuse, cette chatte domestique ? s'enquit Étoile de Jais.

— Ne t'en fais pas, répondit Nuage de Feuille. Elle sait ce qu'elle fait. »

Jessie calma chaque petit à grands coups de langue réconfortants, puis encouragea Petit Frêne à les distraire pendant qu'elle cherchait dans leur fourrure des traces de coupures ou d'échardes.

Nuage de Feuille replongea la patte dans la crevasse, espérant qu'il y aurait assez de baies pour préparer des cataplasmes pour tout le monde. Elle découvrit avec surprise que la réserve était bien fournie. Elle sortit autant de pétales de souci qu'elle put en trouver, avant de tendre la patte vers les baies.

Museau Cendré apparut derrière elle. Elle désigna d'un signe de tête le tas d'herbes grandissant sur le rocher.

« Je suis retournée au ravin pendant ton absence pour en rapporter autant que possible », expliqua-t-elle. Elle marqua une pause, les yeux tournés vers les guerriers du Clan de l'Ombre qui s'agitaient au sommet du rocher, leur visage reflétant leur détresse. « Commence par aider le Clan de l'Ombre, ordonna-t-elle alors. Petit Orage ne s'en sortira pas tout seul. Moi, je peux m'occuper d'Étoile Filante et de nos propres blessés.

— Étoile de Jais ne dira rien ? » s'inquiéta Nuage de Feuille.

Assis parmi les anciens du Clan de l'Ombre, le meneur ne quittait pas des yeux Jessie, qui s'apprêtait à examiner un autre chaton.

« Tu l'as bien persuadé de laisser Jessie les aider, lui rappela Museau Cendré.

— Peut-être, mais elle ne fait pas partie du Clan du Tonnerre…

— Étoile de Jais n'est pas idiot. Il sait qu'il a besoin de notre aide. »

Nuage de Feuille acquiesça. Rassemblant tout son courage, elle se dirigea vers les matous du Clan de l'Ombre et lança à Petit Orage :

« Est-ce que je peux t'être utile ? »

Le regard du guérisseur trahit son soulagement et sa gratitude. Mais avant qu'il ait pu répondre, Étoile de Jais se tourna vers elle, ses prunelles aussi dures que la Pierre de Lune.

« Nous pouvons nous occuper de nos propres guerriers, merci bien.

— Mais tu as laissé Jessie vous aider, et j'ai des plantes, insista-t-elle, s'efforçant de paraître calme.

— Petit Orage se débrouillera », rétorqua-t-il.

Nuage de Feuille ne savait pas quoi faire, hésitant entre ses devoirs de guérisseuse et son respect de la volonté d'Étoile de Jais. Petit Orage miaula soudain :

« Étoile de Jais, nous avons besoin de ces remèdes. »

Le meneur fit le gros dos, mais Petit Orage soutint son regard.

« Avec l'aide de Nuage de Feuille, je pourrai soigner nos camarades deux fois plus vite. »

Étoile de Jais remua ses oreilles.

« Très bien, feula-t-il.

— Et moi, puis-je vous aider ? demanda Papillon, qui venait de les rejoindre au sommet des rochers. Patte de Brume m'y autorise.

— Au point où nous en sommes… marmonna Étoile de Jais en se détournant.

— Merci, Papillon », chuchota Nuage de Feuille.

Elle déposa son paquet d'herbes devant son amie puis se hâta d'aller en chercher davantage à la crevasse. Museau Cendré s'y trouvait toujours. Elle avait commencé à préparer un baume sur une feuille de chêne séchée.

« C'est prêt, déclara-t-elle. Reviens quand tu n'en auras plus. »

Nuage de Feuille repartit à toute allure et déposa le baume près de Petit Orage, qui examinait le pelage de Rhume des Foins.

« Étale ce mélange sur sa fourrure une fois que tu auras enlevé les échardes, lui conseilla-t-elle. Ça empêchera toute infection. » Elle balaya du regard le groupe de guerriers blessés. « Par qui je commence, à ton avis ?

— Les anciens mettent plus longtemps à guérir. Tu peux t'occuper d'eux en premier », répondit Petit Orage sans lever les yeux de sa tâche.

L'apprentie se dirigea vers Flèche Grise, étendu près de Rhume des Foins. Le vieux matou était si choqué que ses yeux étaient vitreux. Elle le salua poliment d'un signe de tête. Comme il ne répondait pas, elle entreprit de lui nettoyer le flanc sans attendre. Il soupira lorsqu'elle retira du bout des dents une écharde et appliqua un peu de baume sur la plaie.

Nuage de Feuille soigna les blessés les uns après les autres jusqu'à ce que ses pattes refusent de la porter davantage. Lorsque la lune se mit à briller dans le ciel, elle jeta un coup d'œil vers son père, perché un peu plus haut.

« Jessie, pourrais-tu me remplacer ? Il ne reste qu'un ou deux apprentis à soigner, et je voudrais m'assurer qu'Étoile de Feu va bien.

— Bien sûr. Vas-y. »

Allongé près de Tempête de Sable, Étoile de Feu nettoyait le sang séché entre ses griffes.

« Comment te sens-tu ? lui demanda-t-elle en touchant son museau du bout de sa truffe.

— Bien, ronronna-t-il en la couvant d'un regard doux et clair.

— Tu es sûr ? » insista-t-elle en scrutant son visage. Malgré ses liens avec le Clan des Étoiles, elle ne saurait jamais ce que l'on ressent en perdant une vie. « Est-ce... est-ce que nos ancêtres t'ont dit que nous devrions quitter la forêt sans plus attendre ?

— Ils ont simplement déclaré que je devais revenir pour protéger mon Clan. Et c'est bien ce que je compte faire. »

Nuage de Feuille entendit les guerriers du Clan de la Rivière se rassembler derrière elle.

« Nous retournons à notre camp, annonça Patte de Brume à Étoile de Feu. Mais nous savons que le moment est venu de prendre une décision : faut-il quitter la forêt ou non ? »

L'apprentie retint son souffle. Le destin des quatre Clans ne tenait plus qu'à un fil de toile d'araignée, si fragile que la plus douce des brises pouvait le casser.

« J'imagine que nombre d'entre vous ont remarqué que la rivière s'assèche, poursuivit le lieutenant du Clan de la Rivière.

— Les Bipèdes ont détourné son cours, expliqua Moustache en s'avançant d'un pas. Nos guerriers les ont vus creuser d'énormes trous autour des gorges pour évacuer ses eaux. »

Patte de Brume se contenta de cligner des yeux, comme si toute explication était vaine.

« Avant mon départ, Étoile du Léopard m'a dit une chose : si le camp du Clan de l'Ombre est détruit, les Bipèdes viendront bientôt jusqu'à nous. » Elle soutint le regard d'Étoile de Feu. « Le Clan de la Rivière quittera la forêt avec vous tous. »

Nuage de Feuille fut si soulagée que ses épaules s'affaissèrent.

Le chef du Clan du Tonnerre se leva péniblement, les yeux soudain brillants.

« Moustache, annonce à tes camarades que les Clans du Tonnerre et de la Rivière voyageront à leurs côtés. » Il se tourna vers Étoile de Jais. « Le Clan de l'Ombre se joindra-t-il à nous ? »

Le meneur aux pattes noires semblait hésiter, mais Étoile de Feu n'était pas d'humeur à attendre sa réponse.

« Tu ne peux tout de même pas envisager de vivre parmi les Bipèdes ? Tu as vu ce dont ils sont capables ? siffla-t-il.

— Nous n'avons plus ni foyer ni territoire. Le Clan de l'Ombre partira avec vous. »

Étoile de Feu leva la tête pour s'adresser à tous les félins présents sur le rocher.

« Nous partirons à l'aurore ! »

Des miaulements enthousiastes s'élevèrent de l'assemblée. Nuage de Feuille se sentit soudain impatiente. Quoi que leur réserve leur voyage, où qu'ils aillent, cela ne pouvait être pire que de rester ici, alors que les Bipèdes et leurs monstres les encerclaient peu à peu. Elle jeta un coup d'œil vers Jessie, qui s'occupait toujours des blessés du Clan de l'Ombre. Auraient-ils le temps de l'escorter jusque chez elle avant le départ ? Ou bien s'était-elle si bien intégrée au Clan qu'elle partirait avec eux ?

« Où irons-nous ? »

Oreille Balafrée fut le premier à poser cette question, mais tous la reprirent en chœur.

Étoile de Feu coula un regard plein d'espoir vers Griffe de Ronce, mais celui-ci baissa la tête. Nuage d'Écureuil se pressa contre lui. Nuage de Feuille les étudia, perplexe. Ils ressemblaient à deux apprentis dissipés à qui l'on venait de demander quelle était la meilleure façon d'attraper un campagnol.

« Comme vous le savez, le signe prédit par Minuit n'est jamais venu, lança Griffe de Ronce, articulant chaque mot avec peine. Nous ignorons donc où nous devons aller précisément, mais nous pouvons partir vers l'endroit où sombre le soleil.

— Si aucun signe n'apparaît en chemin, alors on interrogera de nouveau Minuit, glissa Nuage d'Écureuil.

— Et dans quelle direction faut-il partir ? demanda Étoile de Jais.

— Nous avons suivi deux itinéraires différents… répondit Griffe de Ronce avant de laisser sa phrase en suspens, tout en jetant un coup d'œil à Nuage d'Écureuil.

— Et vous ne savez pas lequel prendre ? finit pour lui Étoile de Feu.

— Nous… nous devrions d'abord nous diriger vers les Hautes Pierres, dit finalement le guerrier. Loin des Bipèdes.

— Bien, miaula Étoile de Feu. Nous nous retrouverons à l'aurore au bout du territoire du Clan du Vent. »

Patte de Brume et Étoile de Jais acquiescèrent.

« Alors c'est entendu. » Le meneur du Clan du Tonnerre se tourna vers Étoile de Jais. « Il serait plus simple pour tout le monde que le Clan de l'Ombre dorme cette nuit sur les Rochers du Soleil, déclara-t-il en choisissant ses mots avec soin. Nous pourrions partir plus tôt si vous restiez ici. »

Étoile de Jais sembla apprécier la diplomatie d'Étoile de Feu.

« Alors nous resterons, dit-il.

— Comme s'ils avaient le choix ! persifla Poil de Châtaigne à l'oreille de Nuage de Feuille.

— Mais nous ne dormirons pas parmi vous, et nous posterons un garde, prévint le chef du Clan de l'Ombre.

— Ces guerriers viennent de sauver ton Clan ! s'indigna Patte de Brume. Tu crois que le Clan du Tonnerre vous a ramenés ici pour mieux vous anéantir ?

— Attends de savoir si Étoile du Léopard accepte tes projets de départ avant de juger mes décisions », rétorqua-t-il.

Nuage de Feuille grimaça. Elle se tourna à demi vers sa sœur, mais Nuage d'Écureuil n'écoutait plus, le regard perdu dans la forêt, la mine anxieuse.

« Tout va bien ? lui demanda l'apprentie guérisseuse en venant la rejoindre.

— J'espère juste que le Clan des Étoiles nous enverra bientôt un signe, répondit Nuage d'Écureuil.

— Je suis sûre qu'il le fera.

— Tu as raison, miaula la rouquine en la dévisageant avec sérieux. Même sans ce signe, je sais que le Clan des Étoiles nous protégera et nous guidera, où que nous allions. »

Nuage de Feuille resta interdite. Elle aurait voulu en être certaine. Le Clan des Étoiles était resté silencieux alors que le Clan de l'Ombre avait eu besoin de lui plus que jamais. Il ne devait sa survie qu'à la chance et au courage des guerriers des autres Clans. Nuage de Feuille en venait à croire que le Clan des Étoiles était impuissant et que les Clans de la forêt devraient compter sur l'entraide, et rien d'autre, pour survivre.

CHAPITRE 16

LORSQUE NUAGE DE FEUILLE descendit au pied des rochers, une bande de nuages voilait la voûte nocturne. Elle savait, grâce à la douce brise chargée d'odeurs de pluie, qu'il ne gèlerait pas cette nuit-là. La plupart des membres du Clan dormaient. Le Clan de l'Ombre s'était réfugié tout au bord des Rochers du Soleil, aussi loin que possible du Clan du Tonnerre.

L'apprentie était si fatiguée qu'elle ne sentait plus ses pattes. Pourtant, dans son esprit tourbillonnaient des pensées, des souvenirs horribles de la journée passée, mêlés aux incertitudes que réservait le voyage à venir. Sachant qu'elle n'arriverait pas à dormir, elle se dirigea vers la forêt. Même pendant la mauvaise saison, les senteurs humides et la caresse de la terre sous ses coussinets l'apaisaient.

À l'orée des bois, elle entendit Jessie l'appeler :

« Nuage de Feuille ! »

La chatte domestique avait trouvé refuge parmi des fougères.

« Jessie ? Mais qu'est-ce que tu fais là ?

— J'ai quelque chose à t'annoncer, répondit la chatte en griffant le sol.

— Quoi donc ?

— Je m'en vais, dit-elle simplement. Je rentre chez moi. »

Nuage de Feuille se retint de crier : « Non ! Reste, je t'en prie ! » Elle s'approcha d'un pas, toucha de sa truffe l'oreille de son amie.

« Ce n'est pas une vie pour moi, toutes ces morts, ce sang, ces incertitudes, expliqua la chatte. Je suis heureuse, avec mes maisonniers, et je dois leur manquer. Je ne pensais pas rester si longtemps, mais Petit Frêne avait besoin de moi et j'ai commencé à...

— Tu as commencé à apprécier ta liberté, la coupa Nuage de Feuille, essayant de rappeler à son amie ce qu'elle s'apprêtait à abandonner.

— C'est sans doute vrai, admit-elle. Mais aujourd'hui, j'ai vu à quel point votre liberté était fragile. Vous devez lutter pour tout : pour trouver votre nourriture, et même un abri, parfois. » Elle secoua la tête comme pour s'excuser. « Moi, j'ai besoin de savoir que je dormirai chaque soir au même endroit, et qu'il y aura toujours de la nourriture pour combler mon estomac. Et j'apprécie la compagnie de mes maisonniers. Tous les Bipèdes ne sont pas aussi affreux que ceux qui détruisent vos foyers.

— Veux-tu que je te montre le chemin ? lui demanda Nuage de Feuille. Étoile de Feu t'a promis qu'on t'escorterait. »

Jessie refusa d'un signe de tête.

« Les bois ont l'air calmes, miaula-t-elle. La nuit, les monstres se tiennent tranquilles. De toute façon, tu dois te reposer avant de partir. » Elle jeta un regard en arrière, vers les Rochers du Soleil. « Remercie Étoile de Feu de ma part. »

Le cœur serré, l'apprentie guérisseuse pressa son museau contre la joue de la chatte. Les yeux clos, Jessie soupira. Puis elle se reprit et déclara :

« J'ai dit au revoir à Petit Frêne. Fleur de Bruyère s'alimente de nouveau correctement. Elle pourra s'occuper de lui, maintenant.

— Tu vas me manquer.

— Toi aussi, tu me manqueras. Et je guetterai le moindre signe de Plume Grise, promit-elle. Si je le vois, je lui dirai que vous êtes partis vers les Hautes Pierres et que son Clan l'attend. »

Nuage de Feuille sentit un coup de langue râpeux sur son oreille.

« Au revoir, Nuage de Feuille, murmura Jessie. Bonne chance.

— Au revoir, Jessie. »

Le cœur gros, Nuage de Feuille regarda son amie disparaître dans les ombres de la forêt en regrettant de ne pas avoir réussi à la convaincre de rester.

Elle sursauta soudain en entendant les fougères frémir derrière elle. C'était Poil de Châtaigne.

« Jessie rentre chez elle ? s'enquit-elle.

— Ses Bipèdes s'inquiètent pour elle, paraît-il.

— J'ai entendu. Ça va, toi ?

— Évidemment. »

Elle se prépara à entendre une nouvelle fois la rengaine de Poil de Châtaigne à propos des chats domestiques qui n'avaient pas leur place dans la forêt. Mais son amie se contenta de la regarder avec compassion.

« On n'a qu'à dormir là, ce soir, suggéra la guerrière. Après tout, c'est notre dernière nuit dans la forêt. »

À cette idée, Nuage de Feuille perdit pied. Pendant un instant fugace, elle voulut s'allonger, la tête à moitié enfouie dans l'humus, et tout oublier. Comment pouvaient-ils partir sans savoir où aller ? Elle suivit malgré tout Poil de Châtaigne dans les fougères, qu'elles aplatirent afin de former un nid assez grand pour elles deux. En s'installant, Nuage de Feuille sentit la queue de Poil de Châtaigne lui chatouiller la truffe.

« Ton Clan est toujours là, murmura la guerrière.

— Je sais. »

Nuage de Feuille ferma les yeux et essaya de ne pas penser à Jessie, qui courait vers chez elle, toute seule.

Nuage de Feuille se réveilla la fourrure mouillée par une pluie froide. Ses yeux s'ouvrirent dans la lumière grise de l'aurore. Elle s'étira avant de s'ébrouer pour sécher son pelage. Son mouvement brusque réveilla Poil de Châtaigne.

« Brrr, gémit la chatte écaille en se levant à contrecœur. Quel temps pour voyager ! »

Elle savait pourtant qu'Étoile de Feu ne retarderait pas le départ : ils ne pouvaient rester un instant de plus dans la forêt.

Elles quittèrent leur nid détrempé et regagnèrent les Rochers du Soleil, où les deux Clans commençaient à se rassembler. Pelage d'Or, qui faisait sa toilette avec un apprenti du Clan de l'Ombre, s'interrompait de temps à autre pour chasser d'une secousse les gouttes de pluie de ses oreilles.

« Je me demande ce que ça lui fait, d'être de retour dans le Clan du Tonnerre, murmura Poil de Châtaigne en suivant le regard de Nuage de Feuille.

— Ça doit être bizarre, j'imagine.

— Le sol va être très glissant », miaula Pelage de Granit avec inquiétude, exprimant à voix haute ce que tous les chats du Clan du Tonnerre pensaient tout bas.

Ils se tournèrent vers Étoile de Feu. L'apprentie guérisseuse savait que ce n'était pas seulement la pluie qui leur hérissait le poil. Tout le monde était nerveux à l'idée du périple à venir.

« Averse ou pas, nous partirons dès que le Clan de la Rivière sera là, trancha le chef. Vous n'entendez donc pas les monstres des Bipèdes ? »

Nuage de Feuille tendit l'oreille. Malgré le martèlement de la pluie, elle discerna bel et bien les monstres qui grondaient derrière les arbres. Jamais ils ne s'étaient approchés si près des Rochers du Soleil. L'idée qu'ils encerclaient leur ultime refuge la remplit d'effroi.

« Je veux que tous les guerriers et les apprentis partent chasser avant le départ, miaula Étoile de Feu. Nous partagerons le peu que nous trouverons avec le Clan de l'Ombre.

— Le Clan de l'Ombre organisera ses propres patrouilles de chasse ! lança Étoile de Jais depuis l'autre côté des rochers.

— Très bien, répondit le meneur au pelage roux, la mine sombre. Nos chasseurs vous montreront les meilleurs coins.

— Nous pouvons trouver nos proies nous-mêmes », feula Étoile de Jais.

Étoile de Feu montra les crocs, mais ne répondit pas. Il se tourna vers Griffe de Ronce qui, la queue battante, labourait le sol d'impatience.

« Je veux que tu rassembles deux patrouilles de chasseurs, lui ordonna-t-il. Mais ne laisse personne s'approcher des Bipèdes. »

Le chef remua les moustaches pour en chasser l'humidité, avant de s'adresser à Museau Cendré :

« Prépare des herbes fortifiantes pour tout le monde. En auras-tu suffisamment ?

— Oh, oui. J'espère juste que, où que nous allions, je trouverai de quoi renouveler mes réserves. »

Griffe de Ronce partit à la tête d'un groupe de chasseurs vers les profondeurs des bois détrempés, aussitôt suivi par Poil de Souris et sa propre patrouille. Étoile de Jais les regarda disparaître entre les arbres, avant de marmonner ses ordres à son lieutenant, Feuille Rousse. Aussitôt, la guerrière au pelage roux sombre plaqué par la pluie fit signe à quelques matous. Ils descendirent du rocher et s'engagèrent dans la forêt.

Museau Cendré secoua la tête.

« Ils auraient dû se joindre à nos patrouilles, murmura-t-elle. Ils ne connaissent pas notre territoire, et le gibier est si rare qu'ils auront besoin d'aide pour le débusquer.

— Pourquoi Étoile de Jais se montre-t-il aussi entêté ? demanda Nuage de Feuille.

— Le Clan de l'Ombre a toujours été très fier, répondit Museau Cendré en sortant des paquets de feuilles d'une fissure. Maintenant qu'ils ont été chassés de chez eux, la fierté, c'est tout ce qu'il leur reste.

— Mais il serait tout de même plus sage d'unir nos forces, non ? Un long périple nous attend.

— Les frontières entre les Clans sont difficiles à franchir. Nous avons tout perdu, sauf nos traditions. Je comprends Étoile de Jais, même si c'est exaspérant. Je lui ai proposé d'examiner ses blessés à mon réveil : il a refusé, affirmant que le Clan du Tonnerre en avait assez fait hier et qu'il ne comptait pas aggraver la dette de son Clan envers nous.

— Comment peut-il parler de dette ? s'exclama l'apprentie guérisseuse. Nous luttions simplement pour notre survie.

— Je sais. Et pour survivre, il nous faut partir. Alors finissons vite de mélanger ces herbes. Quel que soit le voyage, c'est le premier pas qui compte. Et c'est à nous de le faire. »

Tandis que la pluie tombait sans relâche, elles préparèrent les herbes fortifiantes. Affamés depuis trop longtemps, leurs camarades avaient tous plus que jamais besoin de ce remède ancien, transmis de guérisseur à apprenti depuis d'innombrables lunes.

Les patrouilles de chasseurs du Clan du Tonnerre rentrèrent au moment même où elles terminaient la préparation. Les félins déposèrent leurs prises au sommet des rochers : des oiseaux et des souris, juste assez pour nourrir le Clan. La patrouille du Clan de l'Ombre revint peu après. À eux tous, ils n'avaient attrapé qu'une grive.

« Leur proposeras-tu de partager nos prises ? demanda Nuage de Feuille à son père.

— Étoile de Jais se sentirait insulté.

— Ils pourront toujours chasser en chemin, j'imagine, soupira-t-elle.

— Avec un peu de chance, c'est ce que nous ferons tous. Le gibier doit être plus abondant là-bas qu'ici. » Étoile de Feu s'ébroua. « Va manger. Le Clan de la Rivière sera bientôt là.

— Entendu. »

Nuage de Feuille dévala la pente jusqu'au rocher où Griffe de Ronce et Nuage d'Écureuil partageaient un pinson. Leur pelage était trempé, tout assombri par la pluie.

« Tu en veux ? lui offrit Nuage d'Écureuil.

— Oui, merci. »

L'estomac de Nuage de Feuille criait famine et l'odeur de la viande fraîche lui fit monter l'eau à la bouche. L'apprentie et le guerrier tacheté s'écartèrent pour la laisser prendre une bouchée.

« Et si tu en portais un peu à ta sœur ? » proposa Nuage de Feuille à Griffe de Ronce.

Le Clan de l'Ombre se partageait un bien maigre butin ; chaque membre ne prenait qu'une petite bouchée avant de passer la grive à son voisin.

« Ce serait une perte de temps », répondit-il en secouant la tête.

Son ton acerbe surprit l'apprentie guérisseuse.

« On a croisé Pelage d'Or pendant la chasse, expliqua Nuage d'Écureuil. Et Griffe de Ronce lui a proposé de venir chasser avec nous. Elle nous a rétorqué qu'elle appartenait au Clan de l'Ombre et ne chasserait jamais pour un autre Clan.

— Pour qui elle se prend, soudain ? gronda Griffe de Ronce. À croire qu'elle a oublié qu'elle est née dans le Clan du Tonnerre et que nous avons voyagé ensemble pendant plus d'une lune.

— Ce doit être difficile, pour elle, de se retrouver parmi nous, hasarda Nuage de Feuille. Elle ressent sans doute le besoin de prouver plus que jamais sa loyauté envers son Clan.

— Nuage de Feuille a raison, miaula sa sœur. N'y vois là rien de personnel, Griffe de Ronce. Tu me disais il n'y a pas si longtemps que ta loyauté allait avant tout au Clan du Tonnerre, et non aux membres de ta famille. Tu dois accepter que Pelage d'Or défende les mêmes principes.

— Tu n'as pas tort, admit le guerrier. Je voulais juste chasser de nouveau avec ma sœur. »

Nuage de Feuille comprit à quel point il devait être difficile d'avoir un frère ou une sœur dans un autre Clan. Elle jeta un coup d'œil vers Nuage d'Écureuil et savoura sa chance.

« Nuage de Feuille ! l'appela Museau Cendré. Viens m'aider ! »

L'apprentie grimpa la pente en quelques bonds.

« Veux-tu bien porter ces herbes aux reines et aux anciens ?

— Et Petit Frêne ?

— Donne-lui une demi-dose. »

Nuage de Feuille coula un regard inquiet vers Étoile de Jais.

« Est-ce qu'on les partage avec le Clan de l'Ombre ?

— Il nous en restera, de toute façon, répondit la guérisseuse, le regard pétillant. Je les offrirai à Petit Orage en lui disant que nous n'en avons pas besoin. Étoile de Jais peut les accepter ou les refuser, à sa guise. »

L'apprentie admira la bonté de son mentor, ainsi que sa finesse : c'était une proposition qu'Étoile de Jais pouvait accepter sans perdre la face. Elle ramassa un paquet d'herbes qu'elle apporta à Fleur de Bruyère. La reine accepta les plantes amères avec gratitude, mais Petit Frêne ne se montra guère reconnaissant.

« On dirait de la chair à corbeau ! gémit-il.

— Tu n'as jamais mangé de chair à corbeau, lui fit remarquer sa mère. Avale et tais-toi. »

Amusée, Nuage de Feuille ronronna en emportant le reste au surplomb, sous lequel Pelage de Givre, Longue Plume et Perce-Neige avaient trouvé refuge.

Lorsqu'elle déposa les plantes devant eux, Pelage de Givre secoua la tête.

« Pas la peine de nous en donner, murmura la vieille chatte. Ce serait du gâchis : nous ne suivrons pas le Clan.

— Hein ? Mais pourquoi ?

— Que se passe-t-il ? s'enquit Étoile de Feu en venant les rejoindre.

— Pelage de Givre prétend qu'ils ne viennent pas avec nous !

— Nous sommes trop vieux pour faire un tel voyage, grimaça Perce-Neige. On ne ferait que vous ralentir.

— Et à quoi vous servirait-on ? ajouta Longue Plume en agitant la queue. Je ne vois même pas où je pose mes pattes !

— Le Clan t'aidera », le rassura Étoile de Feu avec douceur. Il passa les anciens en revue avant d'ajouter : « Tout comme il vous aidera tous.

— On le sait bien, miaula Pelage de Givre. Mais Perce-Neige et moi, on est trop âgées pour supporter un tel changement. On préfère encore mourir ici, sous la Toison Argentée, en sachant que le Clan des Étoiles nous attend. »

Nuage de Feuille se crispa. Le Clan des Étoiles les accompagnerait où qu'ils aillent, non ?

« Je ne peux pas vous forcer, répondit Étoile de Feu en hochant la tête avec gravité. Je sais que vos pattes sont lasses, et que vous entendez déjà les murmures du Clan des Étoiles. Mais toi, Longue Plume, je refuse de t'abandonner ici. » Lorsque le guerrier aveugle ouvrit la gueule pour répondre, Étoile de Feu se hâta de poursuivre : « Hier, tu as été le premier à entendre l'arrivée des membres du Clan du Vent. Tu as peut-être perdu la vue, mais ton ouïe et ton odorat sont plus aiguisés que jamais. Je t'en prie, viens avec nous. »

Longue Plume ferma ses yeux qui ne voyaient plus et prit une profonde inspiration.

« Merci, dit-il en se tournant vers son chef comme pour le regarder dans les yeux. Je viendrai. »

À cet instant, Pelage d'Orage bondit jusqu'à eux.

« Étoile de Feu ! lança-t-il. Il y a un problème. Le Clan de la Rivière ne peut pas partir aujourd'hui.

— Pourquoi donc ? s'enquit le meneur, les oreilles frémissantes.

— Patte de Pierre se meurt. Nous ne pouvons pas l'abandonner.

— Eh bien, nous resterons avec lui, annonça Pelage de Givre.

— Nous veillerons sur lui jusqu'à ce que le Clan

des Étoiles soit prêt à le recevoir, poursuivit Perce-Neige.

— Mais il n'est pas des vôtres ! s'étonna Pelage d'Orage.

— Peu importe, miaula Pelage de Givre. Nous restons là, de toute façon. Autant faire notre possible pour Patte de Pierre.

— Le camp du Clan de la Rivière est bien mieux abrité que cet endroit, dit Nuage de Feuille. En restant dans les roseaux, vous serez à l'abri des Bipèdes.

— C'est vrai, confirma Étoile de Feu. Nous emmènerons donc Pelage de Givre et Perce-Neige voir Patte de Pierre et, si Étoile du Léopard le permet, nous les laisserons avec le vieux guérisseur pour que le Clan de la Rivière puisse nous accompagner.

— Nous partirons devant et vous attendrons à l'orée de la forêt », annonça Étoile de Jais, qui avait entendu leur conversation.

Une voix rocailleuse s'éleva soudain. Nuage de Feuille reconnut le miaulement de Rhume des Foins.

« J'aimerais dire au revoir à Patte de Pierre, miaula le vieux matou. Je le connais depuis l'époque où j'étais apprenti. »

Tandis qu'Étoile de Jais fixait l'ancien guérisseur de son Clan, Nuage de Feuille vit pour la première fois du respect dans son regard.

« Bien sûr, Rhume des Foins, dit-il. Accompagne le Clan du Tonnerre. Nous nous retrouverons tout à l'heure.

— Tout le monde a-t-il reçu des herbes fortifiantes ? demanda Étoile de Feu à son Clan.

— Oui, répondit Museau Cendré. En fait, il nous en reste un peu. Autant que le Clan de l'Ombre s'en serve. »

Son ton détaché ne trahissait rien.

Nuage de Feuille jeta un coup d'œil vers Petit Orage, dont la queue frétillait d'excitation.

« Peut-on les prendre, Étoile de Jais ? implora le jeune guérisseur.

— Il serait idiot de les laisser perdre », grommela le meneur du Clan de l'Ombre.

Petit Orage se mit aussitôt à distribuer les portions d'herbes. Étoile de Jais observait Longue Plume, les yeux plissés. Nuage de Feuille se raidit. Allait-il s'opposer à la venue d'un guerrier aveugle pour un si long périple ?

Mais le meneur se contenta de miauler :

« L'aveugle peut venir avec nous, pendant que vous allez chercher le Clan de la Rivière. Inutile de lui faire traverser le cours d'eau. Mes guerriers pourront le guider à travers la forêt. »

Étoile de Feu le remercia d'un regard avant de poser le bout de sa queue sur Longue Plume.

« Est-ce que cela te convient ? » lui demanda-t-il.

L'intéressé opina, avant de suivre Étoile de Jais jusqu'au pied des rochers, où attendaient les membres du Clan de l'Ombre.

« Tout le monde est prêt ? » lança Étoile de Feu à son propre Clan.

Des miaulements affirmatifs s'élevèrent des rochers. Tous suivirent leur chef lorsqu'il s'élança vers la berge. Malgré la pluie battante, la rivière n'était plus qu'un filet d'eau.

« Museau Cendré, Nuage de Feuille, venez avec moi », ordonna Étoile de Feu en s'arrêtant sur la rive. Rhume des Foins, Pelage de Givre et Perce-Neige traversaient déjà le passage à gué, à la suite de Pelage d'Orage. « Le reste du Clan nous attendra ici. »

D'un signe de tête, il désigna Griffe de Ronce comme responsable pendant son absence et rejoignit les anciens.

Les roseaux bordant le camp avaient fané, leurs racines étaient maintenant visibles. Nuage de Feuille suivit son père jusqu'à la clairière. Elle se crispa, voyant plusieurs guerriers se tourner vers eux pour les toiser durement, aussi surpris qu'hostiles.

Le regard flamboyant, Étoile du Léopard se tenait devant l'entrée de la clairière du guérisseur.

« Que faites-vous là ? Pelage d'Orage ne vous a donc pas transmis mon message ?

— Si, répondit le guerrier gris en se hâtant de rejoindre le cœur du camp. Mais Étoile de Feu est venu te faire une proposition.

— Pelage de Givre et Perce-Neige ont décidé de rester dans la forêt, annonça Étoile de Feu. Elles proposent de s'occuper de Patte de Pierre.

— C'est gentil de leur part, répondit la meneuse en inclinant la tête. Mais ce ne sera pas nécessaire. Patte de Pierre aura bientôt rejoint le Clan des Étoiles. »

Nuage de Feuille s'écarta pour laisser passer Rhume des Foins. Sous le choc, la respiration sifflante, celui-ci s'avança vers la clairière secondaire abritant le repaire de son vieil ami. Museau Cendré le suivit, bientôt imitée par Nuage de Feuille qui, au passage, jeta un coup d'œil craintif à la meneuse. Étoile du Léopard les laissa passer sans un mot.

Papillon leva la tête à leur arrivée. Un voile de tristesse embrumait ses yeux.

« On ne peut plus rien faire pour lui, dit-elle à Museau Cendré. Il ne souffre pas. Je m'en suis assurée. »

Patte de Pierre gisait au milieu de la petite clairière. Malgré la pluie qui gouttait des branches et trempait son pelage négligé, il ne faisait pas le moindre geste pour se mettre à l'abri. Assise près de Papillon, Pelage d'Ombre, une ancienne du Clan de la Rivière, assistait tristement à l'agonie du vieux guérisseur.

Rhume des Foins vint presser sa truffe contre l'épaule de Patte de Pierre.

« Va-t'en vite rejoindre le Clan des Étoiles, mon ami. Nous veillerons sur tes camarades de Clan. »

Museau Cendré posa son museau sur l'épaule du vieux guérisseur. Lorsque Nuage de Feuille s'accroupit pour enfouir sa tête dans la fourrure du mourant, l'odeur inimitable de la mort emplit ses narines. Elle se força à ne pas reculer et ferma les yeux. *Au moins, toi, tu peux être certain que le Clan des Étoiles t'attend*, pensa-t-elle.

Dans un hoquet, Patte de Pierre prit une ultime inspiration : son flanc se souleva une fois, puis retomba pour toujours, au moment où son esprit rejoignait ses ancêtres.

« Il est avec le Clan des Étoiles, maintenant », murmura Papillon.

La gorge nouée, Nuage de Feuille contempla le corps inerte. Le vieux guérisseur ne connaîtrait jamais leur nouveau foyer, où qu'il se trouve. Combien comme lui ne verraient pas le terme de leur voyage ?

CHAPITRE 17

« COMMENT VAIS-JE FAIRE sans lui ? gémit Papillon, les yeux écarquillés.

— Tu t'en sortiras très bien, la rassura Museau Cendré. Et tu auras le temps de le pleurer, mais pas tout de suite. »

Papillon regarda un instant son aînée, avant de hocher la tête. Puis elle partit avertir ses camarades de la mort de Patte de Pierre. Nuage de Feuille attendit que les membres du Clan de la Rivière viennent faire leurs adieux à leur guérisseur puis elle rejoignit à son tour la clairière principale.

Assise sous la pluie, tête basse, Papillon laissait l'eau goutter de ses moustaches.

« Je n'arrive pas à croire qu'il soit parti, miaula-t-elle.

— Il n'est pas parti très loin, la réconforta Nuage de Feuille. Il chasse avec le Clan des Étoiles.

— Je l'espère », murmura Papillon.

Étoile du Léopard sortit de la clairière secondaire et se dirigea vers Étoile de Feu.

« Pelage d'Ombre et Ventre Affamé resteront ici, avec vos anciens, annonça-t-elle. Ils sont trop vieux pour voyager et souhaitent veiller Patte de Pierre.

— Entendu, répondit le chef du Clan du Tonnerre. Nous attendrons que ton Clan soit prêt pour partir. »

Plume de Faucon et Pelage d'Orage vinrent rejoindre Nuage de Feuille et Papillon. Pour une fois, le regard de Plume de Faucon était doux lorsqu'il frotta sa joue contre le cou de sa sœur.

« Jamais je n'aurais pensé qu'on devrait abandonner certains de nos camarades, soupira Pelage d'Orage.

— Moi non plus », convint Nuage de Feuille en coulant un regard vers Pelage de Givre et Perce-Neige.

L'image de Plume Grise emporté dans le ventre du monstre lui revint en tête.

Étoile du Léopard gagna le centre de la clairière.

« Tout le monde est prêt ? » lança-t-elle.

Le moment était venu. En silence, les chats se dirigèrent les uns après les autres vers la sortie. Pelage de Givre et Perce-Neige regardèrent leurs camarades partir sans mot dire.

« Au revoir, leur murmura Nuage de Feuille. Bonne chasse.

— Bonne chasse à vous », répondit Pelage de Givre.

Nuage de Feuille contempla le ciel gris à travers les branches des arbres. Elle cligna des yeux pour faire tomber les gouttelettes de pluie suspendues à ses cils. Elle avait presque l'impression que le Clan des Étoiles pleurait de voir leurs protégés quitter la forêt.

« Viens, souffla doucement Étoile de Feu à son oreille. Le Clan va nous attendre. »

Le sol glissant couvert de feuilles mortes compliquait la traversée de la forêt. Les membres du Clan de la Rivière restaient groupés à l'arrière, sans toutefois se laisser distancer par le Clan du Tonnerre. Poil de Châtaigne, qui suivait Nuage de Feuille, la stabilisait d'un petit coup de museau chaque fois qu'elle trébuchait. Lorsqu'ils arrivèrent à la lisière de la forêt, où une étroite bande de territoire du Clan de la Rivière les séparait de la lande, Nuage de Feuille repéra l'odeur du Clan de l'Ombre. En levant les yeux, elle aperçut les matous rassemblés sous les arbres, trempés et frissonnants.

« On a cru que vous n'arriveriez jamais », se plaignit Étoile de Jais en s'ébrouant.

Mal à l'aise sous ces arbres qui appartenaient jadis au Clan du Tonnerre, les membres du Clan de l'Ombre faisaient les cent pas autour de leur chef. Même Pelage d'Or semblait pressée de partir. Nuage de Feuille, quant à elle, aurait préféré s'attarder un peu, tant il lui coûtait de quitter la forêt.

Étoile de Feu s'adressa à son Clan.

« Nous devons dire adieu à tout ce que nous avons connu », miaula-t-il.

L'apprentie guérisseuse sentit la fourrure de Poil de Châtaigne contre la sienne. Au même instant, Nuage d'Écureuil se rapprocha de Griffe de Ronce.

« Je veux rentrer chez nous ! gémit un des petits de Fleur de Pavot, les yeux levés vers sa mère.

— C'est bien là que nous allons, promit-elle, les oreilles frétillantes. Notre nouveau chez-nous. »

Au même instant, une chatte au pelage fauve apparut un peu plus loin entre les arbres. Malgré la pluie qui dissimulait son odeur, Nuage de Feuille identifia aussitôt l'étrangère. C'était Sacha.

Papillon la reconnut elle aussi : elle bondit à sa rencontre avant de rouler sur le ventre devant elle comme un chaton. Plume de Faucon suivit sa sœur avec plus de retenue, le bout de sa queue s'agitant de-ci de-là. Les membres du Clan de la Rivière les regardèrent s'éloigner avec patience, mais ceux du Clan du Tonnerre, qui ne savaient pas qui était Sacha, semblaient stupéfaits. Quant aux guerriers du Clan de l'Ombre, ils paraissaient franchement hostiles.

« Que fait-elle là ? s'enquit Nuage d'Écureuil.

— Elle sait peut-être que nous partons, suggéra Nuage de Feuille.

— Mais pourquoi est-elle venue ? »

Sacha finit de saluer son fils et sa fille avant de se diriger vers l'assemblée de félins. Pelage de Granit cracha d'un air menaçant, mais Étoile de Feu le fit taire d'un regard.

« Je ne pensais pas te revoir un jour, miaula Étoile du Léopard en saluant Sacha d'un signe de tête.

— Moi non plus, admit la chatte errante. Je suis venue demander à Plume de Faucon et Papillon de quitter le Clan de la Rivière pour venir vivre avec moi. J'ai vu ce que les Bipèdes infligeaient à vos territoires. Mes petits ne sont plus en sécurité avec vous. »

Papillon baissa la tête. Le cœur de Nuage de Feuille fit un bond dans sa poitrine. *Peut-elle vraiment envisager de rejoindre sa mère ?* Elle frôla Sacha pour se planter devant la guérisseuse du Clan de la Rivière.

« Je sais que les temps sont durs, mais tu ne penses tout de même pas à partir, n'est-ce pas ?

— Je… je ne sais pas.

— Ton Clan a besoin de toi, protesta Nuage de Feuille, avant de dévisager Plume de Faucon. Et toi, tu n'abandonnerais pas tes camarades, pas vrai ?

— La décision leur appartient, gronda Étoile de Feu. Mais je suis d'accord avec toi, Nuage de Feuille : leur place est dans leur Clan.

— Vous voulez vraiment qu'ils restent ? » s'étonna Sacha, les yeux plissés. Soudain, le vent tomba et tous semblèrent retenir leur souffle lorsqu'elle poursuivit : « Même en sachant qu'Étoile du Tigre est leur père ? »

Nuage de Feuille passa en revue les visages choqués des membres du Clan de la Rivière. Alors que Plume de Faucon et Papillon avaient grandi parmi eux, ils ignoraient manifestement leur origine.

Étoile de Feu soutint longuement le regard de Sacha.

« Je veux qu'ils restent précisément pour cette raison », répondit-il finalement. Griffe de Ronce labourait le sol, tandis que Nuage d'Écureuil écarquillait les yeux. « Étoile du Tigre était un grand guerrier et ces chats ont prouvé qu'ils ont hérité de son courage, poursuivit le meneur. Leur Clan a plus que jamais besoin d'eux. » Il posa ensuite les yeux sur Griffe de Ronce et Pelage d'Or. « Les descendants d'Étoile du Tigre n'ont plus à démontrer que leur place est dans les Clans. »

Le secret était levé. À présent, tout le monde savait que le sang d'Étoile du Tigre coulait dans les veines de quatre guerriers, qui vivaient dans trois Clans différents. Papillon scruta la réaction de ses camarades de Clan, au contraire de Plume de Faucon, qui releva le menton comme s'il s'en moquait.

Étoile du Léopard acquiesça.

« Étoile de Feu a raison, dit-elle. Le Clan de la Rivière a besoin de tous ses guerriers, sans même parler d'un guérisseur !

— Mais ce sont les rejetons d'Étoile du Tigre ! »

La protestation de Fleur de l'Aube fit sursauter Nuage de Feuille. La reine du Clan de la Rivière contemplait Étoile du Léopard comme si la meneuse venait d'inviter un renard à les rejoindre.

« Et alors ? miaula Nuage d'Écureuil, dont les yeux lançaient des éclairs. Ça ne veut pas dire qu'ils ne sont pas loyaux !

— Plume de Faucon est l'un de nos meilleurs guerriers, ajouta Pelage d'Orage. L'un d'entre vous a-t-il déjà douté de sa loyauté ? demanda-t-il encore aux membres de son Clan.

— Jamais », répondit Patte de Brume.

Étoile du Léopard se tourna vers Plume de Faucon et Papillon.

« Resterez-vous avec nous ? leur demanda-t-elle.

— Bien sûr. Je n'abandonnerai jamais mon Clan », répondit aussitôt le guerrier, qui semblait défier ses camarades du regard.

Papillon leva timidement les yeux vers sa mère.

« Je dois moi aussi rester avec mon Clan, déclara-t-elle. Je suis leur guérisseuse. Ils ont besoin de moi.

— Très bien, fit Sacha. Étoile de Feu a raison. Moi aussi, je retrouve Étoile du Tigre en vous deux. »

Fleur de l'Aube émit un grondement sourd. Sacha se tourna vers elle.

« Étoile du Tigre n'a jamais connu ses petits, mais il aurait été fier d'eux. » Elle balaya du regard le Clan de la Rivière. « Vous avez de la chance de les compter parmi vous. »

Elle retourna auprès de Plume de Faucon et Papillon pour se frotter contre eux.

« Je vous souhaite un bon voyage », miaula-t-elle avant de s'éloigner dans les fougères.

Sans un mot, les chats des Clans la regardèrent disparaître dans la forêt.

CHAPITRE 18

« REGARDEZ ! » hurla Perle de Pluie.

Son cri fit sursauter l'assemblée de félins. Au sommet du talus face à la forêt, les silhouettes des membres du Clan du Vent se découpaient sur le gris du ciel telle une rangée de pierres.

« Allons-y », ordonna Étoile de Jais.

Il jaillit du couvert des arbres et grimpa à toute allure la pente boueuse, suivi par son Clan. Nuage d'Écureuil jeta un regard triste à la forêt, plongeant une dernière fois ses griffes dans la terre meuble et familière. Tous les guerriers des Clans de la Rivière et du Tonnerre s'attardèrent à l'orée des bois, comme pour retarder l'inévitable.

« Ce n'est plus chez nous, leur rappela Étoile de Feu avec douceur. Notre foyer nous attend au terme de notre voyage. »

Il s'éloigna alors, la tête baissée pour protéger ses yeux de la pluie drue.

Nuage d'Écureuil se joignit à ses camarades de Clan, qui suivaient lentement leur chef. Près d'elle, Poil de Fougère fit le gros dos en passant sous les taillis humides pour les imprégner une ultime fois de son odeur.

« Nous commencions à croire que vous aviez changé d'avis, gronda Griffe de Pierre lorsque les trois Clans gagnèrent le haut de la butte.

— Patte de Pierre était à l'agonie, expliqua Étoile du Léopard. Nous avons attendu qu'il ait rejoint le Clan des Étoiles. »

Étoile Filante était assis près de ses guerriers, frémissant. Ses côtes saillaient sous son pelage, pareilles à des brindilles noueuses. Grimaçant sous l'effort, il se leva à l'approche des arrivants.

« Je suis désolé pour Patte de Pierre, miaula le vieux chef.

— Au moins, il est mort sous la Toison Argentée, lui », marmonna Étoile de Jais.

Ses paroles glacèrent d'effroi Nuage d'Écureuil.

« Nous avons vu la Toison Argentée là où sombre le soleil, protesta-t-elle. Le Clan des Étoiles nous attendra à notre arrivée.

— Vous avez vu des étoiles, rétorqua Griffe de Pierre, la queue battante. Mais s'agissait-il de nos ancêtres ou d'autres guerriers de jadis ? »

La rouquine cligna des yeux en repensant à la Tribu de la Chasse Éternelle qui veillait sur les montagnes. Et si Griffe de Pierre avait raison ? Et s'ils abandonnaient derrière eux le Clan des Étoiles, en plus de leur foyer ?

« Bon, qu'est-ce qu'on attend ? feula Étoile de Jais en labourant le sol.

— Nous sommes prêts », annonça Étoile de Feu.

Devant eux, le paysage était méconnaissable : la lande avait laissé place à des tranchées de terre retournée.

« Il y a des monstres ? s'enquit Étoile du Léopard.

— Bien trop », grogna Étoile Filante.

Lorsque les félins s'engagèrent dans la première zone à découvert, Nuage d'Écureuil se trouva en difficulté. Ses pattes s'enlisaient dans la boue et lui semblaient lourdes comme des pierres.

Griffe de Ronce revint sur ses pas pour l'aider.

« Allez, tu peux y arriver.

— Ça va, feula-t-elle. Je peux me débrouiller toute seule.

— Je n'ai pas dit le contraire », miaula-t-il, blessé.

Aussitôt, Nuage d'Écureuil regretta ses paroles.

Juste derrière eux, Pelage de Poussière portait Petit Frêne dans la gueule. Flocon de Neige avançait à son côté. Sa fourrure était constellée de boue ; seul son dos, battu par la pluie, restait blanc.

« Je peux prendre le chaton », proposa-t-il.

Il saisit Petit Frêne entre ses mâchoires, veillant à ce que la boule de poils ne traîne pas dans la terre détrempée. Pelage de Poussière le remercia d'un signe de tête avant de dévaler une corniche boueuse pour aider Fleur de Bruyère, qui peinait à rester sur ses pattes.

Nuage Noir portait lui aussi un chaton. Il semblait au bord de l'épuisement, mais continuait à avancer malgré tout, les yeux rivés au sol.

Nuage d'Écureuil entendit alors le grondement des monstres. Malgré la pluie, leur puanteur la prit à la gorge. Oubliant les gouttes de pluie qui lui piquaient les yeux, elle leva la tête : des Bipèdes grouillaient à l'horizon.

« Comment allons-nous passer ? s'écria-t-elle.

— Peut-on contourner cet endroit ? demanda Étoile de Feu à Griffe de Pierre.

— Ils sont partout sur la lande, lança Moustache. C'est encore ici qu'ils sont le moins nombreux, je t'assure. »

Un monstre pourvu d'énormes pattes rondes et de dents étincelantes gronda en passant devant eux, tandis qu'un autre retournait la terre dans son sillage. Plus loin, un affleurement rocheux s'élevait au-dessus de la lande fangeuse.

« Si on arrive jusqu'à cette butte, on sera en sécurité pour un moment, déclara Griffe de Pierre. Les monstres ne savent pas grimper sur les rochers. »

Mais ils peuvent les pulvériser s'ils le veulent, se dit Nuage d'Écureuil en repensant au Grand Rocher.

« Tu as raison, répondit Étoile de Feu. C'est notre seule chance. Attendons que ces deux monstres soient passés et courons droit devant. »

Les autres chefs approuvèrent.

Nuage d'Écureuil se prépara à bondir, pressant son ventre dans la boue. Elle sentit la terre froide s'insinuer dans sa fourrure et lui glacer la peau. Tapie près d'Étoile Filante, Museau Cendré poussa vers le vieux chef un petit paquet vert. *Les dernières herbes fortifiantes*, devina Nuage d'Écureuil.

Une fois les monstres passés, Étoile de Feu donna le signal.

Le Clan du Tonnerre s'élança comme un seul guerrier. Nuage d'Écureuil avançait dans la boue sans savoir où elle mettait les pattes, les yeux rivés au pelage tacheté de Griffe de Ronce. Tant qu'elle ne le perdrait pas de vue, tout irait bien, pensait-elle. Lorsqu'elle atteignit enfin les rochers, elle tremblait de peur et de fatigue, à bout de souffle. Griffe de Ronce se pencha vers elle pour l'attraper par la peau du cou et la hisser sur les pierres, où les autres s'étaient déjà rassemblés. Étoile de Feu se faufilait parmi eux, son pelage roux bruni par la boue. Il ne quittait pas des yeux les félins qui luttaient encore dans le bourbier pour les rejoindre.

En atteignant les rochers, Nuage Noir leva la tête pour que Moustache prenne le chaton, et se hissa sur une pierre. Au même instant, Nuage d'Écureuil entendit un Bipède hurler. La créature courait tant bien que mal en agitant les bras vers les félins embourbés. Pelage d'Or, qui était parmi eux, tentait d'extirper de la gadoue un apprenti du Clan de la Rivière.

« Étoile de Jais et Étoile du Léopard ont sans doute tardé à donner l'ordre de courir ! » siffla Nuage d'Écureuil.

Les monstres se tournèrent vers eux, pattes tendues.

« Ils n'arriveront jamais à temps ! hoqueta Griffe de Ronce.

— Allons les aider ! » lança Étoile de Feu.

Oubliant aussitôt sa fatigue, Nuage d'Écureuil replongea dans la boue. Étoile de Feu la dépassa rapidement, tandis que Griffe de Ronce courait à côté d'elle et que Nuage Noir approchait déjà du Clan de la Rivière.

Le rugissement du monstre fit siffler les oreilles de la novice. Fonçant vers les matous en difficulté, elle saisit par la peau du cou un apprenti qui s'enlisait. Elle le remit sur ses pattes, et il fila droit vers les rochers.

« Merci ! » lança-t-il.

« Mon petit ! » s'écria Fleur de l'Aube.

Alertée par la plainte de la reine, Nuage d'Écureuil se tourna vers elle. Un des chatons attendait près de sa mère, mais l'autre, aveuglé par la peur, courait droit vers un monstre.

« Je vais le chercher ! » lança Nuage Noir.

L'apprenti bondit, attrapa le chaton dans sa gueule et revint si vite aux rochers que la boue gicla dans son sillage.

Nuage d'Écureuil ramassa l'autre petit tout en donnant un bon coup de museau à Fleur de l'Aube.

« Vite ! » la pressa-t-elle.

Arrivée aux pierres, elle sauta dans une crevasse, à l'abri des regards des Bipèdes. Le chaton pendouillant toujours entre ses mâchoires, elle suivit l'étroit passage et ressortit de l'autre côté de l'amas rocheux. Fleur de l'Aube surgit juste derrière elle, suivie d'Étoile de Feu et d'une file de guerriers du Clan de la Rivière. Nuage Noir en émergea le dernier, tenant fermement la boule de poils entre ses mâchoires. Fleur de l'Aube courut jusqu'à lui et, pleine de gratitude, elle lui reprit son petit.

Nuage d'Écureuil plaça l'autre rejeton devant la reine et chercha sa sœur du regard.

« Nuage de Feuille ! appela-t-elle. Tu peux examiner ces chatons ? »

Tapie près d'Étoile Filante, l'intéressée leva la tête. Les flancs du vieux chef se soulevaient péniblement et ses yeux écarquillés trahissaient sa peur.

« Chassé de mon propre territoire ! » s'indigna-t-il, la respiration sifflante.

Nuage de Feuille jeta un regard hésitant vers Étoile Filante, mais Museau Cendré apparut aussitôt près d'elle.

« Je vais m'occuper de lui », murmura son mentor.

L'apprentie guérisseuse se dépêcha d'aller renifler les chatons. Elle pressa l'oreille contre la poitrine de l'un, puis de l'autre.

« Ils sont juste effrayés, et fatigués, conclut-elle. Ils vont bien.

— Évidemment, que je vais bien ! couina une minuscule femelle gris sombre. Ce monstre n'aurait jamais réussi à nous attraper.

— Chut, Petit Saule », l'apaisa Fleur de l'Aube.

Tandis qu'elle nettoyait à coups de langue les visages couverts de boue de ses chatons, les membres du Clan de l'Ombre sortirent à leur tour de la crevasse.

« Tout le monde est là ? » demanda Étoile de Feu à Étoile de Jais.

Le chef aux pattes noires acquiesça d'un clignement d'yeux, trop essoufflé pour répondre.

Les félins se reposèrent un instant. Une autre bande de lande ravagée les séparait encore de la pente herbeuse qui menait aux prairies. Et les Bipèdes allaient sans doute partir à leur recherche. Il était dangereux de s'attarder si près des monstres.

« On devrait rester groupés, suggéra Étoile de Feu. Voyager comme un seul et unique Clan.

— Et qui donnera les ordres ? demanda Étoile du Léopard. Toi, peut-être ? »

Étoile de Feu secoua la tête.

« Ce n'est pas la question, riposta-t-il. Je voulais juste dire qu'il serait plus prudent de nous déplacer tous ensemble.

— Tu ne sais même pas où nous allons, rétorqua Étoile de Jais. Nous devons faire confiance à ceux qui connaissent le chemin. Comme chaque Clan possède son élu, nous pouvons voyager séparément.

— Mais vous venez de vous faire distancer, lui fit remarquer Étoile de Feu. Et le Clan de la Rivière aussi. Nous devons rester tous ensemble, du moins tant que nous sommes près des Bipèdes.

— Ensemble, peut-être, répondit Étoile de Jais, les yeux plissés. Mais pas sous les ordres d'un seul. »

Nuage d'Écureuil était exaspérée par ces ergotages. Tout en luttant contre l'épuisement qui lui tournait la tête, elle porta son regard vers l'horizon. D'autres monstres les y attendaient, telle une patrouille frontalière terrifiante.

Griffe de Ronce vint la trouver.

« J'ai parlé aux autres », dit-il à voix basse. Nuage d'Écureuil comprit que, par les « autres », il entendait Pelage d'Or, Nuage Noir et Pelage d'Orage. « Nous nous sommes mis d'accord pour escorter le groupe, expliqua-t-il. Comme ça, nous pourrons guetter le moindre danger et aider quiconque se laisse distancer. Nuage Noir et moi, nous resterons en arrière. Pelage d'Orage prendra la tête, toi tu iras d'un côté et Pelage d'Or de l'autre. Nous les avons amenés jusque-là, il est de notre responsabilité de les protéger, ajouta-t-il, la mine sombre.

— Nous avons fait ce qu'il fallait, murmura-t-elle en entortillant sa queue à la sienne. J'en suis certaine.

— Tout le monde est prêt ? » demanda Étoile de Feu.

Peu à peu, les félins se rassemblèrent sur une corniche, serrés les uns contre les autres. Seuls Griffe de Ronce, Nuage Noir, Nuage d'Écureuil, Pelage d'Orage et Pelage d'Or s'écartèrent de leur Clan pour prendre position à l'extérieur du groupe. Étoile de Jais fut le premier à donner l'ordre d'avancer, mais Étoile du Léopard, Étoile de Feu et Griffe de Pierre l'imitèrent aussitôt. La troupe des félins quitta peu à peu la roche pour replonger dans la boue.

Ils avancèrent en catimini vers les monstres qui gardaient la limite du territoire du Clan du Vent. L'oreille tendue, Nuage d'Écureuil guettait le moindre signe de Bipèdes et vérifiait que personne ne restait à la traîne. Au moins, avec leur pelage couvert de boue, les chats se fondaient dans le paysage. Les monstres étaient maintenant loin, sur le côté, et ne semblaient pas vouloir revenir vers eux.

« J'ai de la boue dans les yeux ! gémit Petit Frêne.

— Chut ! » le rabroua Fleur de Bruyère, ce qui le fit taire aussitôt.

Nuage d'Écureuil sentait son cœur battre la chamade. Plus que quelques queues de renard, et ils atteindraient le sommet du talus qui les mènerait enfin loin de cette marée boueuse et de ses monstres. Soudain, un bruit lui glaça les sangs. Le hurlement d'un chien leur parvint depuis la zone où les monstres s'étaient arrêtés. Levant aussitôt la tête, Nuage d'Écureuil le vit galoper vers eux, énorme, les oreilles battant au vent.

« Un chien ! hurla Étoile du Léopard.

— Courez ! » ordonna Étoile de Jais.

Prise de panique, Nuage d'Écureuil regarda partout autour d'elle. Les chatons et les anciens n'arriveraient jamais à le distancer ! Tandis que tous détalaient, Étoile de Feu et les autres chefs parcouraient leurs Clans en hurlant des ordres :

« Ramassez les petits !

— Aidez les anciens ! »

Nuage d'Écureuil chercha Petit Frêne du regard, mais Perle de Pluie l'avait déjà pris dans sa gueule et filait vers le sommet de la butte. Fleur de Bruyère galopait derrière lui. Les aboiements terrifiants du chien se rapprochaient de plus en plus. L'énorme créature, qui se déplaçait sans peine sur la terre ravagée, rattrapait les chats plus vite encore que les monstres. Les guerriers avaient beau presser les anciens d'accélérer à coups de museau et d'encouragements paniqués, ils étaient déjà à la traîne.

Nuage d'Écureuil jeta un coup d'œil derrière elle. Horrifiée, elle vit Griffe de Ronce faire volte-face pour foncer droit sur la bête. Nuage Noir et Pelage d'Or – méconnaissables tant ils étaient couverts de boue – couraient à côté du guerrier tacheté. Qu'avaient-ils en tête ?

Stupéfaite, la rouquine les regarda charger le chien féroce. Puis elle comprit leur manège. Arrivés devant le molosse, sur l'ordre de Griffe de Ronce, ils se séparèrent pour l'encercler : l'animal ralentit, balançant sa tête d'un côté puis de l'autre, ne sachant plus quel chat poursuivre. Puis il fixa Nuage Noir et se jeta sur le petit matou. Aussitôt, celui-ci vira vers Pelage d'Or, ses pattes dérapant dans la boue. D'un bond de côté, la guerrière esquiva les mâchoires claquantes. Le chien hésita, les babines retroussées, puis la prit en chasse. Nuage d'Écureuil crut mourir de peur lorsqu'il la rattrapa, mais le guerrier du Clan du Tonnerre, qui les suivait de près, planta ses griffes dans son arrière-train. Alors, le cabot lui fit face et se rua sur lui.

Attirés par le vacarme, les Bipèdes les regardèrent. L'un d'eux courut vers le chien en braillant, au moment même où Griffe de Ronce filait devant la bête, échappant de peu à ses crocs. Nuage Noir avait fait demi-tour. Il se précipita vers le molosse, glissa juste sous son nez, l'obligeant à s'arrêter net. L'animal stupéfait les contempla l'un après l'autre, le regard fou. Nuage Noir reprit sa course. Le chien le pourchassa, ses mâchoires claquant tout près du flanc de l'apprenti. Le Bipède beugla de plus belle et se pencha en avant, la patte tendue.

Nuage d'Écureuil retint son souffle. *Ne laisse pas le bipède t'attraper !* implora-t-elle. Ils ne pouvaient pas perdre un autre des leurs de cette façon ! Lorsque le Bipède referma sa patte sur le collier du chien et le tira en arrière, Nuage d'Écureuil crut s'évanouir tant elle était soulagée.

Nuage Noir battit aussitôt en retraite, Pelage d'Or et Griffe de Ronce sur les talons.

« Cours ! » lança ce dernier en se dirigeant vers la rouquine à toute vitesse.

L'apprentie ne se fit pas prier pour rejoindre ses camarades de Clan.

La plupart avaient atteint le sommet du talus et dévalaient à présent l'autre versant. Elle vérifia que personne n'était en difficulté. Les derniers anciens, deux matous du Clan de l'Ombre que la peur tétanisait, se faisaient à moitié tirer, à moitié pousser par Feuille Rousse et Pelage d'Orage. Nuage d'Écureuil se plaça derrière eux. Ils franchirent la crête d'un pas trébuchant avant de se lancer dans la descente.

Arrivée à mi-pente, elle se rendit compte qu'elle venait de dépasser la frontière du Clan du Vent. Le marquage avait été balayé par la boue, la pluie et la puanteur des monstres.

Elle se força à ne pas regarder en arrière. Ils avaient quitté pour toujours leur territoire ancestral. Le voyage commençait.

CHAPITRE 19

LES CLANS TRAVERSAIENT en silence une prairie verdoyante. Heureusement pour Nuage d'Écureuil, Griffe de Ronce, qui cheminait près d'elle, la protégeait de la bise glaciale. La pluie cessa peu à peu, mais le vent qui avait déchiré le voile nuageux promettait une vague de froid. Réprimant un frisson, l'apprentie leva la tête. Au loin, un nid de Bipèdes plus imposant encore que le Grand Rocher se dressait d'un air menaçant.

Ses coussinets, à vif à cause du chaume piquant des champs qu'ils avaient traversés, la faisaient souffrir. Elle regrettait déjà la douce caresse des feuilles mortes sous ses pattes. L'air recelait une foule d'effluves inconnus : la puanteur des Bipèdes et de leurs monstres qui chassaient sur les nombreux Chemins du Tonnerre de la région, l'odeur fraîche d'un chien venant d'un nid de Bipèdes, et des traces récentes de chats errants. D'instinct, comme n'importe quel guerrier quittant son territoire, Nuage d'Écureuil se mit sur le qui-vive. Son cœur fit soudain un bond dans sa poitrine : près d'elle, les feuilles sèches de la haie bruissèrent si fort que le vent ne pouvait en être le seul responsable.

Nuage de Jais sortit de sa cachette et contempla les Clans d'un air surpris. Un deuxième matou surgit derrière lui. Nuage d'Écureuil reconnut la fourrure noir et blanc de Gerboise, le chat qui avait recueilli Nuage de Jais chez lui, dans une grange de Bipèdes, bien des lunes plus tôt.

« Étoile de Feu ? C'est bien toi ? » lança Nuage de Jais à son vieil ami, les oreilles frémissantes.

Les Clans s'arrêtèrent pour regarder le nouveau venu. Tout le monde avait entendu l'histoire de l'apprenti du Clan du Tonnerre qui avait été chassé par son mentor, Étoile du Tigre. Même s'ils ne l'avaient pas connu du temps où il vivait dans la forêt, beaucoup l'avaient croisé en se rendant aux Hautes Pierres.

« Nuage de Jais ! s'écria Étoile de Feu, qui se hâta d'aller saluer son ami.

— Quelle bonne surprise ! » L'ancien apprenti du Clan du Tonnerre pressa sa truffe contre celle du meneur, avant de scruter le groupe de félins. « Je ne vois pas Plume Grise...

— Il n'est pas avec nous.

— Ne me dis pas qu'il est mort ! s'écria Nuage de Jais, la fourrure soudain hérissée.

— Non. Des Bipèdes l'ont capturé.

— Des Bipèdes ? Pourquoi ?

— Ils ont posé des pièges pour nous attraper, expliqua le rouquin d'une voix brisée. Nous sommes obligés de quitter la forêt.

— Quoi ? » Le matou leva la truffe pour humer l'air. « Les Clans du Vent et de la Rivière t'accompagnent ? Ainsi que le Clan de l'Ombre ?

— Les Bipèdes détruisent tout. En restant, nous

aurions fini broyés par leurs monstres. Si la famine ne nous avait pas tués avant.

— Vous avez déjà l'air à moitié morts de faim, déclara Gerboise en s'avançant d'un pas.

— Bonjour, le salua Étoile de Feu. La chasse est bonne ?

— Meilleure pour moi que pour vous, apparemment, répondit le solitaire.

— Où allez-vous ? demanda Nuage de Jais.

— D'abord, aux Hautes Pierres. Ensuite... »

Étoile de Feu lança un regard interrogateur à Griffe de Ronce, mais le guerrier tacheté resta silencieux.

« Vous n'avez qu'à rester ici, avec nous, ce soir. La chasse est bonne, cette lune-ci. La grange est pleine de rats, venus s'abriter du froid.

— Attends, Nuage de Jais, le coupa Gerboise. Tous ces chats ne tiendront pas dans la grange. Et puis, imagine le choc des Bipèdes, s'ils venaient chercher de la paille pour les vaches !

— C'est vrai, reconnut Nuage de Jais. On doit pourtant pouvoir les aider d'une façon ou d'une autre.

— Ils pourraient s'installer dans le nid en ruine, non ?

— Mais oui ! » Nuage de Jais se tourna vers Étoile de Feu. « Tu vois où c'est ? Là où tu avais trouvé refuge avec Étoile Bleue, après l'attaque des rats ?

— J'espérais qu'on arriverait aux Hautes Pierres cette nuit, répondit Étoile de Feu, les yeux levés vers les nuages teintés de rose.

— S'ils nous promettent de la nourriture, on ne peut pas refuser, rétorqua Étoile de Jais.

— Tu as raison, reconnut le chef du Clan du Tonnerre. Merci de ta proposition, Nuage de Jais.

— Je vais vous montrer le vieux nid. Ensuite, on indiquera aux guerriers les meilleurs endroits où chasser. Il y aura largement assez pour tout le monde. »

Une vague de murmures excités parcourut le groupe des félins et les chatons se mirent aussitôt à miauler de faim.

« Tu ne peux pas savoir à quel point nous avons besoin de repos et de nourriture, déclara Étoile de Feu.

— Oh, je crois que je peux l'imaginer », répondit le noiraud, les yeux fixés sur la fourrure souillée de boue de son ami.

Le nid en ruine n'avait pas de plafond, mais la pluie avait cessé et ses murs de pierre suffisaient à les abriter du vent.

« Je reconnais cet endroit, murmura Patte Cendrée, une reine du Clan du Vent. Nous y avons dormi, le jour où Étoile de Feu nous a reconduits chez nous, alors qu'Étoile Brisée nous avait chassés.

— Je ne pensais pas revenir ici un jour », gronda Plume Noire.

Les chatons et les anciens s'engagèrent avec joie dans l'abri de fortune, bien contents de pouvoir s'allonger. Nuage de Jais et Gerboise emmenèrent les guerriers à la chasse, tandis que les apprentis, dont Nuage d'Écureuil et Nuage Noir, montaient la garde. Museau Cendré et Nuage de Feuille allaient d'un félin à l'autre pour s'assurer que personne n'avait été blessé durant la course effrénée à travers la lande.

« Nuage d'Écureuil ? appela sa sœur. Peux-tu me rapporter un peu de mousse gorgée de pluie ? Les reines et les anciens sont trop fatigués pour aller boire dehors. »

La rouquine sortit à toute vitesse pour arracher de grosses touffes de mousse trempée aux vieilles pierres du mur.

À son retour, les anciens et les reines se hâtèrent de lui prendre la mousse. Ils la pressèrent du bout des pattes pour en exprimer l'eau qu'ils lapaient ensuite avidement. Lorsque le dernier ancien du Clan du Vent eut bu tout son soûl, Nuage d'Écureuil se dit qu'elle méritait bien de se reposer un instant pour soulager ses pattes endolories. Au moment même où elle s'installait confortablement dans un coin, les chasseurs revinrent avec leurs prises. Des odeurs chaudes, alléchantes, envahirent l'abri. Nuage d'Écureuil frissonna de bonheur lorsque Griffe de Ronce déposa un rat dodu devant elle.

« On partage ? proposa-t-elle.

— Pas la peine, miaula le guerrier. Il est tout à toi. »

Lorsqu'elle eut fini de manger, son ventre, peu habitué à un repas aussi copieux, la tirailla. Mais c'était un moindre mal. Pour la première fois depuis son retour dans la forêt, elle se sentit rassasiée, presque confiante.

« Quel refuge accueillant, ronronna Fleur de Pavot. Mes petits n'auraient sans doute pas supporté une autre nuit à la belle étoile. Ils ont failli mourir de froid hier soir, à cause de la pluie glaciale.

— Ils seront bien au chaud ce soir », la rassura Fleur de Bruyère.

Il faisait nuit noire lorsque Griffe de Ronce reparut. Il s'installa près de Nuage d'Écureuil avec une pièce de viande presque aussi grosse que celle qu'il lui avait offerte.

Étoile de Feu et Tempête de Sable reposaient flanc contre flanc, leurs queues rousse et blonde entortillées.

« Resteras-tu avec nous cette nuit ? demanda le meneur à Nuage de Jais, qui les regardait manger depuis l'entrée du nid.

— Volontiers ! »

Il gagna le recoin où le Clan du Tonnerre s'était rassemblé. Le Clan de l'Ombre s'était installé en face, tandis que les Clans du Vent et de la Rivière occupaient les deux autres coins.

« Jamais je n'aurais imaginé dormir à nouveau avec le Clan, murmura le matou noir.

— J'aurais préféré que ce soit en d'autres circonstances, soupira Étoile de Feu.

— Comment allez-vous trouver un nouveau territoire ?

— Le Clan des Étoiles nous le dira », répondit Nuage d'Écureuil. Elle jeta un regard vers Griffe de Ronce, mais celui-ci ne leva pas les yeux de son repas. « N'est-ce pas ? » insista-t-elle en se tournant vers Nuage de Feuille.

Sa sœur baissa la tête sans répondre.

Lorsque Nuage d'Écureuil s'éveilla, la lumière froide du soleil inondait le nid. Elle étira ses pattes avant, se demandant si elle avait trop dormi. Son père, debout sur une pierre dressée comme un promontoire au milieu de l'abri, contemplait l'assemblée. Tout autour de lui, des visages ensommeillés se dressaient un à un, leurs yeux clignant dans la lumière du jour.

« Nous avons trop tardé, annonça-t-il. Le soleil est à son zénith. Nous devons nous hâter de rejoindre les Hautes Pierres. Où que nous allions, le voyage sera long. »

Griffe de Pierre se leva d'un bond, l'air déterminé.

« Pourquoi quitter un endroit si giboyeux ? protesta-t-il.

— Mes petits sont bien nourris pour la première fois depuis des lunes ! ajouta Fleur de Pavot.

— Les proies ne manquent pas, ici », renchérit Étoile Filante.

Le vieux chef semblait à bout de forces malgré leur long repos.

« Nuage de Jais ne nous a invités ici que pour la nuit, leur rappela Étoile de Feu.

— Et alors ? Qu'y pourrait-il, si nous décidions de rester plus longtemps ? » Étoile de Jais jeta un regard plein de défi à Nuage de Jais. « Mon Clan a besoin de nourriture et d'un abri, et il le prendra de force si nécessaire.

— Cet endroit ne nous est pas destiné ! rétorqua Griffe de Ronce en se levant à son tour. Je ne sais pas exactement où nous allons, mais je suis certain que ce n'est pas ici. »

Nuage d'Écureuil acquiesça avant de déclarer :

« C'est vrai, pourquoi le Clan des Étoiles nous aurait-il envoyés si loin, s'il voulait simplement que nous nous installions là ?

— Nous devons aller au bout de notre voyage, gronda Nuage Noir.

— Je suis d'accord, miaula Pelage d'Orage depuis sa place au milieu du Clan de la Rivière.

— Je crois qu'ils ont raison, déclara Étoile du Léopard, à la surprise générale. Il y a trop de Bipèdes, par ici. Qu'arriverait-il si l'un de leurs chiens se libérait ? Nous serions pris au piège, là-dedans.

— Très bien », marmonna Étoile de Jais, de mauvaise grâce.

À contrecœur, Fleur de Pavot réveilla ses chatons à petits coups de museau.

« Venez, mes chéris, murmura-t-elle. Nous partons.

— Mais il fait chaud, ici, miaula le premier.

— Et il y a du gibier, gémit un autre.

— Nous devons partir tout de même », leur dit leur mère d'une voix lasse.

Nuage d'Écureuil regarda avec compassion la brave chatte du Clan de l'Ombre, qui gagnait la sortie. Ses petits la suivirent, la fourrure ébouriffée.

« Je vais vous accompagner jusqu'aux Hautes Pierres », annonça Nuage de Jais en effleurant du bout de la queue le flanc d'Étoile de Feu.

À la queue leu leu, les exilés quittèrent leur abri en direction des pics qui se dressaient au loin. Nuage d'Écureuil frémit lorsque le vent rebroussa sa fourrure. Le soleil commençait déjà à décliner. S'ils ralentissaient l'allure pour marcher au même rythme que les anciens et les chatons, ils n'atteindraient pas les Hautes Pierres avant que le soleil ait disparu derrière l'horizon.

« Alors, qui est le lieutenant du Clan du Tonnerre,

maintenant ? » demanda soudain Nuage de Jais à Étoile de Feu.

Nuage d'Écureuil se tourna vers Griffe de Ronce, mais ce dernier regardait droit devant lui.

« C'est Plume Grise, gronda Étoile de Feu.

— Mais il a disparu », répondit le matou noir, surpris.

Étoile de Feu vira brusquement vers lui, les yeux brillants de chagrin.

« Nous avons dû quitter nos foyers, cela ne te suffit pas ? Ne me demande pas en plus de renoncer à mon ami. Je sais que, lui, il garderait espoir jusqu'au bout. » Il reprit sa marche. « Le Clan du Tonnerre a déjà un lieutenant. Nul besoin d'en nommer un autre. »

Le soleil couchant projetait des ombres bleu-noir sur les Hautes Pierres. Affaiblis par le trajet de la veille, les Clans avaient bien cru qu'il leur faudrait une éternité pour grimper les versants abrupts et rocailleux. À présent, exténués, ils se reposaient devant la Grotte de la Vie. Nuage d'Écureuil jeta un coup d'œil dans le grand tunnel noir menant à la Pierre de Lune. À peine arrivés, les chefs des Clans et leurs guérisseurs avaient disparu à l'intérieur.

« J'aurais bien aimé que tu les accompagnes, marmonna Nuage d'Écureuil à sa sœur. Comme ça, tu m'aurais tout raconté.

— Selon Étoile du Léopard, ce n'était pas le moment d'emmener des apprentis, et Étoile de Feu l'a soutenue.

— Tu crois que le Clan des Étoiles va leur parler ?

— Qui sait ? »

Dans un crissement de cailloux, Étoile de Feu, suivi d'Étoile Filante, Étoile du Léopard et Étoile de Jais, apparut à l'entrée de la caverne. Ils se séparèrent pour rejoindre leurs Clans respectifs sans que leur visage trahisse la moindre émotion.

« Je veux savoir ce qui s'est passé ! lança Nuage d'Écureuil, impatiente.

— Ils n'ont pas le droit de nous parler de la cérémonie », lui rappela sa sœur.

Nuage d'Écureuil grommela, frustrée. Pour Nuage de Feuille, ce n'était pas important : elle aussi avait une relation privilégiée avec le Clan des Étoiles.

« Nuage d'Écureuil ! » l'appela Griffe de Ronce. Le guerrier tacheté se faufila entre les matous pour la rejoindre. « Nous devons nous retrouver tout en haut, lui apprit-il en désignant du menton la crête de la chaîne montagneuse. Le temps est venu de décider une bonne fois pour toutes de la direction à prendre.

— Je croyais qu'on allait retrouver Minuit, là où sombre le soleil…

— Mieux vaut en discuter à nouveau. Une fois que nous aurons entraîné nos camarades en territoire inconnu, nous ne pourrons plus revenir en arrière. Viens. »

Nuage d'Écureuil gravit derrière lui l'abrupt versant, à l'écart des Clans. De là-haut, elle vit Pelage d'Orage qui faussait compagnie au Clan de la Rivière, son pelage gris luisant sous la lune. Pelage d'Or et Nuage Noir attendaient déjà au sommet de la crête, silhouettes noires sur un ciel indigo drapé d'étoiles.

Un monde de ténèbres s'étendait de l'autre côté des Hautes Pierres, une telle immensité que Nuage d'Écureuil en eut le souffle coupé. Là-bas se trouvaient des sommets enneigés, des chats étranges, des créatures dangereuses et, enfin, l'endroit où sombrait le soleil, cette étendue d'eau infinie au bord de laquelle vivait Minuit. *Ô Clan des Étoiles, que devons-nous faire ?*

« Tout le monde est d'accord ? Nous retournons voir Minuit ? demanda Griffe de Ronce.

— Je ne vois pas ce qu'on pourrait faire d'autre, répondit Pelage d'Or. Et s'il n'était plus là ? ajouta-t-elle, inquiète.

— Le voyage sera long et périlleux, renchérit Pelage d'Orage.

— J'étais tellement certaine qu'on les conduirait en lieu sûr, se lamenta Nuage d'Écureuil. Qu'on les sauverait tous.

— Au lieu de quoi, nous pourrions mettre inutilement leur vie en danger, murmura Griffe de Ronce.

— Pourquoi le Clan des Étoiles n'a-t-il pas choisi d'autres chats pour porter ce message ? » soupira Pelage d'Orage.

Nuage d'Écureuil le prit en pitié. Il avait tant perdu. Sa sœur avait péri lors du premier voyage, et son père avait été capturé par les Bipèdes. Elle s'approcha de lui pour se presser contre son flanc.

« Tu crois que nos ancêtres nous ont abandonnés ? miaula Pelage d'Or, exprimant à haute voix la crainte qui les rongeait tous.

— En tout cas, ils ne nous ont pas envoyé le signe

promis par Minuit, observa Griffe de Ronce. Est-ce que l'un d'entre vous a vu un guerrier mourant ?

— Il s'agissait peut-être de Patte de Pierre ? suggéra Pelage d'Orage.

— Il était guérisseur, lui fit remarquer Nuage d'Écureuil.

— Est-ce que Minuit serait capable de faire la différence ? » murmura Pelage d'Or.

Les félins échangèrent un regard en silence.

« Mais Patte de Pierre est mort sur le territoire du Clan de la Rivière ! » Un doute terrible noua soudain l'estomac de Nuage d'Écureuil. « Si la mort du vieux guérisseur était le signe attendu, alors on est partis dans la mauvaise direction ! »

Accablés, ils s'imaginèrent devoir annoncer à leurs chefs qu'ils devaient retourner au cœur de la forêt pour affronter les monstres une nouvelle fois.

Ô Clan des Étoiles, on se serait trompés de bout en bout ? demanda en silence Nuage d'Écureuil à ses ancêtres, le visage levé vers le ciel, les yeux clos. Lorsqu'elle les rouvrit, un flash de lumière attira son attention. Elle hoqueta, et les autres suivirent son regard. Au-dessus d'eux, une étoile traversa le ciel dans une traînée d'argent, avant de disparaître en semant une pluie d'étincelles.

« Le guerrier mourant ! » souffla Nuage d'Écureuil.

C'était le signe ! Un des guerriers du Clan des Étoiles lui-même qui se consumait pour leur montrer le chemin. Trace ténue, la traînée de feu resta visible dans le ciel, pointant droit vers les sommets acérés qui se dressaient à l'horizon.

« Maintenant, nous savons où aller, murmura Griffe de Ronce.

— Par-delà les montagnes », ajouta Nuage d'Écureuil.

CHAPITRE 20

LORSQUE L'AURORE GLACIALE réveilla Nuage de Feuille, elle se blottit un peu plus contre Museau Cendré. Les pierres où elle s'était couchée semblaient avoir absorbé toute sa chaleur et le froid était si mordant que, en ouvrant les yeux, elle vit son souffle se muer en petits nuages. Elle se leva, puis s'étira longuement. Les rochers scintillaient de givre dans la pâle lumière de l'aube. Une odeur lui parvint, si alléchante qu'elle en eut l'eau à la bouche. Nuage de Jais grimpait le versant abrupt, un lapin fraîchement attrapé pendant entre ses mâchoires.

Le reste du Clan du Tonnerre dormait encore, rassemblé dans un creux de la roche à plusieurs longueurs de queue de renard des autres Clans. Mais le délicieux fumet du lapin les réveilla bientôt. Les uns après les autres, ils levèrent la tête sur le passage de Nuage de Jais. Étoile de Feu s'étirait déjà lorsque l'ancien apprenti déposa sa prise devant lui.

« Cadeau d'adieu, déclara-t-il.

— J'aurais préféré que tu nous accompagnes, miaula Étoile de Feu. J'ai perdu Plume Grise. Je ne veux pas laisser un autre ami derrière moi. »

Le matou noir secoua la tête avant de répondre :

« C'est ici, chez moi, mais je ne t'oublierai jamais, je te le promets. Je t'attendrai toujours. »

Le cœur serré, Nuage de Feuille se demanda s'ils reviendraient un jour.

« Nous avons traversé tant d'épreuves ensemble, murmura Étoile de Feu, les yeux brillants. Nous avons connu la mort d'Étoile Bleue, la défaite d'Étoile du Tigre... » Il soupira. « Le temps a filé, telle l'eau d'une rivière emportée par le courant.

— Et l'eau s'écoulera encore jusqu'à ce que nous rejoignions le Clan des Étoiles, lui assura Nuage de Jais. Ce n'est pas une fin, mais un nouveau départ. Tu auras besoin du courage du lion pour faire face à ce périple.

— Il est dur d'être courageux lorsqu'on a tant perdu, répondit Étoile de Feu, le regard voilé par la tristesse. Jamais je n'aurais pensé quitter la forêt un jour ! Même face au Clan du Sang, j'étais prêt à mourir pour sauver notre territoire. »

Nuage de Jais fit passer doucement sa queue le long du flanc d'Étoile de Feu.

« Si je vois Plume Grise, je lui dirai dans quelle direction vous êtes partis, promit-il, avant de baisser la tête d'un air solennel. Au revoir, Étoile de Feu, et bonne chance.

— Au revoir, Nuage de Jais. »

Tempête de Sable pressa sa joue contre celle de son compagnon pour lui rappeler qu'il n'était pas seul.

Museau Cendré tendit ses pattes avant l'une après l'autre.

« Nous devons nous assurer que tout le monde est prêt pour le voyage qui nous attend », miaula la guérisseuse à son apprentie.

La jeune chatte acquiesça. Elle repensait encore à la nuit passée, lorsque Nuage d'Écureuil était descendue du sommet de la crête en compagnie des élus. Leurs yeux brillaient comme des étoiles.

« Nous avons vu le guerrier mourant ! s'était exclamé Griffe de Ronce, si excité que le souffle lui manquait.

— Vous avez vu le signe ? avait demandé Étoile de Feu en se levant d'un bond.

— Comment pouvez-vous en être sûrs ? avait ajouté Museau Cendré.

— Une étoile a filé dans le ciel avant de disparaître, expliqua Nuage d'Écureuil. Elle est tombée derrière les montagnes. »

Étoile de Jais les avait rejoints.

« C'est le signe que nous attendions au Grand Rocher ? » avait-il demandé, la mine perplexe.

Pelage d'Or l'avait dévisagé, interdite.

« Mais bien sûr ! s'était-elle exclamée. C'est ici, le grand rocher dont parlait Minuit ! Les Hautes Pierres, et non le roc des Quatre Chênes !

— C'est vrai, avait renchéri Pelage d'Orage. Le vieux blaireau ne connaît pas la forêt. Sa vision lui a sans doute montré un "grand rocher", même si pour nous ce terme signifiait tout autre chose.

— Et alors, qu'est-ce qui nous attend de l'autre côté des montagnes ? avait lancé Étoile du Léopard en se frayant un passage parmi les chats.

— Il faudra traverser des montagnes ? avait

répété Fleur de Bruyère en attirant Petit Frêne un peu plus près d'elle.

— La dernière fois, nous sommes allés jusqu'au terrier de Minuit, là où sombre le soleil, avait expliqué Griffe de Ronce. Mais l'étoile est tombée plus loin, le long du massif.

— Alors nous devons trouver un autre itinéraire ? s'était inquiété Plume de Faucon, les yeux plissés.

— Pas nécessairement, avait répondu Griffe de Ronce.

— Mieux vaut traverser les montagnes du même côté que la dernière fois, avait expliqué Pelage d'Or. Sinon, on risque de se perdre... et la neige peut se mettre à tomber à tout instant.

— On pourra toujours suivre la direction de l'étoile une fois de l'autre côté », avait conclu Nuage d'Écureuil.

Nuage de Feuille se demanda pourquoi le Clan des Étoiles avait choisi un guerrier *mourant* pour leur montrer le chemin, pour leur redonner espoir. Elle, elle n'y voyait qu'un mauvais présage.

« Viens, Nuage de Feuille ! »

L'appel de Museau Cendré la tira de ses pensées.

« Museau Cendré, miaula-t-elle, hésitante. Puisque le Clan des Étoiles nous a envoyé un signe, tu crois qu'il nous accompagne ?

— Je l'espère, répondit son mentor, la mine pensive.

— Mais tu n'en es pas sûre ? »

Avant de répondre, Museau Cendré s'assura que personne ne les écoutait.

« Hier, lorsque nous sommes allés à la Pierre de

Lune, j'ai à peine entendu nos ancêtres, confia-t-elle à son apprentie.

— Ont-ils dit quoi que ce soit ?

— Je savais qu'ils me parlaient, mais je ne comprenais rien. Comme si la voix des guerriers de jadis était étouffée par le rugissement d'un terrible blizzard.

— Alors tu n'as pas compris leurs paroles ?

— Non. » Museau Cendré ferma les yeux un instant. « Mais ils étaient bien là.

— Ils doivent souffrir autant que nous. Ce doit être atroce de contempler la destruction de la forêt sans pouvoir intervenir. Après tout, c'était aussi leur foyer, jadis.

— Tu as raison. Pourtant, comme nous, ils surmonteront cette épreuve, à condition que les cinq Clans demeurent.

— Mais... nous trouveront-ils sur notre nouveau territoire ? Sauront-ils où nous chercher ?

— Voilà des questions auxquelles nous ne pouvons répondre. » Museau Cendré se redressa, et sa voix se fit plus sèche. « Viens, nos camarades ont besoin de nous. »

Nuage de Feuille s'approcha du lapin offert par Nuage de Jais. Il gisait sur le sol, intact, près d'Étoile de Feu. Une patrouille de chasseurs était déjà partie pour en débusquer d'autres.

« Est-ce que je peux l'apporter à Fleur de Bruyère et Petit Frêne ? demanda-t-elle à son père, mais celui-ci semblait perdu dans ses pensées.

— Bien sûr », répondit Tempête de Sable à la place du meneur.

Nuage de Feuille prit le lapin dans sa gueule et se hâta vers la reine qui s'était lovée autour de son petit. Le chaton tigré tremblait de froid. Sa mère le couvrait de coups de langue énergiques pour le réchauffer.

« Il fait trop froid pour dormir dehors ! gémit la chatte en voyant approcher Nuage de Feuille. Je n'ai pas fermé l'œil de la nuit. »

Elle couvait son petit d'un regard angoissé. Nuage de Feuille comprit qu'elle avait trop peur de fermer les yeux, craignant de trouver son enfant mort à son réveil.

« Tiens. » Elle laissa tomber le lapin devant la reine. « Ça devrait vous faire du bien à tous les deux. »

Les yeux de Fleur de Bruyère s'illuminèrent. Tout en remerciant l'apprentie guérisseuse d'un regard, elle arracha une patte avant et la plaça devant Petit Frêne.

« Goûte ça, le pressa-t-elle. Il y a des lunes que notre Clan n'a pas mangé de lapin.

— N'oublie pas d'en prendre toi aussi, lui conseilla Nuage de Feuille.

— Promis. »

Le ventre de l'apprentie guérisseuse gargouilla. Elle espérait que la patrouille reviendrait bientôt. Elle balaya les rochers du regard pour s'assurer que personne n'avait besoin de son aide. La plupart de ses camarades semblaient de bonne humeur. Ils secouaient leurs pattes pour les assouplir et trottaient de-ci de-là, cherchant un peu d'eau à laper au creux des rochers. Plusieurs d'entre eux, dont Griffe de Ronce et Nuage d'Écureuil, étaient assis près du sommet de la crête, où la pierre grise virait au rose dans la lumière du levant.

Nuage de Feuille entendit Nuage Ailé harceler Griffe de Ronce de questions :

« Dis-nous comment c'était ! S'il te plaît ! »

Griffe de Ronce jeta un coup d'œil vers l'horizon.

« Vous le verrez par vous-mêmes bien assez tôt.

— Mais si tu nous le dis, nous serons prêts à tout ! lui fit remarquer Nuage d'Araignée.

— Il a raison, renchérit Nuage Ailé. Tu dois nous préparer à ce qui nous attend. »

Griffe de Ronce enroula sa queue autour de ses pattes en poussant un soupir résigné.

« Eh bien, il y a beaucoup de moutons : des créatures laineuses qui ressemblent un peu à des nuages sur pattes. Ils sont inoffensifs, mais il faudra se méfier des chiens, que les Bipèdes utilisent pour les guider. Et les Chemins du Tonnerre… Ils sont petits, mais très nombreux. Ensuite, il y a les montagnes… »

Il laissa sa phrase en suspens. Nuage de Feuille sentit le vent cinglant transpercer sa fourrure. Qu'y avait-il dans ces montagnes qui les effrayait tant ? Comment les anciens et les chatons parviendraient-ils à les franchir ? *Ô guerriers de jadis, où êtes-vous ?*

Jamais Nuage de Feuille ne s'était doutée qu'un monde si vaste s'étendait par-delà les Hautes Pierres. Les champs se succédaient devant eux, semés de moutons qui ressemblaient en tout point à des nuages, comme l'avait dit Griffe de Ronce.

Nuage d'Écureuil marchait près d'elle, le souffle blanchi par l'air glacial.

« Tu te souviens d'être passée par là ? lui demanda Nuage de Feuille.

— Un peu.

— Alors nous allons dans la bonne direction ?

— Oui. »

Nuage de Feuille s'étonna du mutisme de sa sœur. Elle la vit échanger un regard entendu avec Griffe de Ronce. Toute la matinée, le guerrier avait passé son temps à surveiller un flanc du groupe, puis l'autre, comme s'il craignait de perdre quelqu'un en cours de route.

L'apprentie guérisseuse sentit soudain l'air vibrer autour d'elle. Un grondement lointain lui parvint, la poussant à faire halte. On aurait dit qu'un orage se préparait, mais le ciel dégagé démentait cette hypothèse. La truffe au vent, elle huma l'air. Un Chemin du Tonnerre.

« C'est un gros », la prévint Nuage d'Écureuil.

À mesure qu'ils s'approchaient, le grondement se fit rugissement, et la puanteur finit par brûler la gorge de Nuage de Feuille. Les guerriers devant elle ralentirent, se mêlant un peu les uns aux autres tout en restant à proximité de leur Clan. Nuage d'Écureuil se faufila entre eux, suivie de Nuage de Feuille, jusqu'à un profond fossé. Au-delà se trouvait le Chemin du Tonnerre.

« Nous devrions d'abord faire traverser les chatons », déclara Étoile de Feu en descendant le premier dans l'étroite ravine.

Nuage de Feuille sauta au fond en même temps que Poil de Châtaigne, ses pattes glissant sur l'herbe grasse. Des monstres venus des deux directions rugissaient tout près, faisant trembler la terre sous leurs pattes.

« Chaque Clan devrait décider pour lui-même, rétorqua Griffe de Pierre.

— Le Clan de la Rivière traversera en premier, annonça Plume de Faucon.

— Tous les guerriers ne sont pas aussi forts que ceux de notre Clan, lui rappela Étoile du Léopard. Étoile de Feu a raison, nous devons aider les Clans affaiblis.

— Mon Clan n'a pas besoin de ton aide ! feula Griffe de Pierre. En plus, ce serait le chaos ! Personne ne saurait quels ordres suivre !

— Alors pourquoi tu ne nous commanderais pas tous, tant que tu y es ? cracha Étoile de Feu.

— Personne d'autre que moi ne commande les guerriers du Clan de l'Ombre ! » gronda Étoile de Jais.

Griffe de Ronce se fraya un passage dans la horde de félins pour rejoindre son chef. Nuage de Feuille était suffisamment près pour sentir l'odeur de sa peur.

« Pendant que vous vous chamaillez, des chats vont finir par se faire tuer ! Peu importe qui commande le temps de la traversée, du moment que tout le monde arrive sain et sauf de l'autre côté ! »

Étoile de Jais rabattit les oreilles en arrière et Plume de Faucon agita la queue.

« Laissez-le poursuivre, miaula Étoile de Feu.

— Je mènerai le Clan du Tonnerre, poursuivit Griffe de Ronce. Nuage Noir prendra la tête du Clan du Vent, Pelage d'Or celle du Clan de l'Ombre et toi, Pelage d'Orage, tu emmèneras ton Clan.

— Nuage Noir ne peut commander notre Clan, contesta Griffe de Pierre. Ce n'est qu'un apprenti.

— As-tu déjà traversé ce chemin ? lui demanda Griffe de Ronce.

— Non, cracha le lieutenant. Mais j'ai déjà commandé mon Clan !

— C'est Nuage Noir qui vous conduira ! » insista Griffe de Ronce.

Ignorant la querelle, Pelage d'Orage fit signe à son Clan de le suivre jusqu'au bord du Chemin du Tonnerre, où il se tapit, attendant le bon moment pour donner le signal. Un monstre, dont le pelage reflétait les rayons du soleil, passa dans un rugissement. Dès qu'il eut disparu, Pelage d'Orage miaula, puis tous les membres du Clan de la Rivière se précipitèrent de l'autre côté. Nuage de Feuille chercha Fleur de l'Aube des yeux et fut aussitôt rassurée de voir que deux guerriers du Clan de la Rivière l'aidaient à porter ses petits.

Elle entendit alors au loin le rugissement d'un autre monstre. Levant les yeux pour estimer la distance qui les séparait encore de lui, elle vit avec horreur que Griffe de Pierre avait ordonné à son Clan de commencer la traversée, sans attendre le signal de Nuage Noir.

Pris de panique, l'apprenti du Clan du Vent contemplait le monstre qui leur fonçait droit dessus.

« Vite ! » hurla-t-il avant de prendre un chaton entre ses mâchoires et de le jeter sur le bas-côté. Puis il fit demi-tour pour en attraper un autre. « Portez les petits ! » ordonna-t-il.

Peinant à trouver une prise sur le sol glissant, il saisit un autre chaton par la peau du cou et fila de nouveau vers l'accotement opposé. Les guerriers et les apprentis s'emparèrent des derniers petits et coururent à sa suite, les reines sur les talons. Mais Belle-de-Jour, une ancienne du Clan du Vent, était à la traîne.

« Cours ! » hurla Nuage de Feuille.

Près d'elle, au bord du Chemin du Tonnerre, Étoile de Feu jeta un coup d'œil au monstre, évaluant ses chances d'atteindre Belle-de-Jour à temps.

« Reste où tu es ! » ordonna Griffe de Ronce à son chef.

Les oreilles rabattues, le meneur resta tapi contre le sol et lança des encouragements à la vieille chatte :

« Continue ! Tu vas y arriver ! »

Le monstre filait comme le vent sur le Chemin du Tonnerre. Soudain, il fit une embardée droit vers Étoile de Feu. Terrorisée, Nuage de Feuille ferma les yeux, attendant l'horrible bruit d'os et de fourrure écrabouillés.

Mais rien ne se produisit. Elle entrouvrit les yeux : le monstre avait frôlé son père de si près que le souffle avait ébouriffé sa fourrure, puis il avait disparu sans s'arrêter. Plus loin sur le Chemin du Tonnerre, Belle-de-Jour finissait sa traversée d'une démarche gauche, sous les yeux de ses camarades de Clan. Étoile de Feu recula d'un pas, atterré.

Nuage de Feuille se tourna vers le Clan de l'Ombre, qui s'apprêtait à traverser à son tour. Elle espérait qu'Étoile de Jais avait tiré des leçons de l'imprudence de Griffe de Pierre. Le Clan de l'Ombre observait Pelage d'Or.

Un apprenti s'avança.

« Recule ! » feula la guerrière.

Son ton sec le figea sur place. Il se hâta de rejoindre ses camarades.

« Nous irons tous ensemble ! » insista-t-elle en jetant un coup d'œil à Étoile de Jais, qui acquiesça.

Nul monstre en vue. Prudemment, Étoile de Jais fit quelques pas en avant, la truffe levée vers le ciel.

« Maintenant ! » lança-t-il.

Les membres du Clan de l'Ombre grimpèrent la paroi du fossé et se lancèrent sur le Chemin du Tonnerre. Des guerriers portaient les petits de Fleur de Pavot, et la reine elle-même se laissait entraîner par son Clan comme un poisson nageant dans le sens du courant. Nuage de Feuille poussa un soupir de soulagement lorsqu'ils atteignirent l'autre côté, au moment même où un monstre faisait de nouveau trembler le sol.

« Nous passerons après celui-ci ! » lança Griffe de Ronce.

Tout à coup, un petit cri leur parvint d'en face. Nuage de Feuille se raidit. L'un des chatons de Fleur de Pavot était revenu sur le Chemin ! Perdu, il tournait en rond en appelant sa mère.

Pelage de Poussière et Poil de Souris se tapirent, prêts à bondir vers le chaton.

« Attendez ! ordonna Griffe de Ronce. C'est trop dangereux ! »

Le Clan resta en position.

Fleur de Pavot se lança dans la mêlée de chats pour atteindre son petit, mais Fleur de l'Aube, une reine du Clan de la Rivière, était plus près de lui. Elle bondit sur le Chemin du Tonnerre et le tira en arrière d'un coup sec, hors de la trajectoire du monstre. Elle le ramena sur le bas-côté, le laissa tomber dans l'herbe et lui donna quelques coups de langue vigoureux.

Elle se passa la langue sur le museau, réalisant soudain que ce chaton n'était pas le sien. Elle jeta un coup d'œil gêné à ses camarades de Clan, tandis que Fleur de Pavot se ruait vers elle pour récupérer son petit. Nuage de Feuille pria pour que Fleur de Pavot ne se sente pas offensée. Elle fut rassurée en voyant le regard empli de gratitude de la chatte, qui s'inclina devant Fleur de l'Aube avant de s'éloigner, son chaton dans la gueule.

« C'est ici que Jolie Plume m'a libérée de la clôture. »

Du bout du museau, Nuage d'Écureuil indiqua le fil brillant et piquant tendu entre les poteaux de bois. Le Chemin du Tonnerre était derrière eux, à présent. Et les pattes de Nuage de Feuille avaient enfin cessé de trembler. Elle était contente que sa sœur la distraie avec des anecdotes de son premier voyage.

« Pendant que les autres se disputaient pour décider de ce qu'il fallait faire, poursuivit sa sœur, Jolie Plume a étalé des feuilles d'oseille mâchouillées sur ma fourrure et je me suis glissée hors de là comme un poisson.

— En y laissant la moitié de tes poils », lui rappela Pelage d'Orage.

En guise de réponse, Nuage d'Écureuil lui assena un petit coup de patte sur la tête.

L'endroit semblait sûr. Aucune odeur fraîche de Bipède ou de chien dans l'air. Rien que des moutons qui paissaient bruyamment sans même les remarquer. Les félins se répartirent par Clans dans la prairie. Seuls Nuage Noir, Pelage d'Or, Griffe de Ronce, Nuage d'Écureuil et Pelage d'Orage s'écartaient de leurs camarades pour surveiller tour à tour les flancs des quatre groupes et s'assurer que personne ne se laissait distancer.

Étoile Filante avançait péniblement. Moustache ne l'avait pas quitté de la journée. Les autres chefs jetaient par moments des coups d'œil inquiets vers le vieux meneur du Clan du Vent.

« On devrait chercher un abri pour la nuit », déclara Écorce de Chêne.

Le ciel s'obscurcissait déjà et une bise cinglante ébouriffait leur fourrure.

« Il y a un bosquet un peu plus loin », répondit Étoile de Feu.

Les autres meneurs acquiescèrent, puis tous les félins trottèrent jusqu'au petit bois. Ravie, Nuage de Feuille s'écroula sur un tas de mousse.

« Ça pue le renard, déclara Étoile de Jais.

— L'odeur est ancienne, répondit Étoile du Léopard.

— Mais il pourrait revenir pendant notre sommeil, protesta Griffe de Pierre.

— Il vaudrait mieux que les Clans dorment tous ensemble, lança Fleur de l'Aube, tendant une patte pour empêcher son fils, un petit chaton dodu et tigré, de poursuivre un cloporte. Tiens-toi tranquille, Petite Boule, le rabroua-t-elle.

— Les chatons et les reines pourraient rester au centre, suggéra Moustache. Ils y seraient en sécurité. » Il jeta un coup d'œil à Étoile de Feu. « Les plus âgés devraient les y rejoindre.

— Très bien, convint Étoile de Jais. Chaque Clan postera deux guerriers pour monter la garde. »

Nuage de Feuille rejoignit Museau Cendré au cœur d'un nid de fougères. Fleur de Bruyère dormirait sans doute sur ses deux oreilles, ce soir, se dit-elle, avec quatre Clans et d'épais taillis pour tenir chaud à Petit Frêne. Les bois étaient très calmes. Seul le hululement d'une chouette brisait le silence glacé. Ce n'était pas son foyer, et l'odeur des quatre Clans mêlés lui picotait le nez. Pourtant, une fois roulée en boule près de son mentor, l'apprentie guérisseuse sombra aussitôt dans un sommeil sans rêves.

À mesure qu'ils progressaient vers le couchant, Nuage de Feuille s'habitua aux Chemins du Tonnerre. Les Clans les traversaient toujours séparément, mais les reines, qui avaient constaté que les plus jeunes étaient désorientés par le bruit et la puanteur des monstres, surveillaient les petits les unes des autres. Telles des toiles d'araignée sous la pluie, les limites entre les Clans fondaient peu à peu.

« On devrait atteindre les montagnes d'ici ce soir, annonça Griffe de Ronce, tandis que Nuage de Feuille faisait la tournée matinale de leurs camarades de Clan pour examiner les blessures et guetter des signes d'infection.

— Nous sommes déjà si près ? » s'étonna-t-elle.

Elle leva les yeux vers les sommets qui, de petites lignes à l'horizon, étaient devenus une masse menaçante. Elle frissonna en apercevant les neiges éternelles qui coiffaient les plus hauts pics. Certains de leurs camarades avaient déjà commencé à tousser, éveillant chez Nuage de Feuille la crainte du mal vert, la seule maladie capable de faucher un Clan entier pendant la mauvaise saison.

« Nuage de Feuille ! l'appela Étoile de Feu. Tu es partante pour aller chasser ?

— Oui, avec plaisir », répondit-elle, impatiente.

Soigner le Clan, couvrir les coupures de toiles d'araignée, soulager les égratignures avec de l'oseille, ramasser des herbes au fil du chemin : ses tâches l'accaparaient tant qu'elle n'avait pas chassé depuis des jours.

« Alors accompagne Griffe de Ronce et Nuage d'Écureuil, lui ordonna son père. Essaie de rapporter une souris ou deux. »

Nuage d'Écureuil bondit jusqu'à elle.

« De quel côté va-t-on, à ton avis ? demanda la rouquine.

— Ce champ, là-bas, doit grouiller de mulots, répondit Griffe de Ronce en pointant le bout de sa queue vers une prairie protégée par une haie.

— Alors allons-y », les pressa Nuage d'Écureuil, et elle détala.

Griffe de Ronce se lança à sa poursuite, suivi de Nuage de Feuille. Passé la haie, ils se trouvèrent à découvert, au milieu d'un vaste pré verdoyant.

Tandis que le guerrier et l'apprentie longeaient le pourtour du terrain, Nuage de Feuille s'engagea dans les hautes herbes balayées par le vent et la pluie. Presque aussitôt, elle sentit une odeur de souris. Après les longues lunes de famine endurées dans la forêt désertée par le gibier, elle n'osait y croire. Tapie dans la position du chasseur, elle rampa dans l'herbe en remontant la piste. Un instant plus tard, elle aperçut un petit rongeur brun qui grattait le sol et bondit sans attendre.

La souris déguerpit avant que les pattes de la chatte ne touchent le sol. Elle retomba sur la touffe d'herbe, là où sa proie se tenait un instant plus tôt.

« Je vois que tu es habituée à la chasse en forêt. »

Le miaulement condescendant de Plume de Faucon fit sursauter l'apprentie guérisseuse. En se tournant, elle vit qu'il la regardait calmement, la queue enroulée autour de ses pattes.

« Tu n'as rien de mieux à faire ? lui lança-t-elle d'un air de défi. Comme chasser pour ton propre Clan, par exemple ?

— J'ai déjà attrapé trois souris et une grive. J'ai bien mérité de me reposer un peu. »

Pendant que Nuage de Feuille cherchait une réponse cinglante, Plume de Faucon leva la truffe et flaira la brise.

« Un chien ! cracha-t-il. Qui vient droit vers nous ! »

La novice percevait déjà le pas lourd de l'animal martelant le sol. Elle tourna sur elle-même, ne sachant de quel côté partir.

« Retourne à la haie ! » lui ordonna Plume de Faucon.

L'apprentie guérisseuse se mit à courir, mais un feulement furieux la poussa à jeter un coup d'œil en arrière. Plume de Faucon faisait le gros dos devant un chien noir et blanc aux babines retroussées. Tout en crachant, il se jeta soudain sur le molosse pour lui griffer le museau.

« Griffe de Ronce ! Nuage d'Écureuil ! À l'aide ! » hurla Nuage de Feuille.

Le chien chargea de plus belle. Plume de Faucon l'esquiva de justesse et les terribles mâchoires se refermèrent sur le vide.

« Attention ! » lança Griffe de Ronce.

Surgi des hautes herbes près de Nuage de Feuille, il sauta sur le dos du chien et y enfonça profondément ses griffes.

Il se cramponna tandis que l'animal ruait, jappait et se démenait pour le faire tomber. Le chien se tordit le cou et fit claquer ses mâchoires à une longueur de souris à peine du visage du guerrier. Crachant de terreur, Griffe de Ronce lâcha prise et fut projeté au sol. Il ne lui fallut qu'un instant pour retrouver ses esprits, mais la bête s'était déjà tournée vers lui en bavant de rage.

Juste à temps, Plume de Faucon se jeta entre les adversaires, assenant une pluie de coups de griffes sur la truffe du cabot. Griffe de Ronce se releva péniblement et joignit ses forces à celle du guerrier du Clan de la Rivière. Pétrifiée par la peur, Nuage de Feuille ne put que regarder les deux matous affronter le molosse, bondissant, tournant et feintant comme si les deux silhouettes aux larges épaules étaient le reflet l'une de l'autre.

L'ennemi commençait à battre en retraite, la queue entre les jambes. Dressé sur ses pattes arrière, Plume de Faucon cracha si férocement que le chien partit vers la haie en couinant.

« Griffe de Ronce, ça va ? demanda aussitôt Nuage de Feuille.

— Oui, je n'ai rien.

— Heureusement que j'étais là, ricana Plume de Faucon.

— Je t'ai sauvé la mise en premier... Tu l'as oublié ? » rétorqua Griffe de Ronce.

Plume de Faucon haussa les épaules.

« C'est possible, admit-il à contrecœur.

— En tout cas, tu as réussi à terroriser ce sale cabot.

— Que se passe-t-il ? lança Nuage d'Écureuil en arrivant à toute allure. Je sens une odeur de chien.

— Il nous a attaqués. Griffe de Ronce et Plume de Faucon lui ont fait peur.

— Vraiment ?

— Je rentre », annonça Plume de Faucon d'un ton sec.

Leur combat commun ne l'avait guère rendu plus amical. Nuage de Feuille fut contente de le voir s'éloigner.

« Allez, retournons chasser, miaula Griffe de Ronce en s'élançant dans la prairie.

— Viens, Nuage de Feuille ! cria Nuage d'Écureuil. Il nous faut du gibier pour prendre des forces avant d'attaquer les montagnes. »

De nouveau, l'apprentie guérisseuse contempla les sommets enneigés, l'angoisse au cœur.

CHAPITRE 21

LORSQUE LES CLANS ATTEIGNIRENT le sentier abrupt qui grimpait vers les sommets, une bise cinglante descendait des montagnes. D'épais nuages masquaient le ciel, et Nuage de Feuille devina à leur teinte jaunâtre que la neige ne tarderait plus à tomber.

Griffe de Ronce et Pelage d'Orage ouvraient la marche le long d'une vallée encaissée. Nuage de Feuille n'aurait jamais pu imaginer un endroit si différent de la forêt. Il n'y avait là que quelques arbres, rabougris, noueux, accrochés à la surface minérale. Ils n'offraient aucun abri pour le gibier.

À cause de la famine de ces dernières lunes, la fourrure clairsemée des félins ne les protégeait plus guère du froid. Pourtant, tête basse, ils avançaient sans relâche. Étoile Filante, qui semblait aussi fragile qu'une feuille morte, s'appuyait souvent contre Moustache. Le Clan de l'Ombre n'avait guère meilleure allure : les yeux de ses membres étaient las et leurs pas mesurés. Quant au Clan de la Rivière, il faisait peine à voir. Le pelage brillant de ses guerriers n'était plus qu'un souvenir, tout comme l'époque où tous mangeaient à leur faim.

L'un des chatons de Fleur de Pavot leva la tête vers les sommets, les yeux ronds comme ceux d'une chouette.

« On va vraiment tout là-haut ? demanda-t-il.

— Oui », répondit sa mère, la mine sombre.

Belle-de-Jour s'arrêta un instant. Elle leva sa patte avant raidie pour passer sa langue sur ses coussinets.

« Ça va ? » s'inquiéta Nuage de Feuille, voyant que du sang suintait entre les griffes de l'ancienne. Sans attendre sa réponse, elle chercha sa sœur du regard dans la colonne de chats. « Nuage d'Écureuil ! » appela-t-elle en la repérant près de Griffe de Ronce.

La rouquine se tourna aussitôt.

« On peut s'arrêter un instant ? Je dois soigner la patte de Belle-de-Jour.

— Je vais avertir Étoile de Feu, répondit Nuage d'Écureuil.

— Tu as besoin de quelque chose ? s'enquit Griffe de Ronce.

— De toiles d'araignée et de consoude, si possible. »

Nuage de Feuille scruta le paysage dénudé sans grand espoir d'y trouver quelque chose d'utile.

« On va t'en trouver », promit le guerrier tacheté.

Il murmura des instructions aux guerriers qui l'entouraient. Les miaulements se répandirent dans l'assemblée des chats puis des membres de tous les Clans partirent dans les rochers en quête de remèdes.

Nuage de Feuille examina la patte de Belle-de-Jour.

« Tu l'as bien nettoyée, miaula-t-elle. Mais si tu continues à l'amollir avec ta salive, elle ne durcira jamais. »

Écorce de Chêne se faufila jusqu'à elles.

« Qu'est-ce qui ne va pas ? voulut-il savoir.

— Mes coussinets sont à vif à force de marcher, c'est tout, grommela l'ancienne.

— Ça ira, ça ? » demanda Feuille Rousse en crachant sur le sol une bouchée de végétaux.

Nuage de Feuille les renifla avec précaution. Leur odeur lui était totalement étrangère. Elle lécha une feuille, laissa sa saveur imprégner sa langue, avant de se risquer à la mâcher. C'était amer, mais l'arrière-goût d'astringent lui rappelait le pétale de souci.

« Ça fera peut-être l'affaire », déclara-t-elle. Puis elle jeta un coup d'œil vers Écorce de Chêne : « On essaie ?

— On dirait l'une des plantes qu'on utilisait dans la lande, répondit le guérisseur en flairant une tige.

— Vas-y, l'encouragea Belle-de-Jour. Si ça marche, tu pourras t'en servir sur les autres. Je te le dirai tout de suite, si j'ai trop mal. »

Nuage de Feuille mâchouilla la feuille et appliqua le jus vert sur la patte de l'ancienne.

La vieille chatte grimaça, ce qui fit reculer l'apprentie guérisseuse.

« Ça va, la rassura Belle-de-Jour. C'est juste que ça picote. Continue. »

Papillon surgit à son côté, une patte avant couverte de toile d'araignée collante.

« Parfait, merci ! »

La jeune chatte démêla la toile et fit de son mieux pour envelopper la patte enflée de l'ancienne.

« Si la douleur s'amplifie, préviens-moi.

— Entendu. » Belle-de-Jour posa doucement la patte au sol. « C'est déjà mieux. »

Dès que Griffe de Ronce se plaça à la tête du groupe, les félins repartirent. Nuage d'Écureuil marchait en silence près de sa sœur, la tête basse.

« C'est par là que vous êtes revenus ? lui demanda Nuage de Feuille.

— Je… je crois. »

Nuage de Feuille se tourna vers elle, surprise. La colonie avait emprunté cet itinéraire sur le conseil de Pelage d'Or. Comme l'avait dit la guerrière, il serait plus simple de repasser par le même chemin. La rouquine aurait donc dû le reconnaître. L'apprentie guérisseuse regarda droit devant, là où la vallée se refermait pour n'être plus qu'une fissure entre les roches.

« Ce paysage ne te dit rien ?

— Tout est différent, lorsqu'on vient de ce côté, répondit sa sœur. La dernière fois, la Tribu nous avait escortés. »

Nuage de Feuille déglutit, nerveuse. Elle se demanda s'ils croiseraient des membres de la Tribu pendant leur voyage – ces félins au pelage strié de boue qui vénéraient d'autres guerriers de jadis et survivaient malgré tout dans un monde de roc et de glace.

Parmi le groupe de chats qui grimpaient péniblement le long du flanc de la montagne, seul Pelage d'Orage semblait à son aise. Il bondissait de rocher en rocher avec une aisance telle qu'il était difficile de croire qu'il appartenait au Clan de la Rivière. Sa fourrure même se fondait parfaitement dans ce monde gris et nu.

L'ascension semblait sans fin. Ils poursuivirent leur avancée le jour suivant, puis celui d'après ; le terrain se faisait plus abrupt, plus caillouteux, et les pics les dominaient toujours. À présent, la patte de Belle-de-Jour était presque guérie. Nuage de Feuille gardait un œil sur le bas-côté, cherchant du regard la plante qui avait fait merveille.

« Vous êtes sûrs qu'on marche dans la bonne direction ? murmura Poil de Châtaigne. Ce sentier devient de plus en plus étroit. »

Elle avait raison. Au bout du chemin, la montagne disparaissait d'un côté pour laisser place à un précipice vertigineux. De l'autre, une corniche serpentait le long d'une paroi verticale. Le vent qui s'engouffrait dans la brèche ébouriffait la fourrure de Nuage de Feuille. Elle plissa les yeux pour se protéger de la bise, sans jamais cesser de regarder droit devant elle.

Les félins durent se mettre en file pour continuer leur progression.

« Portez les chatons ! » ordonna Étoile de Jais d'un bout à l'autre de la colonne, et son appel ricocha étrangement sur les parois du précipice.

Le sentier montait vers une passe étranglée entre deux sommets. À mesure qu'ils avançaient, la corniche s'effritait sous leurs pattes, envoyant des pierres rouler le long du versant de la montagne. Le cœur battant, Nuage de Feuille marchait en rasant la paroi rocheuse. Elle sentait le souffle chaud de Poil de Châtaigne sur ses talons.

Soudain, une plainte aiguë lui parvint de l'avant de la file : un énorme rocher venait de se détacher de l'étroit passage, sous les pattes de Nuage de Fumée, un apprenti du Clan de l'Ombre. L'espace d'un instant, le matou resta suspendu au bord du gouffre, ses griffes crissant désespérément sur la roche. Feuille Rousse, le lieutenant de son Clan, plongea pour le secourir, mais son poids délogea davantage de pierres et Nuage de Fumée sombra dans l'abysse. Feuille Rousse fit un bond en arrière, échappant de justesse à une mort certaine.

« Nuage de Fumée ! gémit une reine du Clan de l'Ombre en se penchant au-dessus du vide.

— Recule ! » hurla Pelage d'Orage.

Tel un poisson remontant le courant, il se faufila jusqu'à elle et l'arracha au bord.

Tandis que tous restaient figés, horrifiés, Nuage de Feuille implora le Clan des Étoiles d'accueillir bien vite l'apprenti. Étoile de Jais jeta un coup d'œil en contrebas.

« Nous ne pouvons rien faire, miaula-t-il en se redressant. Il nous faut poursuivre.

— Tu vas le laisser là ? s'indigna la reine.

— Il ne survivra pas à sa chute. Et son corps est hors d'atteinte. » Il toucha du bout du museau le flanc de la chatte. « Je suis désolé, Nuit Noire. Le Clan de l'Ombre n'oubliera pas Nuage de Fumée. Je te le promets. »

Choqués, accablés de chagrin, les félins se remirent en route, frôlant la falaise de si près que leur fourrure s'y accrochait. En se détachant, le rocher avait laissé un trou béant au milieu de la corniche. Heureusement, Longue Plume était déjà passé. Nuage de Feuille n'osait même pas imaginer comment ils auraient pu l'aider à franchir un gouffre dont il ne pouvait évaluer la longueur. Mais certains se trouvaient encore du mauvais côté.

Depuis l'autre bord, les griffes plantées dans le sol, Pelage d'Orage encourageait un apprenti du Clan du Vent à le rejoindre en sautant.

« Allez, Nuage de Belette. Tu n'as rien à craindre. Tu vas y arriver sans problème. »

Les yeux écarquillés, le jeune chat contemplait l'abîme.

« Les autres vont geler sur place en t'attendant, gronda Pelage d'Orage. Saute, bon sang ! »

L'apprenti releva la tête, cligna des yeux. Il se tapit, basculant son poids sur ses hanches, puis bondit, les pattes avant tendues. Pelage d'Orage l'attrapa par la peau du cou lorsqu'il retomba en grognant sous l'effort. Il l'encouragea d'un petit coup de museau à suivre le sentier, avant de se tourner vers le suivant.

« Mes petits ne peuvent pas sauter si loin ! s'écria Fleur de Pavot avec un mouvement de recul.

— Je vais les prendre », décida Nuage Noir en se faufilant près de Pelage d'Orage.

Il sauta par-dessus la brèche et retomba juste devant Fleur de Pavot. Elle le dévisagea, épouvantée.

« Je ne les laisserai pas tomber », promit-il.

Il saisit le premier entre ses mâchoires et s'approcha du bord du gouffre. Le chaton gigotait, ses couinements terrifiés résonnaient dans le vide. Pétrifiée, la reine regarda Nuage Noir sauter. Une pluie de gravillons tomba lorsqu'il atterrit près de Pelage d'Orage, mais il ne perdit pas l'équilibre. Nuage de Feuille fut impressionnée par son agilité.

« Assure-toi qu'il ne bouge pas d'un poil », lança l'apprenti du Clan du Vent au guerrier gris avant d'aller chercher le suivant.

Lorsque les trois chatons furent en sécurité de l'autre côté, Fleur de Pavot, qui était haute sur pattes, franchit facilement l'obstacle.

« Merci, miaula-t-elle en pressant son museau contre ses petits, avant de les encourager à escalader la pente.

— Faisons traverser les autres, miaula Nuage Noir à Pelage d'Orage. Reste de ce côté, moi je retourne en face. »

Lorsque vint le tour de Nuage de Feuille, ses pattes tremblaient si fort qu'elle craignit de chuter.

« Ne t'en fais pas, murmura Nuage Noir à son oreille. C'est moins difficile qu'il n'y paraît. »

La novice sentit le souffle chaud de l'apprenti sur sa fourrure. Concentrée sur cette sensation, elle tenta d'oublier le vide qui s'ouvrait devant elle. Elle savait que, chez elle, sur le doux sol de la forêt, elle aurait franchi cette distance sans même y penser. Mais là, le vide l'attirait tel un tourbillon cherchant à l'entraîner au fond d'une rivière noire.

« Ne regarde pas en bas ! » lança Pelage d'Orage.

Nuage de Feuille releva la tête, tâtant du bout de la patte le bord du gouffre. *Clan des Étoiles, aidez-moi !* Elle s'accroupit avant de sauter… et de retomber de l'autre côté en dérapant sur des cailloux qui lui meurtrirent les coussinets.

« Bravo ! » la félicita Pelage d'Orage.

Poil de Châtaigne attendait son tour. Lorsque la guerrière bondit, Nuage de Feuille recula d'un pas pour lui laisser la place. Voyant qu'elle avait atterri un peu trop près du bord, l'apprentie guérisseuse plongea vers elle pour l'attraper par la peau du cou.

« Merci, souffla son amie, frissonnante.

— De rien, marmonna-t-elle, la bouche pleine de poils.

— Dépêchez-vous de rattraper les autres, leur lança Pelage d'Orage. Nous, nous restons là pour aider les derniers à traverser. »

Elles s'élancèrent dans la montée avec entrain. Fleur de Pavot avait déjà disparu dans un étroit ravin. Nuage de Feuille la suivit aussitôt, impatiente de s'éloigner de la corniche. Le ravin débouchait sur une vallée en pente menant à une autre crête montagneuse. D'un côté, une imposante falaise se dressait vers le ciel. De l'autre, une pente douce s'élevait plus progressivement vers des rochers pointus où l'herbe et la bruyère se disputaient le moindre espace. Les autres félins avançaient tel un cortège d'ombres glissant entre les rochers. Museau Cendré naviguait de l'un à l'autre, s'assurant que tout le monde allait bien.

L'estomac de Nuage de Feuille se mit à gargouiller. Elle espérait que les crevasses et les combes dissimuleraient quelques rongeurs. Les chats avaient à peine mangé depuis leur arrivée dans les montagnes. Les champs giboyeux du territoire des Bipèdes n'étaient plus qu'un souvenir et ces rochers ne semblaient guère abriter assez de proies pour nourrir un seul Clan.

« Certains sont déjà partis chasser », miaula Poil de Châtaigne.

Pelage d'Or guidait une petite patrouille sur un versant de la vallée. Étoile de Jais se dirigeait quant à lui vers un massif rocheux un peu plus bas, flanqué de deux guerriers du Clan de l'Ombre.

« Nuage de Feuille ! Poil de Châtaigne ! »

En entendant l'appel d'Étoile de Feu, sa fille bondit vers lui.

« Griffe de Ronce organise des patrouilles de chasse, annonça-t-il. Vous deux, vous pouvez partir avec lui.

— Je ne devrais pas plutôt aider Museau Cendré ? »

Il jeta un coup d'œil vers la guérisseuse.

« Personne n'est blessé, même si quelques-uns sont encore sous le choc. Museau Cendré m'a dit qu'elle pouvait se passer de toi.

— D'accord », miaula Nuage de Feuille avant de filer vers Griffe de Ronce, suivie par Poil de Châtaigne.

Elle s'arrêta un instant auprès de Fleur de Bruyère.

« Comment va Petit Frêne ? s'enquit-elle.

— Bien. Mais dès qu'il commencera à neiger... » soupira la reine en regardant les nuages.

Le chaton leva les yeux vers Nuage de Feuille et demanda d'un air effronté :

« Pourquoi Jessie n'est pas venue avec nous ? C'est toi qui l'as chassée ?

— Mais non. Elle est juste rentrée chez elle, lui expliqua-t-elle avec gentillesse.

— On s'amusait bien, tous les deux !

— Tu pourras t'amuser autant que tu voudras quand nous serons arrivés à destination, lui promit sa mère.

— Si on y arrive un jour, marmonna Poil de Châtaigne en s'éloignant.

— Bien sûr, qu'on y arrivera », miaula Nuage de Feuille d'un ton qu'elle espérait convaincant.

Nuage d'Écureuil leva la tête à leur approche. « Griffe de Ronce est en train de nous apprendre les techniques de chasse de la Tribu, murmura-t-elle. Ça nous sera bien utile.

— Ici, dans les hauteurs, l'affût est plus efficace que la traque, expliquait le guerrier tacheté.

— Nous n'appartenons pas à la Tribu, mais aux Clans ! protesta Perle de Pluie. Pourquoi devrions-nous les imiter ?

— Nous ne sommes plus dans la forêt, rétorqua Griffe de Ronce. Sans le couvert des taillis, les proies vous repéreront dans l'instant. Ici, il faut attendre, et rester immobile jusqu'à se fondre dans la montagne. Alors le gibier viendra à vous.

— Quelle proie serait assez stupide pour ça ? railla Nuage de Belette.

— C'est ce que la Tribu nous a appris ! feula Griffe de Ronce, les yeux brillants. Si vous ne voulez pas mourir de faim, il vous faudra chasser comme elle ! » D'un mouvement sec, sa queue battit l'air. « Nuage d'Araignée, tu viens avec moi. Nuage d'Écureuil, va avec Perle de Pluie, et vous deux... » Il regarda Nuage de Feuille et Poil de Châtaigne. « Vous restez ensemble.

— Où devons-nous chasser ? » demanda l'apprentie guérisseuse. Elle balaya la vallée du regard, avec ses saillies périlleuses et ses sombres crevasses, et repensa dans un frisson au chat géant qui avait tué Jolie Plume. « Ce n'est pas trop dangereux ?

— Si tu fais attention, il ne t'arrivera rien. Essayez là-haut », suggéra-t-il en désignant un surplomb du bout de la queue.

Poil de Châtaigne hocha la tête. En commençant à escalader la paroi, elle arrosa les autres d'une pluie de poussière et de cailloux. Nuage de Feuille s'ébroua et suivit son amie. Ses pattes fatiguées la faisaient souffrir, mais elle poursuivit jusqu'au surplomb. D'un brusque mouvement de la queue, Poil de Châtaigne lui intima le silence. Aussitôt, Nuage de Feuille reconnut l'odeur jadis si familière d'une souris. Elle se tapit près de la guerrière pour scruter une bande d'herbe épaisse qui poussait dans une fissure. *Ne bouge pas*. Elle se remémora le conseil de Griffe de Ronce, mais il était difficile d'attendre patiemment alors que son estomac criait famine.

Lorsque l'herbe frémit, Poil de Châtaigne avança doucement. Soudain, la souris surgit et détala droit vers une brèche dans la roche. Horrifiée, Nuage de Feuille vit Poil de Châtaigne sauter sur le rongeur… et tomber du surplomb.

Songeant à Nuage de Fumée, elle dut se forcer à regarder en bas. À son grand soulagement, Poil de Châtaigne était toujours en vie, hurlant de peur tandis qu'elle dévalait la pente. Elle s'arrêta soudain en percutant un buisson d'aubépine rabougri, qui ploya sous elle.

« Poil de Châtaigne ! lança Nuage de Feuille. Ça va ? »

La guerrière leva la tête, les yeux écarquillés.

« Rien de cassé, miaula-t-elle. Juste quelques égratignures. »

Plantant ses griffes dans la paroi, elle remonta jusqu'au surplomb.

Griffe de Ronce surgit au sommet de la pente, alerté par l'avalanche de cailloux provoquée par la chute de la chatte.

« Que s'est-il passé ? voulut-il savoir.

— J'ai glissé, c'est tout, lui répondit Poil de Châtaigne, même si ses yeux luisaient toujours de peur.

— Il faut être très prudent ! » feula Griffe de Ronce.

Soudain, il se figea. Il avait vu quelque chose derrière elles.

« Qu'est-ce que c'est ? » chuchota Nuage de Feuille.

Elle risqua un regard, le cœur battant. Soulagée, elle constata qu'il avait simplement repéré la souris, qui venait de ressortir de la fissure.

« Ne bougez pas, leur ordonna le guerrier dans un souffle.

— Mais je pourrais l'avoir d'un bond, protesta la guerrière.

— Attends », grogna le matou.

Nuage de Feuille entendit soudain un léger battement d'ailes au-dessus de sa tête. Un énorme oiseau roussâtre tournoyait dans le ciel. Elle déglutit, ne sachant quelle proie le rapace avait repérée : la souris, ou eux ?

« Avec un peu de chance, il visera la souris, et on pourra rapporter deux prises au Clan, dont une de taille, souffla Griffe de Ronce lorsque l'aigle replia ses ailes et piqua droit sur eux, aussi rapide et silencieux qu'un guerrier du Clan des Étoiles.

— Et si on n'a pas de chance ? » grommela Poil de Châtaigne.

Le guerrier ne répondit pas.

L'oiseau s'approchait de plus en plus. Nuage de Feuille discerna bientôt chaque plume de ses ailes énormes et ses yeux qui brillaient comme deux petits cailloux noirs.

« Attendez, attendez », murmurait Griffe de Ronce, les mâchoires serrées.

Contre toute attente, l'aigle les dépassa, ignorant la souris et les trois félins sur la corniche, piquant droit sur les Clans dans la vallée en contrebas !

Griffe de Ronce bondit sur le surplomb et donna l'alerte : « Attention ! »

Agitant ses ailes brun doré, le rapace fondit sur les chats, qui filèrent dans toutes les directions en hurlant de peur. Seuls les guerriers restèrent à leur place, bondissant sur leurs pattes arrière, frappant de leurs pattes avant, toutes griffes dehors. Lorsque l'aigle reprit son envol, une petite boule de poils entre ses serres, Nuage de Feuille entendit les miaulements pitoyables d'un chaton. *Non !*

« Petite Flaque ! » hurla Fleur de Pavot.

Soudain, Poil de Fougère bondit, comme porté par le vent. De ses griffes tendues, il agrippa *in extremis* les serres de l'aigle. Poussant un cri rageur, il s'y accrocha de toutes ses forces. L'aigle glatit et, d'une secousse, il se débarrassa du guerrier. Poil de Fougère s'écrasa au sol, mais l'oiseau avait desserré son étreinte. Le chaton retomba près du guerrier.

Nuage de Feuille se jeta du surplomb, atterrit gauchement sur le sol et se laissa glisser jusqu'en bas, ignorant la morsure des pierres sous ses pattes. Derrière elle, Griffe de Ronce et Poil de Châtaigne dévalèrent la pente en zigzag pour éviter de tomber la tête la première.

« Va voir Poil de Fougère, lança l'apprentie guérisseuse à Poil de Châtaigne. Je m'occupe de Petite Flaque. »

Fleur de Pavot était penchée sur la boule de poils gisant sur le sol rocailleux. Fleur de Bruyère, qui comprenait sa terreur, se frotta contre la reine du Clan de l'Ombre pour la réconforter.

En léchant le poitrail du chaton, Nuage de Feuille sentit ses flancs se soulever et son cœur minuscule battre la chamade. Son épaule saignait, mais la coupure était superficielle.

« Il s'en remettra, promit-elle alors. Il faut juste le garder bien au chaud. »

Museau Cendré arriva peu après, clopin-clopant.

« Nettoie la plaie du mieux que tu peux, ordonna la guérisseuse. Les herbes nous manquent pour soigner les infections. »

Sa protégée obéit aussitôt, goûtant sur sa langue la saveur salée du sang du chaton.

Tremblante de peur, Fleur de Pavot attira ses deux autres petits auprès d'elle.

« Par le Clan des Étoiles, où nous avez-vous conduits ? hurla-t-elle en cherchant des yeux leurs guides.

— Je ne pensais pas qu'un aigle nous attaquerait alors que nous sommes si nombreux ! hoqueta Nuage d'Écureuil en arrivant à grands pas.

— Tu connaissais les risques ? demanda Étoile de Jais, furieux.

— Nous savions que les aigles attaquaient la Tribu, mais les chats des montagnes parviennent toujours à les repousser, répondit l'apprentie, d'un air misérable.

— Nous ne sommes pas comme la Tribu, feula Étoile de Jais. Tu aurais dû nous prévenir pour que nous nous mettions à l'abri.

— Quel abri ? s'écria Fleur de Pavot. On ne peut se cacher nulle part. On ne peut même pas chasser. Ici, c'est nous, les proies !

— C'est vrai, renchérit Fleur de l'Aube, prise de panique. Ces oiseaux de malheur nous emporteront les uns après les autres.

— Pas si nous restons groupés, rétorqua Pelage de Poussière.

— Exact, miaula Feuille Rousse. La prochaine fois, nous serons prêts.

— Si un autre rapace attaque, nous le ferons fuir avant qu'il s'approche des petits, promit Plume de Faucon.

— Même dix Clans n'arriveraient pas à chasser pareille créature ! s'emporta Fleur de Pavot.

— Peut-être, intervint Étoile du Léopard. Mais tous les chats ici présents risqueront leur vie pour sauver nos petits. »

Son regard balaya l'assemblée des félins. Tous les guerriers et les apprentis lui donnèrent raison, poussant des miaulements féroces.

Nuage de Feuille cligna des yeux. Ce n'était plus quatre Clans qui accomplissaient ce terrible périple, mais un seul, uni par la peur et l'impuissance. Elle laissa le chaton blessé aux soins de sa mère. Petit Orage était avec eux, maintenant.

« Comment va Poil de Fougère ? s'enquit-elle en faisant quelques pas vers Poil de Châtaigne, qui examinait le guerrier.

— Je vais bien, répondit celui-ci en se remettant sur ses pattes.

— Je le garde à l'œil », promit Poil de Châtaigne.

Nuage de Feuille alla rejoindre sa sœur et, du bout du museau, elle lui toucha l'épaule.

« Maintenant, ça ne peut plus empirer, pas vrai ? » lui demanda-t-elle.

Nuage d'Écureuil soutint son regard sans mot dire, les yeux voilés par le doute. Désespérée, Nuage de Feuille leva la tête vers le ciel, priant pour que le Clan des Étoiles les protège. Elle se demandait si ses pensées atteindraient leurs ancêtres à travers les nuages chargés de neige.

Comme pour lui répondre, les premiers flocons blancs se mirent à tomber.

CHAPITRE 22

NUAGE D'ÉCUREUIL DÉCELA un mouvement sur la corniche au-dessus de sa tête. Lorsqu'elle s'arrêta, ses pattes s'enfoncèrent un peu dans la neige. Un faucon se délectait d'une musaraigne, quelques longueurs de queue plus haut. Le pelage roux de la novice devait se détacher sur le sol blanc comme un coucher de soleil dans un ciel pâle. Elle resta donc immobile, espérant que l'oiseau ne l'avait pas repérée.

Elle se demanda si elle était capable de franchir d'un bond la courte distance qui la séparait du rapace pour l'attraper. Probablement pas. Les derniers jours avaient sapé ses forces au point qu'elle ne trouvait plus le courage de chasser. Au moins, la neige apaisait ses coussinets à vif.

Le faucon plaqua le rongeur contre la roche et se pencha sur lui pour lui arracher les chairs. Nuage d'Écureuil sentit la jalousie la dévorer tant la faim lui tordait les entrailles. Avec la lenteur de la glace qui fond, elle rampa entre les rochers, priant pour que les flocons de neige tombés sur sa fourrure la dissimule un peu.

Elle devait absolument ramener une proie. Si la disette se poursuivait, le froid allait bientôt les décimer, plus vite que n'importe quel aigle. Malgré leurs promesses hardies à Fleur de Pavot, les plus valeureux guerriers avaient été si choqués par la mort de Nuage de Fumée et l'attaque de l'aigle qu'eux aussi avaient perdu de leur assurance. Nuage d'Écureuil éprouva un remords si violent qu'elle se figea. Elle avait contribué à emmener les Clans à leur mort. Elle n'était même plus certaine de pouvoir les retrouver si elle arrivait à capturer le faucon. Elle savait qu'ils n'étaient pas loin, pelotonnés dans la neige, priant pour que le Clan des Étoiles leur accorde la délivrance.

Si seulement elle pouvait être sûre d'avoir atteint le terrain de chasse de la Tribu... Avec un peu de chance, les chats des montagnes viendraient à leur secours. Ces derniers temps, Pelage d'Orage avait pris l'habitude d'aller vagabonder la nuit entre les pics enneigés. Lui seul semblait à l'aise dans ce territoire hostile. Elle se doutait qu'il cherchait Source, ou au moins un signe de la présence de la Tribu. Mais jusque-là, il n'avait rien trouvé. La Tribu n'avait nul besoin de marquer ses frontières. Nul autre chat ne lui enviait ses terres inhospitalières.

Le faucon secoua ses plumes pour en chasser la neige. Son geste tira la novice de ses pensées. Elle banda ses muscles fatigués, prête à bondir.

Soudain, un vif mouvement au-dessus d'elle la fit reculer. Trois félins aux corps minces et striés de boue se jetèrent des hauteurs, droit sur le faucon. L'un saisit le rapace entre ses longues griffes, les deux autres se ruèrent sur Nuage d'Écureuil, lui coupant la respiration. De puissantes pattes la maintinrent dans la neige. Elle se débattit, mais l'adversaire était trop fort pour elle et, au bout de quelques instants horribles, elle s'immobilisa, le souffle rauque et irrégulier.

« Nuage d'Écureuil ! »

La voix était familière. Aussitôt, on la souleva du sol. Elle secoua la tête, cligna des yeux, et fut soulagée de reconnaître Serre. Le matou la contemplait avec surprise. Deux autres garde-cavernes se tenaient derrière lui, l'air médusé.

« Qu'est-ce que tu fais là ? » demanda le matou.

Tandis que la rouquine s'efforçait de mettre de l'ordre dans ses pensées, elle reconnut l'un des deux autres chats. C'était Roc.

« On a quitté la forêt, expliqua-t-elle. On traverse les montagnes.

— Encore ? miaula Serre, stupéfait.

— Cette fois-ci, on est tous partis.

— Tous ?

— Les quatre Clans. On ne pouvait plus vivre dans la forêt. Il n'en reste presque plus rien. Mais jamais on n'aurait pensé que le voyage serait si ardu ! Nuage de Fumée est tombé dans un précipice, ensuite un aigle a essayé d'emporter un chaton…

Sa voix se brisa.

« Vous avez emmené des chatons ? Par ce temps ? Vous êtes malades ? Tu dois guider tous ces chats jusqu'à la Caverne de l'Eau Vive pour qu'ils se reposent. Où sont-ils ?

— On s'est abrités sous des rochers surplombés par un arbre en forme de griffe géante. »

Serre jeta un coup d'œil aux garde-cavernes.

« L'Arbre des Pierres, miaula-t-il. Allez-y. »

Les gardes filèrent le long d'une congère, les oreilles rabattues pour se protéger de la neige.

« Allons chercher tes camarades avant qu'ils ne meurent de froid », murmura Serre en ramassant le faucon encore tiède entre ses mâchoires.

Nuage d'Écureuil eut du mal à suivre son allure lorsqu'il s'élança à la suite de ses amis.

« Ils seront en sécurité une fois à l'intérieur de la caverne », lança le matou.

L'espoir donna à Nuage d'Écureuil un regain d'énergie. Elle progressa tant bien que mal dans la poudreuse jusqu'à une corniche abritée de la neige par un surplomb. Malgré l'avalanche de pierres déclenchée par son passage, elle n'arrêta pas de courir.

« Un aigle ! »

Les garde-cavernes s'arrêtèrent aussi sec, juste au bord de la corniche. Nuage d'Écureuil repéra un peu plus loin le massif rocheux qui abritait les Clans. À travers la tempête de neige, la rouquine distinguait à peine les silhouettes de ses camarades. Dans le ciel, le rapace tournoyait, manœuvre typique avant l'attaque. La peur noua l'estomac de la jeune chatte.

Les gardes prirent appui sur leurs pattes arrière avant de franchir d'un bond la profonde crevasse qui les séparait des chats de la forêt.

Nuage d'Écureuil regarda de l'autre côté, puis en bas, au fond du précipice. Des rochers aussi aiguisés que des crocs transperçaient la neige accumulée dans l'abîme. Puisant dans les maigres forces qui lui restaient, elle sauta vers la saillie où l'attendait Serre. Les pattes avant tendues, elle agrippa désespérément le rebord, ses pattes arrière battant follement dans le vide. Serre plongea en avant pour la tirer par la peau du cou.

Dès qu'elle sentit la roche ferme sous ses coussinets, elle s'élança à la suite des chats de la Tribu. Au-dessus d'eux, l'aigle replia les ailes et amorça son piqué.

« Petit Frêne ! »

Le cri de Fleur de Bruyère déchira le silence. Feuille Rousse bondit en avant pour ramasser le chaton et l'envoya, lui et sa mère, dans les ombres du rocher. Griffe de Ronce poussa Fleur de l'Aube et ses petits dans la même direction. Plume de Faucon accourut au côté de Moustache et, ensemble, ils protégèrent Étoile Filante de l'attaque.

Au moment où l'aigle fondait droit sur eux, serres tendues, les garde-cavernes, qui venaient de débouler à toute allure, attaquèrent le rapace. Roc lui assena un coup de patte sur l'aile et l'autre garde se jeta sur l'oiseau, lui arrachant quelques plumes de la queue. L'air tourbillonna lorsque l'oiseau battit de ses immenses ailes ; il prit son essor en poussant un cri aigu et disparut dans le blizzard.

Les membres des Clans sortirent de leur abri pour dévisager leurs sauveurs. Ils avaient piètre allure, maigres à faire peur et miteux. Nuage d'Écureuil redouta soudain que la Tribu ne leur conseille de faire demi-tour et d'attendre une période plus clémente pour retenter la traversée des montagnes.

Griffe de Ronce les rejoignit en quelques bonds qui soulevèrent des gerbes de neige.

« Serre ! Roc ! »

Du bout de la truffe, il salua joyeusement les deux garde-cavernes.

Nuage Noir vint lui aussi à leur rencontre.

« Vous tombez à pic ! lança-t-il.

— Voici Serre, annonça Nuage d'Écureuil aux membres des Clans. Lui, c'est Roc, et elle…

— Je m'appelle Nuit Sans Étoiles », miaula le troisième félin.

Nuage d'Écureuil reconnut dans ses paroles l'étrange accent de la Tribu. Il était bon de l'entendre de nouveau.

« Où est Pelage d'Orage ? s'enquit Serre.

— Parti chasser », expliqua Pelage d'Or.

Étoile de Feu rejoignit le petit groupe.

« Pouvez-vous nous aider ? demanda-t-il. Les petits meurent de froid. La vie de l'un d'eux ne tient plus qu'à un poil.

— Montrez-le-nous, ordonna Serre.

— Là ! » lança Nuage de Feuille.

Elle se tenait sous un surplomb, près de Fleur de Pavot, qui léchait sans relâche son chaton inerte. Aussitôt, Nuit prit le petit dans ses mâchoires et le plaça sur le flanc de sa mère.

« Garde-le au-dessus du sol, feula la chatte de la Tribu. Ou bien la roche lui volera toute sa chaleur. Et ne le lèche pas. L'humidité lui donnera plus froid encore. » Elle se mit à frotter vigoureusement le chaton de ses deux pattes avant, lui ébouriffant la fourrure jusqu'à ce qu'il remue. « Continue à le frotter, dit-elle à Nuage de Feuille. Et toi, ajouta-t-elle à l'intention de Fleur de Pavot, souviens-toi : pas de coups de langue. »

La reine du Clan de l'Ombre remercia Nuit d'un regard embué. La garde se contenta de hocher la tête sèchement avant de s'adresser à Étoile de Feu :

« Depuis combien de temps êtes-vous là ?

— Trop longtemps », murmura Nuage d'Écureuil.

Maintenant que le danger était passé, elle sentait de nouveau le poids de la fatigue. La faim sapait ses forces et le froid l'engourdissait.

« Nous allons vous ramener à la caverne, annonça Serre. Vous pourrez vous y réchauffer et manger un peu.

— Nous devons pourtant poursuivre, rétorqua Étoile de Jais, les yeux brillants. Il nous faut quitter les montagnes avant que les neiges redoublent.

— Vous mourrez tous si vous ne venez pas avec nous », prévint Serre.

Étoile de Jais fit le gros dos.

« Les petits et les anciens ne tiendront jamais le coup, déclara Étoile de Feu à l'intention du chef du Clan de l'Ombre.

— Et Étoile Filante a besoin de repos », ajouta Moustache.

Le meneur du Clan du Vent avait l'air aussi faible et usé que le plus vieux des anciens.

« Nous avons tous besoin de repos, renchérit Étoile du Léopard.

— Mais Nuage Noir nous a dit que la lande se trouvait juste derrière les montagnes, argua Griffe de Pierre. Ce n'est plus très loin. »

Étoile de Jais se tourna vers Petit Orage, son guérisseur.

« Qu'en penses-tu ? lui demanda-t-il.

— Les anciens n'ont pas la force de poursuivre. Et, sans nourriture, les petits mourront de froid.

— Celle-là sera morte au coucher du soleil si on ne la met pas à l'abri, lança Nuage de Feuille en frottant Petite Flaque, sous l'œil attentif de sa mère, Fleur de Pavot.

— Très bien. » Étoile de Jais se tourna vers Serre. « Nous viendrons avec vous. »

Serre jeta un coup d'œil à Griffe de Pierre. Il devait le prendre pour l'un des chefs, puisque Étoile Filante était trop faible pour parler.

« Nous aussi, déclara le guerrier du Clan du Vent.

— Parfait », miaula Serre en s'inclinant avec respect.

Lorsque Fleur de Pavot attrapa son chaton par la peau du cou, Petite Flaque se tortilla en couinant.

« Ça va aller, ma chérie, lui murmura sa mère. Tu seras bientôt en sécurité. »

Les matous se mirent péniblement sur leurs pattes pour suivre la Tribu.

Soudain, une forme sombre déboula d'une ravine près du surplomb.

« Griffe de Ronce ! J'ai senti la Tribu ! » C'était Pelage d'Orage. Il s'arrêta brutalement et reconnut Serre. « Vous êtes là !

— Nous avons rencontré Nuage d'Écureuil », expliqua le garde-caverne.

Pelage d'Orage vint enfouir sa truffe dans le flanc de son vieil ami.

« Comment va Source ? s'enquit-il.

— Très bien. On ferait mieux d'y aller. » Il se tourna vers Roc et Nuit. « Je montrerai le chemin. Vous deux, vous fermerez la marche. »

Malgré son épuisement, Nuage d'Écureuil aida les Clans à suivre les sentiers invisibles menant à la cascade. Elle ne s'arrêta que lorsqu'ils atteignirent le bassin où la rivière venait se jeter en soulevant un brouillard d'écume. Griffe de Ronce, Nuage Noir, Pelage d'Orage et Pelage d'Or firent halte à son côté.

« Nous voilà de retour », souffla Nuage d'Écureuil.

Pelage d'Orage coula un regard vers le tertre qui marquait la tombe de Jolie Plume.

« Je ne pensais pas revoir un jour cet endroit », murmura-t-il.

Tous les chats des Clans passèrent devant eux pour suivre Serre le long de l'étroite corniche derrière la cascade.

« Venez, miaula Pelage d'Orage. Les nôtres vont avoir besoin de nous. Ils ne connaissent pas la Tribu. »

Il s'élança, suivi de ses camarades. Nuage Noir resta en arrière, les yeux rivés à la tombe de la défunte.

Les chats de la forêt s'engageaient un par un derrière la chute d'eau, leur fourrure soudain assombrie par la bruine. Pelage d'Orage, Griffe de Ronce et Pelage d'Or se faufilèrent entre eux. Nuage d'Écureuil vit que Pelage de Granit s'était arrêté devant le mur d'eau grondant.

« Faut-il vraiment que nous passions par là ? »

De l'autre côté de la cataracte, la lumière dansait sur la roche humide.

« Vas-y, l'encouragea Nuage d'Écureuil. À l'intérieur, il fait doux. Je te le promets. »

Lorsque le guerrier du Clan du Tonnerre se décida à entrer dans la caverne, Nuage d'Écureuil le suivit. Des effluves à demi oubliés l'enveloppèrent. À l'intérieur, la Tribu contemplait les nouveaux venus avec surprise.

Une jeune chatte, dont le pelage brun et tigré était à peine visible sous une couche de boue, regardait partout, à la fois excitée et joyeuse. C'était Source aux Petits Poissons, la chasse-proie qui leur avait témoigné de l'amitié lors de leur précédente visite. En la voyant scruter la marée de visages avec espoir, l'apprentie sut qu'elle ne cherchait qu'un chat, et un seul.

Pelage d'Orage frôla Nuage d'Écureuil et se dirigea droit vers Source. Les deux félins se câlinèrent si tendrement que Nuage d'Écureuil prit le guerrier gris en pitié. À l'évidence, son cœur serait brisé une seconde fois lorsqu'il lui faudrait de nouveau quitter la chasse-proie.

CHAPITRE 23

NUAGE DE FEUILLE ENTRA à son tour dans la caverne obscure. Le grondement de la cascade était presque assourdissant, et la lumière qui filtrait par le rideau liquide tremblotait sur les parois rocheuses. Un filet d'eau, aussi scintillant que du givre, s'écoulait sur les rochers mousseux pour rejoindre une vasque dans le sol de la caverne. Au fond de la grotte, deux tunnels s'ouvraient de chaque côté, et des griffes de pierre pointues pendaient de la voûte ténébreuse.

Les membres de la Tribu, dont les yeux luisaient dans l'ombre, observaient avec attention les nouveaux venus. Nuage de Feuille se hâta de rejoindre sa sœur.

« Ils n'ont pas l'air d'avoir peur de nous.

— Et pourquoi nous craindraient-ils ? s'étonna la rouquine. Maigres comme on est, on ne risque pas de les impressionner. En plus, il n'y a pas d'autres chats par ici. Maintenant que Long Croc est mort, les seuls ennemis de la Tribu, ce sont les aigles.

— J'avais oublié Long Croc, miaula Nuage de Feuille. Notre périple aurait été plus dangereux encore s'il sévissait toujours dans les montagnes.

— C'est vrai, miaula Nuage d'Écureuil, dont le regard s'adoucit. En se sacrifiant, Jolie Plume n'a pas seulement sauvé la Tribu. Elle nous a aussi protégés. »

Les yeux de l'apprentie guérisseuse s'habituèrent peu à peu à la pénombre. Elle discernait à présent différentes silhouettes, certaines fines et souples, d'autres plus trapues et musclées. Pourtant, tous ces félins étaient plus petits que les membres des Clans – y compris ceux du Clan du Vent – et plus maigres, avec une tête plus grosse, sur un cou étroit.

Les chatons, qui jouaient devant l'entrée de l'un des tunnels, s'arrêtèrent pour observer avec curiosité les inconnus qui entraient en file dans la caverne. Une porteuse au pelage gris et blanc s'approcha de Nuage de Feuille et renifla sa fourrure.

« Voici Aile, la présenta Nuage d'Écureuil. La dernière fois, c'est elle qui s'est occupée de Pelage d'Or, pendant qu'elle se remettait d'une morsure de rat. »

La porteuse s'inclina.

« Conteur nous a annoncé votre venue, miaula-t-elle. La Tribu de la Chasse Éternelle lui a confié que de vieux amis reviendraient avec de nouveaux amis. »

Malgré la fatigue et la faim, la curiosité de Nuage de Feuille fut piquée.

« Comment le savait-il ? murmura-t-elle à sa sœur.

— Conteur est lié à la Tribu de la Chasse Éternelle comme toi au Clan des Étoiles, répondit la rouquine à voix basse.

— Vous trouverez la réserve de gibier là-bas, indiqua Serre, qui venait de les rejoindre.

— Mais il n'y en aura pas assez pour tout le monde ! s'inquiéta Nuage de Feuille.

— Allez manger. » De nouveau, le garde indiqua la réserve du bout de la queue. « Pic organise déjà la prochaine chasse. »

Nuage de Feuille flaira un fumet de lapin alléchant. Néanmoins, elle ne pouvait manger avant d'être sûre que tout son Clan se portait bien. Elle s'inclina poliment, laissant Nuage d'Écureuil avec ses amis des montagnes, et retrouva Museau Cendré auprès des autres guérisseurs réunis à côté de l'entrée.

« Un matou appelé Pic nous a dit qu'on pouvait s'installer dans ces nids-là, déclara Museau Cendré en désignant de petites cavités garnies de mousse et de plumes.

— Y aura-t-il assez de place ? s'inquiéta Petit Orage.

— Les plus faibles prendront les nids, suggéra Écorce de Chêne. Les autres devront dormir où ils le pourront. Au moins, ici, nous serons à l'abri du vent et de la neige.

— Et il y a de la nourriture », ajouta Nuage de Feuille en leur montrant la réserve de gibier.

Certains membres de la Tribu apportaient déjà des pièces de viande aux chats des Clans. Serre déposa un lapin devant Griffe de Pierre. Le lieutenant du Clan du Vent le contempla avec envie, avant de remercier le garde d'un regard. Il apporta la proie à ses reines et apprentis.

« Nous devrions placer les petits dans les nids pour qu'ils se réchauffent », suggéra Papillon.

Nuage de Feuille aida les autres guérisseurs à conduire les chatons et leurs mères vers les cavités. Alors qu'elle aidait Fleur de Pavot à s'installer, un matou de la Tribu au corps allongé vint vers elle. Sa fourrure était tellement recouverte de boue qu'elle ne parvint pas à distinguer la couleur de son pelage. Seuls les poils blancs de son museau trahissaient son âge.

« Lequel d'entre vous est le soigneur ? » demanda-t-il.

Nuage de Feuille le regarda, confuse. Nuage d'Écureuil lui avait expliqué que, dans la Tribu, le même chat était à la fois soigneur et chef. Lequel des deux voulait-il rencontrer ? Elle jeta un coup d'œil vers Museau Cendré, mais la guérisseuse était occupée à examiner les petits de Fleur de l'Aube.

« Je vais te conduire à Étoile de Feu, répondit-elle en l'entraînant vers son père, qui discutait à voix basse avec les autres meneurs.

— Nous ne devons pas nous attarder, marmonnait Étoile de Jais. Les chutes de neige ne feront qu'empirer. »

Le chef du Clan de l'Ombre se retourna à l'approche de Nuage de Feuille.

« Voici… commença-t-elle avant de reculer de quelques pas.

— Je suis Conteur, dit le félin. Vous êtes soigneur ? demanda-t-il à Étoile de Feu.

— Je suis le chef du Clan du Tonnerre. Museau Cendré est la soigneuse de notre Clan, répondit-il en désignant la chatte grise qui les regardait avec intérêt depuis l'autre côté de la caverne. Et voici Étoile de Jais, Étoile du Léopard et Étoile Filante, poursuivit-il.

— Vous êtes tous chefs ?

— Oui, c'est exact », répondit Étoile du Léopard.

Le regard de Conteur se posa sur Étoile Filante, dont les yeux étaient à demi clos tant il était épuisé.

« Tu es mal en point, miaula-t-il. Nous allons te donner un remède. » Il lança à l'intention d'une chatte tigrée : « Mésange, apporte des herbes fortifiantes. »

La garde disparut aussitôt dans l'un des tunnels.

« La Tribu remercie vos amis d'avoir vaincu Long Croc. Et Jolie Plume en particulier. Jamais nous ne cesserons d'honorer sa mémoire.

— Elle était aussi courageuse que Plume Grise, son père, répondit Étoile de Feu, d'une voix triste qui serra le cœur de Nuage de Feuille.

— Vous devez vous restaurer et vous reposer, poursuivit Conteur.

— Ensuite, nous devrons reprendre notre voyage, intervint Étoile de Jais.

— Nous ne vous retiendrons pas. »

Mésange revint la gueule pleine de plantes, qu'elle déposa devant Conteur.

Les moustaches de Nuage de Feuille frémirent de curiosité.

« Qu'est-ce donc ? » s'enquit-elle.

Les yeux ambrés de Conteur luisirent dans la pénombre.

« J'apprends à devenir soigneuse, expliqua-t-elle en toute hâte. Je connais les herbes de la forêt, mais dans les montagnes… » Elle marqua une pause. « Tout est si différent ici…

— J'espère qu'elle ne vous dérange pas, intervint Museau Cendré en les rejoignant. Elle est très curieuse.

— La curiosité est une qualité pour un soigneur, observa Conteur. Elle apprendra beaucoup. » Il regarda alors Nuage de Feuille avec douceur. « Tu vois là du séneçon et de l'épiaire laineuse. Ces plantes redonnent des forces.

— Pourrai-je les revoir plus tard, pour apprendre à les reconnaître ?

— Bien sûr. »

La voix du vieux soigneur était chaleureuse. Elle avait hâte d'apprendre à ses côtés, de comprendre les différences entre Tribu et Clan.

« D'après Aile, tu savais que nous arrivions, miaula-t-elle. Est-ce vrai ?

— La Tribu de la Chasse Éternelle me l'a montré, répondit-il.

— Tu partages les rêves de tes ancêtres ? lui demanda Museau Cendré.

— Partager les rêves ? répéta-t-il. Non, j'interprète les signes de la pierre, de la feuille, de l'eau, car telle est la voix de la Tribu de la Chasse Éternelle.

— Museau Cendré interprète elle aussi les signes pour notre Clan, déclara Nuage de Feuille avec entrain. Les signes envoyés par le Clan des Étoiles. Elle m'enseigne son savoir.

— Elle a un don inné pour cela, commenta Museau Cendré.

— Dans ce cas, peut-être voudra-t-elle voir la Grotte aux Pointes Rocheuses ?

— La Grotte aux Pointes Rocheuses ? Est-ce que c'est comme notre Pierre de Lune ?

— J'ignore ce qu'est votre Pierre de Lune, murmura Conteur en se dirigeant vers l'un des tunnels noirs. Si c'est l'endroit où vous entendez le plus clairement la voix de vos ancêtres, alors oui, c'est comme votre Pierre de Lune. »

La queue frétillant d'excitation, Nuage de Feuille suivit Conteur et Museau Cendré dans l'étroit passage. Elle se demanda s'ils s'enfonceraient aussi profondément dans la terre qu'ils le faisaient à la Grotte de la Vie. Mais, au bout de quelques longueurs de queue, la galerie déboucha sur une autre caverne aux parois lisses, plus petite et plus sombre.

Les griffes de pierre qui pendaient de la voûte y étaient bien plus nombreuses, et d'autres s'élevaient du sol. Quelques-unes se rejoignaient en leur milieu pour former d'étranges arbres de pierre. Dans la pâle lumière qui filtrait d'une fissure, Nuage de Feuille remarqua que de l'eau ruisselait sur ces étranges piliers rocheux et venaient former des mares sur le sol.

Conteur toucha la surface d'une de ces flaques du bout de la patte, provoquant des cercles lumineux.

« La neige fondra, et ces flaques enfleront. Lorsque la lumière des étoiles s'y reflétera, la Tribu de la Chasse Éternelle m'y montrera son message.

— Quand communiques-tu avec la Tribu de la Chasse Éternelle ? demanda Museau Cendré.

— Lorsque les flaques grandissent.

— Nous, nous nous retrouvons à chaque demi-lune pour partager les rêves du Clan des Étoiles… »

Nuage de Feuille laissa son regard errer dans la grotte. Tandis que ses deux aînés échangeaient leurs expériences, elle se faufila entre les griffes de pierre. Ses pattes lui semblèrent soudain plus lourdes que jamais ; sa nuque ploya soudain sous l'effet de son immense fatigue. Elle s'étendit à même le sol humide et posa la truffe sur ses pattes, émerveillée par le scintillement de l'eau gouttant de la roche. Elle ferma les yeux. *Clan des Étoiles, guerriers de jadis, êtes-vous là ?*

Un bruit d'eau vive tourbillonna dans son esprit. Aux confins de ses pensées, elle entendit le rugissement d'un lion et vit le reflet de sombres pelages… des pelages qu'elle ne reconnaissait pas. *Qui êtes-vous ?* demanda-t-elle, au désespoir. Des voix lui soufflèrent une réponse, murmurant des mots qu'elle ne comprit pas. Prise de panique, elle rouvrit aussitôt les yeux.

Le Clan des Étoiles n'était pas là. Elle n'entendait que les voix des ancêtres de la Tribu. Nuage de Feuille ne s'était jamais sentie aussi seule de toute sa vie.

Ce soir-là, l'apprentie guérisseuse supplia son père de laisser quelqu'un d'autre prendre sa place. Mais Étoile de Feu insista pour qu'elle dorme près de Museau Cendré dans l'un des nids garnis de mousse et de plumes.

« Le Clan a plus que jamais besoin de ses guérisseuses. Tu dois te reposer comme il faut. »

Comment le pourrait-elle ? Elle était à peine capable de nettoyer sa fourrure ébouriffée. Elle espérait seulement que Museau Cendré n'avait pas remarqué l'inquiétude dans son regard lorsqu'ils étaient sortis de la Grotte aux Pointes Rocheuses. *Qu'allons-nous devenir sans le Clan des Étoiles ?* Cette idée tournoyait dans sa tête telle une souris prise au piège au fond de son trou.

Nuage d'Écureuil et Griffe de Ronce dormaient déjà, blottis l'un contre l'autre vers le fond de la caverne. Tandis que Nuage de Feuille s'installait dans les plumes près de Museau Cendré, elle aperçut Source qui se faufilait hors de la caverne, suivie de Nuage Noir et Pelage d'Orage.

« Où vont-ils ? voulut-elle savoir.

— Ils vont veiller Jolie Plume », murmura son mentor en fermant les yeux.

Nuage de Feuille se couvrit le museau du bout de la queue. Elle se demanda avec quels ancêtres chassait maintenant Jolie Plume. Elle se pressa tout contre Museau Cendré, recherchant du réconfort dans sa chaude fourrure grise. Sa fatigue était telle que, sitôt les yeux fermés, elle sombra dans le sommeil.

Une étendue d'eau étincelante s'offrit à sa vue. Sa surface indigo était parsemée d'étoiles. Le silence était total. Même le vent s'était tu. Nuage de Feuille contempla l'eau, trop effrayée pour lever la tête, de peur que les étoiles qu'elle y voyait reflétées ne soient qu'une illusion. Et si le ciel était vide ?

Soudain, un coup de vent ébouriffa sa fourrure. Elle scruta les ténèbres en frémissant. Un chat lui parla, si doucement qu'elle l'entendait à peine. Elle leva la truffe. La brise lui apporta une odeur familière, trop ténue pour qu'elle la reconnaisse avec certitude.

« Qui est là ? » appela-t-elle.

Le vent forcit, et la voix lui parvint plus distincte : *Où que vous alliez, nous vous chercherons.*

Nuage de Feuille découvrit près d'elle le doux visage de Petite Feuille. Les yeux de la guérisseuse au pelage écaille étincelèrent, reflétant les eaux étoilées. Son corps ondulait telle une nappe de chaleur, guère plus tangible que les astres dans l'eau.

« Vous ne nous avez pas abandonnés ! » chuchota l'apprentie guérisseuse.

Petite Feuille ne répondit pas. Le vent tomba et elle se fondit dans les ombres.

« Tu es de bonne humeur, aujourd'hui », miaula Museau Cendré.

Nuage de Feuille faisait sa toilette dans la lumière du petit matin qui filtrait à travers la cascade.

« J'ai rêvé, confessa-t-elle entre deux coups de langue.

— Est-ce que le Clan des Étoiles t'a parlé ? » s'enquit son mentor en s'asseyant.

Nuage de Feuille hésita. Museau Cendré seraitelle offensée que le Clan des Étoiles ait choisi de délivrer leur message à son apprentie ?

« Je suis désolée… murmura-t-elle. »

La chatte l'interrompit en posant délicatement le bout de sa queue sur son épaule.

« Ce n'est rien, Nuage de Feuille. J'ai toujours su que le lien qui t'unissait au Clan des Étoiles était exceptionnellement fort. C'est une énorme responsabilité. Et je suis fière de toi car tu t'en montres digne. »

Nuage de Feuille la dévisagea, ne sachant comment exprimer son soulagement et sa gratitude.

« De quoi as-tu rêvé ? la pressa son mentor.

— Ce n'était pas très net. Mais je suis maintenant certaine que le Clan des Étoiles veille toujours sur nous, et je suis persuadée qu'il nous accompagnera où que nous allions. »

Étoile de Feu s'approcha, sa robe flamboyante luisant d'un éclat presque blanc dans la lumière ondoyante.

« Partons-nous déjà ? demanda Museau Cendré.

— Non. Il a neigé toute la nuit, et Conteur affirme que ce n'est que le début des tempêtes. La Tribu organise une partie de chasse pour que nous ayons assez de gibier jusqu'à la fin du mauvais temps.

— Alors nous sommes coincés ici ? s'inquiéta Nuage de Feuille.

— Pour le moment. » Étoile de Feu regardait Étoile de Jais faire les cent pas devant la sortie. « Nous partirons dès que possible.

— Nuage de Feuille ! appela Poil de Châtaigne en bondissant jusqu'à son amie. Tu veux venir chasser avec la Tribu ? Si ça ne pose pas de problème, ajouta-t-elle en jetant un coup d'œil à Étoile de Feu.

— Peux-tu te passer d'elle ? demanda le chef à la guérisseuse.

— Oui, bien sûr, répondit Museau Cendré.

— Merci », miaula l'apprentie.

Après avoir vécu dans la forêt, elle trouvait étrange de rester cloîtrée dans la caverne lugubre.

Malgré le froid, elle se réjouit donc de sentir l'air frais dans sa fourrure.

Elle suivit Poil de Châtaigne jusqu'à Serre et Pic. Source était avec eux, au côté de Pelage d'Orage. Nuage de Feuille fut impressionnée par l'allure du guerrier. Avec sa fourrure couverte de boue et ses muscles saillants, il ressemblait davantage à un chat des montagnes qu'à l'un des guerriers amaigris des Clans.

« J'espère qu'ils ne vont pas nous ralentir, marmonna Pic. Nous avons trop de bouches à nourrir.

— Tu t'inquiètes pour rien, répondit Source. Pelage d'Orage était devenu un bon chasse-proie avant son départ.

— C'est vrai qu'il n'était pas mauvais, reconnut le matou, avant de se tourner vers Nuage de Feuille. Toi, tu es encore aspirante, pas vrai ? Tu seras quoi, plus tard, chasse-proie ou garde-caverne ? »

Nuage de Feuille le dévisagea sans comprendre.

« La Tribu divise les tâches, expliqua Pelage d'Orage. Les garde-cavernes protègent la Tribu, les chasse-proies la nourrissent. Source est une chasse-proie, Pic un garde-caverne.

— Alors pourquoi viens-tu chasser ? » demanda Nuage de Feuille à Pic, d'un ton hésitant.

Le mâle émit un ronronnement amusé inattendu.

« Qui surveillera le ciel pendant que tu auras les yeux rivés sur ta proie ? » lui demanda-t-il.

Aussitôt, l'apprentie guérisseuse se souvint avec effroi de l'attaque de l'aigle. La mine supérieure de Pic la vexa, mais elle résista à l'envie de lui rétorquer qu'elle, elle deviendrait un jour guérisseuse. Un membre de la Tribu risquerait de comprendre qu'elle comptait devenir chef.

« Dans la forêt, on pouvait guetter le danger et chasser en même temps, miaula Poil de Châtaigne.

— Ah oui ? Alors dis-moi, comment sens-tu un aigle volant dans le ciel juste au-dessus de ta tête ? lança Pic.

— Venez, dit Source avec impatience. Nous perdons du temps. »

Elle les guida sur le sentier qui passait derrière la cascade et menait aux sommets. Le blizzard avait faibli, mais l'épais manteau de neige glaça bientôt les pattes de Nuage de Feuille. L'air était si froid qu'il devenait presque douloureux de respirer. Ses yeux s'étaient mis à larmoyer dès qu'ils avaient quitté la chaleur de la caverne. Mais il était hors de question qu'elle se plaigne. Elle voulait prouver à Pic que les chats de la forêt pouvaient endurer les mêmes conditions difficiles que leurs frères des montagnes. Elle réprima un frisson avant de jeter un coup d'œil vers le ciel : de lourds nuages jaunâtres, promesse de nouvelles averses de neige, enveloppaient les sommets.

Lorsqu'ils approchèrent d'un roncier rabougri, dont les branches ployaient sous la neige, Source s'immobilisa dans la position du chasseur. Pic et Pelage d'Orage, qui encadraient la chatte, se tapirent eux aussi au sol. Près de Poil de Châtaigne, Nuage de Feuille les imita, plaquant son ventre dans la neige. Source fixa le buisson, la truffe remuant comme si elle sentait une proie.

Nuage de Feuille huma l'air. La brise lui apporta

une odeur de lapin. D'instinct, elle s'avança en rampant.

« Arrête ! lui lança Pelage d'Orage dans un murmure. Regarde d'abord comment Source s'y prend. »

Aussi immobile qu'une statue de glace, la chasse-proie se confondait avec les rochers. Seul le léger mouvement de ses flancs trahissait sa présence. Un lapereau sortit soudain du buisson, flairant l'air en fronçant le nez.

Il s'approcha un peu plus, sans voir les chats tapis dans la neige. Nuage de Feuille ouvrit la gueule. L'odeur de gibier était toujours forte près du buisson, chose étrange puisque le lapin en était sorti. Peut-être s'y était-il abrité longtemps. Source bondit alors en avant, plongeant sur le lapereau. Elle l'attrapa entre ses mâchoires et le tua d'un coup de dents.

Du coin de l'œil, Nuage de Feuille vit le buisson trembler. Elle s'élança au moment même où un second lapin tentait de fuir dans la neige. Il fila vers des rochers mais, poussée par la faim, l'apprentie fut plus rapide.

« Bravo ! lança Source dans un ronron chaleureux.

— J'avais repéré deux fumets différents, expliqua-t-elle, le souffle court.

— Tu as senti les deux lapins en même temps ? s'étonna Pic, les yeux ronds.

— Nous avons l'habitude de respirer l'air de la forêt, chargé des parfums des plantes et du gibier, répondit-elle. Ici, l'air est plus pur. Les odeurs sont moins masquées. C'est facile de distinguer des fumets différents. »

Poil de Châtaigne la couva d'un regard empli de fierté, pendant que Pelage d'Orage la félicitait d'un petit signe de la tête. Pic s'inclina avec respect, avant de ramasser l'un des lapins et de s'en retourner vers la caverne.

Nuage de Feuille se tenait assise près de la sortie, réchauffée par la douce respiration des félins qui l'entouraient. Pelage de Poussière était allongé près de Moustache et Étoile Filante. Nuage d'Araignée s'étirait à côté de Nuage Noir. Fleur de Pavot et Fleur de Bruyère se faisaient mutuellement leur toilette pendant que leurs chatons jouaient ensemble. Même Plume de Faucon avait l'air détendu. Il observait Papillon, qui inspectait la fourrure de Fleur de l'Aube à la recherche de puces. Devant cette scène paisible, Nuage de Feuille ne put réprimer une inquiétude grandissante. Elle n'avait jamais vu les Clans aussi à l'aise les uns avec les autres, pas même au cours des Assemblées. Le Clan des Étoiles les attendait peut-être, mais seraient-ils encore quatre Clans lorsqu'ils atteindraient leur nouveau territoire ?

Plongeant son regard dans le mur d'eau grondante, elle vit le disque tremblotant de la pleine lune au-dessus des cimes. Personne n'avait parlé d'organiser une Assemblée. C'était inutile. Soudain elle entendit un souffle rauque près de son oreille. Conteur l'avait rejointe.

« Tu regardes la lune pour y trouver un signe ? voulut-il savoir.

— Je pensais aux Assemblées.

— C'est-à-dire ?

— Avant le grand départ, les quatre Clans ne pouvaient se réunir pacifiquement que lors de la trêve de la pleine lune.

— Les Clans ne vivaient pas en harmonie ?

— Pas toujours. Contrairement à vous, nos terrains de chasse étaient nettement délimités. »

Conteur jeta un coup d'œil autour de lui.

« Le danger vous a rassemblés, remarqua-t-il.

— Oui, mais il y aura toujours des frontières entre nous, insista Nuage de Feuille.

— Pourquoi ? Ensemble, il est plus facile de chasser.

— Il y a toujours eu quatre Clans. Notre loyauté envers notre Clan nous donne de la force.

— Mais vous croyez tous au Clan des Étoiles ?

— Tôt ou tard, nous finissons tous par rejoindre nos ancêtres, murmura Nuage de Feuille sans quitter des yeux le disque blanc et flou de la lune à travers la chute d'eau.

— Tu es encore aspirante, mais tu es déjà sage », déclara Conteur, les yeux brillants.

Nuage de Feuille sentit ses oreilles chauffer tant elle était embarrassée. Elle détourna le regard.

« Ce soir, nous organiserons notre propre Assemblée, décida Conteur, avant de hausser la voix pour poursuivre : Membres des Clans et de la Tribu, nous n'avons pas encore célébré notre délivrance de Long Croc. Nous avons préféré pleurer Jolie Plume, qui s'est sacrifiée pour nous. Mais ce soir, nous rendrons hommage à ces chats venus de loin qui ont tué cette terrible créature. »

Des miaulements approbateurs s'élevèrent de la Tribu. Les chatons piaillèrent d'excitation et le plus hardi d'entre eux s'avança vers l'endroit où les petits de Fleur de Pavot jouaient avec Petit Frêne.

« Venez partager avec nous », lança le jeune membre de la Tribu.

D'un regard, Petit Frêne consulta sa mère, qui acquiesça avec bienveillance. Fleur de Pavot et Fleur de l'Aube donnèrent aussitôt leur permission, et les chatons des Clans suivirent sans tarder les chatons de la Tribu jusqu'à l'autre bout de la caverne.

Un par un, les membres de la Tribu allèrent prendre une pièce de viande de la réserve, qu'ils déposèrent solennellement devant leurs frères de la forêt jusqu'à ce que tous aient été servis. Ne sachant que faire, les guerriers des Clans attendirent.

Nuage de Feuille écarquilla les yeux en voyant Pic déposer un lapin devant elle.

« Puis-je partager avec toi ? » demanda-t-il.

Elle opina timidement.

Conteur alla se placer au centre de la caverne.

« Nous festoyons en l'honneur de Jolie Plume, déclara-t-il. Son esprit vivra pour toujours au sein de la Tribu de la Chasse Éternelle. Nous rendons également hommage à ceux qui ont refusé de nous abandonner et sont revenus pour accomplir la prophétie de nos ancêtres. »

Il s'inclina ensuite tour à tour vers Griffe de Ronce, Nuage d'Écureuil, Pelage d'Or, Nuage Noir et Pelage d'Orage, qui se redressèrent tous avec fierté.

« Et maintenant, mangeons ! » lança Conteur, son miaulement résonnant à travers la caverne.

Pic prit une bouchée avant de pousser le lapin vers Nuage de Feuille. Devinant qu'il s'agissait d'une coutume de la Tribu, elle en prit à son tour une bouchée et lui rendit la proie. Naguère, dans la forêt, il leur arrivait aussi de partager. Mais, en temps normal, la réserve était suffisamment bien garnie pour que chacun ait droit à une pièce de viande entière. Elle se demanda si le partage rituel de la Tribu venait de la rareté du gibier dans les montagnes.

Après le repas, les félins s'allongèrent, repus, et firent mutuellement leur toilette. Étoile Filante boitilla pour gagner à son tour le centre de la caverne. Il balaya l'endroit du regard jusqu'à ce que l'assemblée se taise. Moustache rejoignit discrètement le frêle meneur du Clan du Vent pour le soutenir.

« C'est qui, ce vieux corbeau tout maigre ? demanda un chaton de la Tribu.

— Chut ! le gronda sa mère. C'est un chef de Clan très noble ! »

Bien qu'il se soit appuyé à son guerrier, dans les yeux d'Étoile Filante brillait autant de force et de détermination que lors de sa première vie de chef.

« Nuage Noir ? » appela-t-il.

L'apprenti releva la tête, étonné.

« Nuage Noir a servi son Clan avec bravoure et loyauté. » Sa voix se brisa lorsqu'il réprima une quinte de toux. « Il aurait dû recevoir son nom de guerrier depuis longtemps. Mais les tragédies des lunes passées ont empêché son baptême. Ce soir, si Conteur accepte d'accueillir une cérémonie des Clans dans le foyer de sa Tribu, je souhaite honorer le talent et le grand courage de Nuage Noir en lui donnant son nom de guerrier. »

Les membres du Clan du Vent poussèrent des exclamations enthousiastes. Puis, surpris, ils se tournèrent vers Nuage Noir qui s'était avancé d'un pas. Voilà qui ne faisait pas partie de la cérémonie du baptême.

« Puis-je te demander une faveur, Étoile Filante ? » miaula-t-il.

Les yeux plissés, le vieux meneur acquiesça.

« Je voudrais choisir mon propre nom de guerrier. Si possible, j'aimerais m'appeler Plume de Jais. » L'apprenti parlait si bas que sa voix se noyait presque dans le grondement de la cascade. « En souvenir de... de quelqu'un qui n'est pas revenu du premier voyage. »

Pelage d'Orage baissa la tête, les oreilles frémissantes.

Après un long silence, Étoile Filante annonça :

« Voici une noble requête. Très bien. Je te baptise Plume de Jais. Que le Clan des Étoiles te protège et t'accepte en tant que guerrier du Clan du Vent, de ton vivant et au-delà. »

D'un bond, les membres de son Clan se dressèrent sur leurs pattes et vinrent féliciter leur camarade.

« Quelle idée géniale ! lança Nuage d'Écureuil en se précipitant vers le nouveau guerrier, aussitôt imitée par Griffe de Ronce, Pelage d'Or et Pelage d'Orage.

— Tu as bien choisi ton nom », confirma la guerrière du Clan de l'Ombre, tandis que Griffe de Ronce se frottait à Plume de Jais en ronronnant.

Pelage d'Orage se contenta de toucher du bout

du museau le flanc de son ami, comme s'il était trop ému pour parler.

« Merci », murmura Plume de Jais. Son regard se perdit derrière eux, vers la cascade teintée d'argent par le clair de lune. « Je veillerai cette nuit sur la tombe de Jolie Plume. »

Nuage de Feuille le regarda s'éloigner de ses amis et camarades pour sortir de la caverne.

« Alors, c'est un guerrier, maintenant ? demanda Pic, le regard brillant de curiosité.

— Oui, répondit Nuage de Feuille en se levant. Merci d'avoir partagé avec moi », chuchota-t-elle.

La pleine lune l'incitait à quitter la caverne bondée. De plus, il lui tardait de scruter le ciel à la recherche de la Toison Argentée.

Elle grimpa sur les rochers et s'assit bien au-dessus du bassin où la cascade plongeait dans une explosion d'écume. Les étoiles scintillaient dans le ciel, au-dessus de Plume de Jais. Il accomplissait sa veillée, assis, tête basse, près du petit tertre marquant la tombe de Jolie Plume. Avait-elle vraiment rejoint la Tribu de la Chasse Éternelle plutôt que le Clan des Étoiles ? *Qui que vous soyez, accueillez-la parmi vous,* implora-t-elle en silence.

Elle observa Plume de Jais un instant, le cœur serré. Puis elle releva la tête et scruta le ciel au-dessus des sommets, se demandant si le Clan des Étoiles les observait, lui aussi. Dans ces hauteurs, elle ressentait une sérénité qu'elle n'avait plus connue depuis qu'elle ne dormait plus sous les arbres de la forêt. Au clair de la lune, un détail attira son attention sur une petite corniche en face de l'entrée de la caverne : elle crut voir deux fourrures argentées briller sous les étoiles. Elle était presque certaine que deux chats se tenaient là-bas, les yeux baissés vers Plume de Jais. La première silhouette était un peu plus grande que la seconde, mais leur pelage présentait les mêmes taches sombres, comme si elles étaient de la même famille.

Jolie Plume et Rivière d'Argent ?

Nuage de Feuille cligna des yeux, et les félins argentés disparurent.

CHAPITRE 24

NUAGE D'ÉCUREUIL SUIVAIT Pelage d'Orage en courant le long d'un sentier rocailleux qui, quelques jours plus tôt, était encore recouvert d'une épaisse couche de neige. Le guerrier semblait prêt à traverser les montagnes pour trouver du gibier. Le goutte-à-goutte du dégel résonnait sur les rocs. Même les congères les plus profondes fondaient peu à peu. De sombres nuages gonflés de pluie s'amassaient au-dessus des cimes, portés par un vent plus doux qui délivrait les sommets de l'étreinte glacée de l'hiver.

Une fois encore, Nuage d'Écureuil se demanda pourquoi le guerrier du Clan de la Rivière lui avait demandé de l'accompagner à la chasse. Dans la caverne, tous se préparaient à repartir et ils ne pourraient pas emporter leurs prises avec eux. Le guerrier voulait peut-être rapporter du gibier à la Tribu pour la remercier de son hospitalité…

« Pourquoi Source ne vient-elle pas avec nous ? » demanda-t-elle, le souffle court.

Ces derniers jours, la chasse-proie avait suivi le guerrier gris comme son ombre.

Pelage d'Orage, qui s'apprêtait à bondir sur un

bloc de pierre, se concentra sur son saut sans répondre.

« Tu t'es disputé avec elle ? » insista-t-elle.

Le matou était visiblement préoccupé. Ses épaules étaient basses et il avait à peine prononcé trois mots depuis leur départ. Elle se hissa gauchement près de lui sur le rocher en réfléchissant à toute vitesse. Avait-il demandé à Source de rejoindre les Clans et de les accompagner jusqu'à leur nouveau territoire ? Cette idée la fit frissonner. Ce ne serait pas la première fois qu'un étranger rejoindrait les Clans. Son propre père était né chat domestique. Mais, au moins, il avait grandi près des bois. Source était une chatte des montagnes, et Nuage d'Écureuil savait que, où qu'ils s'installent, cela ne ressemblerait en rien à cet endroit désertique.

Elle repéra une souris sur la crête devant eux, sortie de sa crevasse en quête de nourriture. D'un sifflement, l'apprentie avertit Pelage d'Orage, qui se tapit contre le sol, attendant que le rongeur s'avance un peu plus loin sur le sentier. Elle devait se retenir pour ne pas sauter elle-même sur la proie, mais elle savait que le pelage du guerrier se fondrait plus facilement que le sien dans le paysage. Elle s'aplatit le plus possible, espérant passer inaperçue malgré sa fourrure rousse.

Pelage d'Orage attendit encore un instant, puis bondit. Il brisa la colonne vertébrale de la souris entre ses mâchoires avant de se tourner vers son amie, sa prise pendant dans la gueule.

« C'est un cadeau d'adieu pour Source ? » s'enquit-elle d'une voix douce.

Pelage d'Orage cligna des yeux, sans un mot.

« Bon, tu vas me dire ce qui ne va pas, oui ou non ? » s'impatienta-t-elle, ne supportant plus de voir son camarade si troublé.

Le matou laissa tomber sa prise, l'air soudain abattu. Lorsqu'il releva la tête, le doute se lisait dans ses yeux.

« J'ai décidé de rester avec la Tribu.

— Quoi ?!

— J'ai perdu Jolie Plume et Plume Grise, et je n'ai jamais connu Rivière d'Argent. Je n'ai plus de famille dans les Clans. Même mon mentor, Pelage de Silex, n'est plus. Pour moi, il était comme un membre de ma famille. Mis à part Jolie Plume, je n'avais que lui, dans le Clan de la Rivière. Je n'ai même plus de foyer. J'ai l'impression qu'on m'a tout pris, peu à peu.

— Et ton Clan ? protesta Nuage d'Écureuil. Le Clan de la Rivière a besoin de toi.

— Mon Clan compte d'excellents guerriers. » Il plongea son regard dans celui de Nuage d'Écureuil et dut y voir de l'inquiétude. « Dont Plume de Faucon, miaula-t-il comme s'il lisait dans ses pensées. Non, le Clan de la Rivière n'a pas besoin de moi.

— Mais cet endroit est si différent, protesta-t-elle. Dès qu'on aura trouvé notre nouveau territoire, tu pourras tout recommencer…

— Oh, Nuage d'Écureuil, tu ne comprends donc pas ? J'aime Source, et je veux rester à son côté.

— Je me disais que tu lui demanderais de rejoindre les Clans ! »

Pelage d'Orage secoua la tête.

« Elle serait perdue hors des montagnes. Mais moi, je sais que je peux vivre ici. Il y a de l'eau

– plus bruyante que la rivière, certes – mais c'est quand même de l'eau. Le gibier est abondant, et maintenant je sais chasser comme eux. De plus, l'esprit de ma sœur est ici… » Il poussa un long soupir. « Tous les Clans ont perdu leur foyer, mais j'ai perdu plus que quiconque. C'est la première fois depuis des lunes que j'ai l'impression d'avoir retrouvé quelque chose.

— N'en dis pas plus, murmura Nuage d'Écureuil avec tristesse. Je comprends. »

Sur le chemin du retour, mille pensées tourbillonnaient dans la tête de la jeune chatte. De nouveau, tout avait changé, alors même qu'elle pensait ne plus rien avoir à perdre. Ils se glissèrent derrière la cascade, puis Pelage d'Orage alla déposer la souris sur le tas de gibier. Nuage d'Écureuil resta près de l'entrée, l'esprit embrumé.

« Nuage d'Écureuil ! l'appela Nuage de Feuille. Conteur nous a donné des herbes fortifiantes à partager entre tous les Clans.

— C'est… bien, miaula la rouquine.

— Ça va ? s'inquiéta sa sœur.

— Nuage de Feuille ! appela Museau Cendré depuis l'autre côté de la caverne.

— Il faut que je file, lâcha l'apprentie guérisseuse en s'éloignant. Le Clan du Vent attend sa part d'herbes. »

Les yeux de Nuage d'Écureuil s'accommodèrent peu à peu à l'obscurité. Elle aperçut une silhouette qui se dirigeait vers elle en sortant des ombres. Son cœur fit un bond dans sa poitrine lorsqu'elle reconnut les épaules tachetées et massives. Qu'est-ce que Plume de Faucon lui voulait ?

« Nuage d'Écureuil ? »

Elle cligna des yeux. Ce n'était pas Plume de Faucon, mais Griffe de Ronce. Il la regardait d'un drôle d'air.

« Tu viens ? miaula-t-il. On doit s'assurer que tout le monde a mangé. »

La tête de l'apprentie lui tournait.

« Ça ne va pas ? » s'enquit-il.

Elle secoua la tête, comme engourdie. À l'autre bout de la caverne, Pelage d'Orage parlait à l'oreille de Source.

Griffe de Ronce suivit son regard.

« Pelage d'Orage va rester ici, pas vrai ?

— Il ne veut pas quitter Source », chuchota-t-elle.

Long silence.

« Il va te manquer ?

— Évidemment ! » répondit-elle, surprise.

Elle vit aussitôt une drôle de lueur dans les yeux ambrés du guerrier. De la jalousie ?

« Oh, Griffe de Ronce, murmura-t-elle. Mon cœur appartient au Clan du Tonnerre, tu le sais, non ? » Elle fit glisser sa queue le long du flanc de son camarade. « Mon cœur t'appartient. »

Il ferma les yeux. Nuage d'Écureuil espéra qu'elle ne l'avait pas froissé. Puis il les rouvrit et la regarda si tendrement qu'elle aurait pu rester là jusqu'à la fin des temps.

« Nous devons tous écouter notre cœur », murmura-t-il.

Les craintes de Nuage d'Écureuil disparurent aussitôt. Elle perdait un ami, mais elle ne serait jamais seule.

Un mouvement attira son attention. Conteur s'avançait vers le centre de la caverne.

« Les Clans vont partir, annonça-t-il à sa Tribu. Je veux que quelques-uns d'entre vous les accompagnent pour leur montrer le chemin. Ils se dirigent vers les collines et non vers le couchant, alors montrez-leur le sentier qui mène à la Grande Étoile. »

Nuage d'Écureuil se sentit soudain surexcitée. Les chats de la Tribu allaient-ils les conduire où le guerrier mourant avait disparu, derrière la chaîne montagneuse ?

Conteur s'inclina tour à tour devant les quatre meneurs.

« Que la chasse des fils du Clan des Étoiles soit bonne.

— Merci, Conteur. » Étoile de Feu s'inclina à son tour. « Ta Tribu nous a témoigné plus de gentillesse que nous aurions pu l'espérer, et nous sommes tristes de devoir partir. Mais nous devons nous rendre sur les terres promises par nos ancêtres. » Il se tourna vers les autres chefs. « Étoile Filante, le Clan du Vent est-il prêt ? »

Le vieux meneur le contempla, l'air perdu, avant de jeter un coup d'œil vers Moustache, qui se tenait près de lui. Le guerrier du Clan du Vent l'encouragea d'un hochement de tête, mais avant qu'Étoile Filante ait eu le temps de répondre, Griffe de Pierre déclara :

« Nous sommes prêts.

— Tout comme le Clan de l'Ombre, lança Étoile de Jais.

— Mes guerriers sont prêts, annonça Étoile du Léopard, la queue levée bien haut.

— Pas tous, dit Pelage d'Orage en s'avançant d'un pas. Je reste ici. »

Un silence choqué s'installa dans la caverne. Puis Pelage de Poussière prit la parole :

« Tu ne peux pas abandonner ton Clan dans un moment pareil !

— Il est libre de choisir, murmura Fleur de Pavot, qui couvait Source d'un doux regard compréhensif.

— Le fils de Plume Grise ne prendrait pas une telle décision à la légère », intervint Tempête de Sable.

Étoile de Feu étudia Pelage d'Orage, l'air pensif.

« Je me souviens à quel point il avait été dur pour Plume Grise de choisir Rivière d'Argent contre son Clan, miaula-t-il. Mais, de ce choix difficile, Jolie Plume et toi naquirent. Sans vous deux, tout aurait été différent pour la Tribu comme pour les Clans. Jolie Plume a tué Long Croc, et toi tu as fini le périple pour nous rapporter le message du Clan des Étoiles. Personne ne peut douter de ta loyauté et de ton courage, ni critiquer ton choix. Comme ton père l'a prouvé, lorsque nous écoutons notre cœur, de grandes choses en découlent. »

Des murmures enthousiastes résonnèrent dans la caverne jusqu'à ce qu'Étoile du Léopard les fasse taire d'un miaulement aigu.

Nuage d'Écureuil frissonna. La meneuse permettrait-elle à son guerrier de quitter le Clan ?

Les yeux plissés, le chef du Clan de la Rivière le dévisagea.

« Pelage d'Orage, dit-elle enfin. Le Clan de la Rivière regrettera ton courage et ton talent. Après tant de bouleversements, il n'est pas impossible que nous nous revoyions un jour, dans cette vie ou la suivante. » Elle s'inclina, acceptant sans colère la décision du matou. « Que la vie te soit favorable. »

Tandis que les Clans quittaient la caverne en file, Source caressa le flanc de Pelage d'Orage du bout de la queue. Nuage d'Écureuil jeta un regard triste à son ami, espérant qu'il les accompagnerait jusqu'aux limites du territoire de la Tribu. Mais il resta à sa place, son pelage gris luisant dans la lumière de la cascade. Ses yeux trahissaient l'ampleur de son chagrin. Malgré son désir ardent de vivre avec la Tribu, pour lui, regarder partir les Clans devait être comme perdre une nouvelle fois Rivière d'Argent, Jolie Plume et Plume Grise.

« Tu crois qu'il sera heureux ? demanda la rouquine à Griffe de Ronce.

— J'en suis certain », affirma son compagnon en lui donnant un petit coup de langue sur l'oreille.

Ils suivirent les autres le long de la corniche, puis en haut de la crête, le soleil non pas devant eux mais sur le côté.

« Tu penses qu'ils nous emmènent dans la bonne direction ? chuchota-t-elle.

— Je l'espère », répondit Griffe de Ronce. Il tendit le cou pour voir au loin. « Je crois que l'étoile est bien tombée par là. Pourvu qu'on ne la rate pas... »

Soudain, la patrouille vira pour descendre le long d'un défilé tortueux. La pente abrupte débouchait sur un paysage vallonné où les collines se succédaient à perte de vue, verdoyantes ici, couvertes de bois là. Vue du haut des montagnes, la verdure leur semblait étrange après la grisaille et le blanc omniprésents des sommets. Nuage d'Écureuil distinguait au loin des ruisseaux qui étincelaient entre les arbres comme l'écorce argentée des bouleaux dans une forêt de chênes.

« C'est là ? souffla Griffe de Ronce.

— "Des collines, des chênaies pour s'abriter, des ruisseaux." »

Nuage d'Écureuil se surprit à réciter la prophétie de Minuit.

« Mais c'est si vaste ! lança Pelage d'Or, qui venait de se faufiler près d'eux. Comment savoir où nous arrêter ? »

Griffe de Ronce secoua la tête. Ils contemplèrent le paysage en silence jusqu'à ce qu'un scintillement attire l'attention de Nuage d'Écureuil. Quelque chose bougeait sur la crête bordant le défilé. Elle frémit. Était-ce un aigle ? Non, ce n'était pas un oiseau, mais Pelage d'Orage et Source, filant le long de l'arête, miaulant leurs adieux aux Clans en partance.

CHAPITRE 25

NUAGE DE FEUILLE REMUA les moustaches pour en chasser quelques gouttes de pluie et suivit les autres sur la butte couverte de bruyère. Ils avaient marché toute la matinée sous l'ondée, laissant loin derrière eux neige et montagnes.

« Tu as vu Étoile Filante ? » demanda Poil de Châtaigne à voix basse.

Le chef du Clan du Vent avançait derrière Moustache à travers la lande. Malgré l'averse, il ne s'appuyait plus sur son guerrier mais cheminait d'un pas assuré, comme si son nouveau territoire était en vue. Il dressa les oreilles en apercevant un lapin surgir d'un rocher un peu plus loin. Moustache le consulta du regard. Lorsque le vieux meneur hocha la tête, le chasseur se lança à la poursuite du lapin. Oreille Balafrée et Plume Noire s'engagèrent à sa suite.

« J'ai l'impression que l'odeur de la bruyère a redonné de l'énergie au Clan du Vent », ronronna Nuage de Feuille.

À l'image du Clan du Vent, tous semblaient plus détendus. Étoile de Jais trottait à côté d'Étoile de

Feu, tandis que Pelage de Poussière parlait nonchalamment avec Feuille Rousse.

« Jamais je n'aurais cru Pelage de Poussière capable d'être aussi à l'aise avec les autres Clans, déclara Nuage de Feuille.

— Il sera bientôt redevenu lui-même, répondit Poil de Châtaigne. Une fois que nous serons sur notre nouveau territoire, les choses reviendront à la normale.

— Il y aura toujours quatre Clans », murmura Nuage de Feuille, comme pour elle-même.

Mais était-ce la vérité ? Dans la colonie de chats, il était à présent impossible de dire où s'arrêtait un Clan et où commençait le suivant.

« Moi, je suis drôlement contente d'avoir quitté la montagne, miaula Poil de Châtaigne. Pelage d'Orage est très courageux d'y rester.

— Plus rien ne le liait aux Clans, répondit Nuage de Feuille.

— Peut-être, mais, à sa place, je serais partie quand même.

— Alors que nous ne savons même pas où nous allons ?

— Regarde autour de toi ! » Poil de Châtaigne pointa les oreilles vers le paysage qui les entourait. « Pas le moindre monstre en vue, pas une seule zone de terre retournée. Et c'est si bon de sentir de nouveau l'odeur du gibier », conclut-elle en se léchant les babines.

Moustache revint vers les Clans, un lapin pendant entre ses mâchoires. Nuage de Feuille savait que son amie avait raison : cet endroit avait l'air plus sûr que tous ceux qu'ils avaient traversés pendant des jours et des nuits. Mais, sans signe du Clan des Étoiles pour le confirmer, comment être certains qu'ils avaient atteint leur but ?

« Nuage de Feuille ! »

L'appel de Museau Cendré réveilla l'apprentie guérisseuse en sursaut. En ouvrant les yeux, elle vit qu'il faisait encore sombre.

« Que se passe-t-il ? »

La novice se leva tant bien que mal et balaya du regard le bosquet où les Clans avaient trouvé refuge pour la nuit. Une bise glaciale soufflait entre les arbres.

« Étoile de Feu veut partir dès que possible, lui apprit Museau Cendré.

— On ne peut pas rester ici ? » demanda Petit Frêne.

Dans la lumière diffuse qui précédait l'aurore, Nuage de Feuille vit que le chaton, tapi entre les racines d'un arbre, levait des yeux suppliants vers sa mère.

« Nous ne pouvons pas nous arrêter tout de suite, répondit Griffe de Ronce d'une voix profonde, sans laisser le temps à Fleur de Bruyère de répondre. Le Clan des Étoiles nous avertira lorsque nous aurons trouvé notre nouveau chez-nous.

— Mais le signe viendra peut-être si on attend ici ? rétorqua Pelage de Poussière.

— Si on attend ici ? répéta Griffe de Pierre en foudroyant du regard les guerriers du Clan du Tonnerre. Ces arbres vous semblent peut-être accueillants, mais ils ne le sont guère pour nous.

— Et les cours d'eau ne sont pas assez larges pour que nous y pêchions, ajouta Étoile du Léopard.

— Nous devons donc poursuivre, conclut Nuage de Feuille.

— Et jusqu'où, exactement ? feula Plume de Faucon.

— Tu as vraiment besoin de tout savoir ? » lui lança Nuage d'Écureuil, les yeux plissés.

Griffe de Ronce la fit taire d'un battement de la queue, avant de se tourner vers Museau Cendré.

« As-tu reçu le moindre signe du Clan des Étoiles ?

— Moi, non, répondit la guérisseuse. Mais Nuage de Feuille a fait un rêve. »

Le cœur de l'apprentie guérisseuse bondit dans sa poitrine lorsque tous les regards se tournèrent vers elle, luisant dans la pénombre.

« Je... je ne sais pas si c'était un signe, balbutia-t-elle. J'ai rêvé que j'étais assise devant une vaste étendue d'eau brillante.

— De l'eau brillante ? la coupa Étoile du Léopard. Une rivière, tu veux dire ?

— Non, pas une rivière. Ces eaux étaient lisses, sans remous. J'y voyais le reflet de la Toison Argentée. Toutes les étoiles y scintillaient aussi nettement que si elles flottaient dans le ciel.

— C'est tout ? fit Étoile de Jais.

— Petite Feuille était là. Elle m'a dit que le Clan des Étoiles nous trouverait. »

Malgré ses pattes tremblantes, Nuage de Feuille se força à soutenir le regard du chef du Clan de l'Ombre.

« Donc nous devons nous diriger vers un point d'eau ? miaula Étoile Filante, plein d'espoir.

— Ce n'était qu'un simple rêve, répondit Nuage de Feuille, les oreilles frémissantes. Je n'ai reçu aucun signe du Clan des Étoiles, depuis. » Elle baissa piteusement la tête vers le sol. « Je commence à croire que j'ai vu ce dont je voulais rêver.

— Alors nous ne sommes pas plus avancés, marmonna Étoile de Jais en se détournant.

— Es-tu certaine que ce n'était qu'un rêve ? » demanda Griffe de Ronce.

Avant de répondre, elle sonda son cœur pour y chercher la vérité.

« Je ne sais pas », admit-elle finalement.

Jusque-là, elle ne s'était jamais trompée en interprétant ses rêves. Mais si sa vision avait vraiment contenu un message du Clan des Étoiles, un autre signe – une étoile filante, un autre rêve – aurait dû les avertir que le Clan des Étoiles les accompagnait en cet étrange endroit, non ?

« Bon, il ne nous reste plus qu'à reprendre la route », soupira Griffe de Ronce en quittant le couvert des arbres.

Une pente herbeuse descendait devant lui vers une vallée encaissée. Au-delà, une chaîne de montagnes s'élevait dans le ciel indigo, son flanc rebondi couvert de forêt.

Tandis que les félins quittaient peu à peu le bosquet, les yeux encore ensommeillés et les membres raides, Nuage de Feuille leva la tête vers le ciel. Des nuages voilaient les étoiles.

« Cesse de te tracasser. »

La voix de son père la surprit. Il se tenait juste derrière elle.

« Tu n'es encore qu'une apprentie guérisseuse, murmura-t-il. Tu ne dois pas te sentir coupable si le Clan des Étoiles préfère rester silencieux. »

Elle le regarda avec gratitude tandis qu'il poursuivait :

« Je suis fier de toi. Et de Nuage d'Écureuil aussi, même si la prophétie de Museau Cendré m'a longtemps effrayé.

— La prophétie de Museau Cendré ?

— La vision montrant que feu et tigre détruiraient le Clan. »

Nuage de Feuille cilla. Cette sinistre prophétie lui semblait appartenir à une autre vie, à présent.

« Aujourd'hui, je crois comprendre ce qu'elle signifiait », poursuivit Étoile de Feu en suivant Nuage d'Écureuil et Griffe de Ronce du regard, tandis qu'ils conduisaient les autres dans la vallée. Dans les ténèbres, leurs pelages brillaient comme la lune et son ombre. « La fille d'Étoile de Feu et le fils d'Étoile du Tigre ont bel et bien détruit le Clan, miaula-t-il. Mais pas comme je le craignais. Ils nous ont emmenés loin de chez nous, loin du danger, vers l'inconnu. Beaucoup se seraient découragés, mais eux, ils se sont accrochés à leur foi et nous ont conduits en lieu sûr. » Il jeta un coup d'œil vers Pelage d'Or et Plume de Jais, à l'affût sur les flancs du groupe, comme pour le protéger. « Ceux qui ont les premiers franchi les montagnes – qu'ils soient encore avec nous ou qu'ils vivent parmi d'autres guerriers – seront honorés à tout jamais, par tous les Clans, pour leur courage. »

Avec un battement de queue, il s'éloigna pour rejoindre Tempête de Sable en quelques bonds. Nuage de Feuille éprouva une bouffée de fierté pour sa sœur, et de gratitude pour son père. Le meneur faisait à présent confiance à Griffe de Ronce et Nuage d'Écureuil pour les conduire vers un avenir meilleur.

Elle se glissa entre les félins jusqu'à Poil de Châtaigne au moment où ils atteignaient le fond de la vallée et s'apprêtaient à attaquer l'autre versant.

« J'ai faim, se plaignit la guerrière.

— L'aurore est proche, lui répondit Nuage de Feuille. On pourra bientôt chasser.

— Au moins, le coin a l'air giboyeux », déclara Poil de Châtaigne en étudiant les jeunes hêtres devant eux.

Nuage de Feuille reconnut la voix de sa sœur, qui lui parvenait d'un peu plus haut :

« Je sens une odeur de gibier, de feuilles et de fougères comme dans la forêt d'avant ! » La rouquine rebroussa chemin jusqu'aux deux chattes. « J'espère qu'on va recevoir un signe bientôt. » Elle scruta les bois, guettant le pelage de Griffe de Ronce. « J'espère qu'il va bien. Il n'a presque rien dit de la journée.

— Il est inquiet, c'est tout, la rassura sa sœur.

— À ton avis, à quoi ressemblera le signe ? s'impatienta Poil de Châtaigne.

— Je n'en sais rien », admit Nuage de Feuille.

Sous les arbres, elle voyait à peine où elle mettait les pattes et se dirigeait en suivant les odeurs de ses camarades.

La tension monta peu à peu dans les Clans. Les muscles se raidirent, les fourrures se hérissèrent. Personne ne parla avant d'avoir atteint le sommet de la crête. Ils longèrent l'arête dépourvue d'arbres l'un derrière l'autre, leurs silhouettes se découpant sur le ciel brumeux. Un vent frais se leva. Nuage de Feuille sentit qu'il ébouriffait sa fourrure. Elle ferma les yeux un instant et envoya une prière désespérée au Clan des Étoiles.

Faites que les paroles de Petite Feuille deviennent réalité. Montrez-moi que vous nous attendez, implora-t-elle.

Le vent redoubla de force. Très loin dans le ciel, les nuages se déchirèrent pour dévoiler la lune ronde.

Nuage de Feuille ouvrit les yeux. Et le paysage lui coupa le souffle. Au bout de l'arête, le terrain descendait abruptement vers une vaste étendue d'eau lisse. Toutes les étoiles de la Toison Argentée se reflétaient dans le lac, lumières d'argent sur un fond indigo presque noir.

Nuage de Feuille bondit de joie. Son cœur lui disait sans le moindre doute qu'ils étaient arrivés à destination, là où leurs ancêtres les attendaient depuis le début.

Elle leva les yeux. L'horizon lointain rougissait tandis que l'aurore repoussait la nuit, révélant peu à peu les nouveaux territoires des quatre Clans.

Voici l'endroit que nous devions trouver, et le Clan des Étoiles y est déjà.

Ouvrage composé par
PCA - 44400 Rezé

Imprimé en France par
CPI Brodard & Taupin
en décembre 2020
N° d'impression : 3041540
S23811/11

Pocket Jeunesse, une marque d'Univers Poche,
est un éditeur qui s'engage pour
la préservation de l'environnement
et qui utilise du papier fabriqué à partir
de bois provenant de forêts gérées
de manière responsable.

92, avenue de France - 75013 PARIS